The Laws Guide to Nature Drawing and Journaling

見て・考えて・描く
自然探究
ノート

ネイチャー・ジャーナリング

ジョン・ミューア・ロウズ [著]

杉本裕代＋吉田新一郎 [訳]

築地書館

THE LAWS GUIDE TO NATURE DRAWING AND JOURNALING
by John Muir Laws
Copyright © 2016 by John Muir Laws
Japanese translation published by arrangement with Heyday Books
through The English Agency (Japan) Ltd.
Japanese translation by Hiroyo Sugimoto and Shinichiro Yoshida
Published in Japan by Tsukiji-Shokan Publishing Co., Ltd. Tokyo

もくじ

なぜネイチャー・ジャーナリングなのか？　5

観察することと、意識的に好奇心を保つこと　8
観察を深める、きっかけづくりのフレーズ　10／意識的に好奇心を保つ心がけ　14
「なぜ」という疑問——それは、もしかすると？　22
博物学者や科学者のように考える方法　27

意識を重視するプロジェクト　32
意識を集中させる　34／発見を集めて、フィールドガイドを作成する　36
その一瞬に寄り添う　38／次々と疑問を追いかけて　40／個体に焦点を当てる　42
種に焦点を当てる　44／ズームイン、ズームアウト　45
パターンを探して、例外を見つける　48／比較する　50
時間の経過とともに変化を観察する　52／心に残る出来事を記録する　56
地図を作る　59／景色の断面図を作る　61／風景を立体的に取り出す　63

探究を深めるための方法　66
観察を広げる方法　68／文字で書く　70／解説図を作成する　72
鳥の鳴き声（およびその他の音）の図解　75／リストを作る　79
数える、目算する、測定する、および時間を計る　81／データツールボックス　84
好奇心探究キット　89

視覚的思考と情報の表示方法　92
グリンネル法　94／創造性を刺激するジャーナリング　98／自然世界の設計図^{ブループリント}　101
ページをうまくレイアウトする際のヒント　104／矢印の詳細　108

ジャーナル・キットと画材　112
ネイチャー・ジャーナルの定番キット　114／フィールド・キットの例　117
スケッチの必須アイテム　118／色鉛筆の選択と整理　122
適切なスケッチブックを選ぶ　124／水彩パレットをカスタマイズする　127
自分のパレットを作る　130／水彩絵具の選択　134

自然画　138
願いから実践へのロードマップ　140／描き方　148

マウンテン・ライオン——スケッチプロセスの概要　152 ／描く前によく見る——構造と形　154

分解して描く① アーティストのように考える方法　156

分解して描く② 統合された技術　161 ／分解して描く③ 構造的アプローチ　164

分解して描く④ 表面に見える形を意識したスケッチ　168

分解して描く⑤ 構造と形の組み合わせ　170 ／線画① 肘、手首、指を使って弧を描く　172

線画② 肩で描く　173 ／線画③ ダイナミックに鉛筆で線を引く　174

明度① 色の濃淡の確認と単純化　176 ／明度② 影を描く　180 ／明度③ 白い物体の影　182

色① 原色の混乱　184 ／色② シアン、イエロー、マゼンタ　186 ／色③ 混色　188

色④ 色を探す　190 ／細部——細部と質感　191 ／奥行きを表現する方法　193 ／構図　195

継ぎ足しの構図——猛禽類の場合　198 ／手間を省くための知恵　201

樹木を描く——近くから、遠くから　204

円柱と等高線　206 ／ドーナツ状の物体の等高線　207 ／うねる枝ぶり　209 ／枝の影　210

平行に走る縦の割れ目　211 ／樹皮と枝の形　212 ／前から後ろへの分岐　214

針葉樹のスケッチ　215 ／ベイマツの描き方　217 ／オークの描き方　220

「木を描く」ことの再考　223

風景の描き方　226

小さな風景画　228 ／ミニ風景画のバリエーション　230 ／岩とは、縁と平面でできている　232

丸みのある岩　234 ／地面から突き出た岩の描き方　236 ／山々をスケッチする　239

山の風景の描き方①　242 ／草原の輝き　244 ／オークの森の描き方　246

針葉樹林の描き方　248 ／滝　250 ／山の風景の描き方②　253 ／水を描く　256

水彩で海の波の広がりを描く　259 ／砂浜の波　261 ／打ち寄せる波を水彩で描く　263

波と岩を水彩で描く　264 ／雲を見る　266 ／様々な空を水彩で描く　269

ウェット・イン・ウェット技法で空を描く　272 ／鉛筆で雲を描く　274 ／夕暮れ　275

山際の夕暮れの描き方　278

あとがき　280

謝辞　281

訳者あとがき　284

ジャーナルに描かれた場所を見てみよう　286

注釈　288

参考文献　289

＊本文中の「原寸」「○倍」などのサイズ表記は、
日本語版にあたって変更されています。

＊〔 〕は訳者による注です。

なぜネイチャー・ジャーナリングなのか？

　まっさらな視線で世界を見ると、至るところに美があるとわかります。丁寧に物事を見ることで、あなたの人生を慈しむ機会を自分に与えてあげましょう。修道士であり作家でもある、デイヴィッド・スタインドル‐ラストが言うように、「幸福によって感謝の気持ちが湧くのではない。感謝の気持ちをもつことで、私たちは幸福になる」[1]のです。あなたが、見たものをジャーナルの中に記録するときは、あなたの周りにある環境に感謝してみてください。あなたのジャーナルのページの一枚一枚を通して世界を祝福すると、絵筆や鉛筆の運び一つひとつが、いま生きているという巡り合わせへの感謝の歌となることでしょう。

　心の中で次の言葉を、いままで何度言ったか考えてみてください。「私はこの瞬間を決して忘れない」。特別な瞬間が心に刻まれることはあります。しかし、なかなか認めづらいことかもしれませんが、かつて自分にとって大いに意味のあった経験や想いの多くを、私たちは忘れてしまうものです。たしかに、人生の主要な出来事でさえも漠とした記憶しかもたずに人生をやり過ごすことも可能ではあります。人生の一瞬一瞬において、私たちは無意識のうちに、自分の五感から得た情報を摩耗させています。私たちが記憶に留められるのは、そのうちのほんの一部でしかありません。しかし、ジャーナリングという作業は、ある瞬間を記憶に焼きつけるのに大いに役立ちます。旅行中に日記（ジャーナル）をつけた経験がある人には、このアイディアはなじみ深いものでしょう。とはいえ、ジャーナルのために旅をする必要はありません。日々の生活の中でも、不思議で心を満たし、身近で経験した美の記録でジャーナルを埋めることができます。この作業を通じて、力強さ、忍耐力、冷静さ、そして感謝する心が養われることでしょう。

愛でることから行動へ

　私が、*The Laws Field Guide to the Sierra Nevada*（シエラネバダ山脈のロウズ式フィールドガイド）に取り組んでいたとき、出会った植物や動物について、3,000枚近くの水彩画を描きました。一つの植物を描き終えると、その植物との信頼関係がしっかり築けたと感じました。だからこそ、旅の道すがら、絵を描くために植物を摘んでしおれさせてしまうのは間違っていると思いました。その代わりに、植物の傍らに座り、原寸の比率に忠実に描き、水彩で色を施して、それが終わって立ち上がったら、自分がそれまで座っていた場所の草をふわふわに盛り上げていました。6年にわたるこの仕事が終わる頃には、気がつけば、絵に描くたびに、その植物たちに話しかけ、移動の前には、植物とその場所に感謝するようになっていました。出会った植物の一つひとつと、私は何度も恋に落ちていました。

　愛情とは、思いやりをもって周囲を気遣うこと、と定義することもできるでしょう。子どもや、パートナー、教え子、そして通りすがりの人であっても、相手に真摯な気遣いをすることで、私たちは理解と優しさの関係性を築きやすくなります。同じように、私は理

解や労り、思いやりをもって、ジャーナルを描き、自然に深い考察を向けます。自然にまつわる愛が、木々を元気づける森の泉のごとく、活力を届け、育んでいるのは、「執事の精神」です。つまり、何かを保護し、何かに責任をもつことであり、この本の文脈でいえば、あらゆる自然世界と生物多様性を護り、責任をもとうとする心構えのことです。ジャーナルをつけることは、あなたを世界とのより深いつながりに引き込み、次の行動へと導いてくれます。あなたが暮らしている場所で、新しい一歩を踏み出す方法を見つけてください。「自然の執事たち」である自然愛好家のコミュニティーを見つけて参加したり、直感に従い行動していくための、あなたが強く信じる活動の促進役になってください。あなたが自然を護り修復するにつれ、自然もあなたを本来の姿へと戻してくれるでしょう。

ゆっくり、観察し、発見し、出会う

　すべての分野のライター、ナチュラリスト、科学者はジャーナル（記録帳）を使用して、彼らが仕事の過程で見たこと、行ったこと、考えたことを記録に残しています。ジャーナルは、私が野外に持っていく最も重要なツールです。双眼鏡よりも、もっと大切です。ジャーナリングとは、人生をより深く生きたいと願う人のためのスキルであり、年齢を問わず学ぶことができ、意識して実践することでどんどん上達するスキルです。探究しながらスケッチや文章を書くことは、何かを新しく発見しようと試みるときに自分自身をその気

にさせるための、最も効果的な方法です。

　ネイチャー・ジャーナリングによって、私たちは、科学がもたらすドキドキした気持ちを何度でも味わうことができます。観察とジャーナリングによって、あなたはゆったりとした気持ちで、立ち止まり、座り込んで、あたりを見回し、幾度も対象に目を向けるでしょう。じっと、静かに、注意深く観察する時間を、普段、どれほど時間をとっていますか？この手順をふむことで、あなたは自分の考えを整理し、答えを寄せ集めて、さらに深い疑問を投げかけることができるでしょう。落ち着いて、自分のジャーナルに観察結果を記録できるくらいの時間をかけて、じっくり観察すれば、あなたの目の前で様々な謎が解かれていくことでしょう。あらゆる科学にとって肝心なことは、飽くなき好奇心と深い観察力といった、最良の学びを導く気質なのです。もっと具体的にいえば、不思議だと思う直感から始まった学びや、理解したいという欲求、そして、観察する力のことなのです。

　私は、よく見る、記憶する、好奇心を常にもち続ける、という三つの理由のために、ネイチャー・ジャーナリングに取り組んでいます。あなたがジャーナルに描く、そして書くために野外に座るたびに、これらの能力は高められます。絵を描くのが得意である必要はありません。また、ジャーナリングの成果は、紙面に描いたものだけではありません。むしろ、その成果や恩恵は、あなたが自然の中で見聞きした経験と、それをどう捉えたかという思考方法の中にあるのです。

　この本はまず、いかに自然と出会い、観察し、発展させるのかを学ぶのに役立つ実用的な方法についてお伝えします。その後に続く各章では、材料や道具の選択方法に関する情報が続きます。いくつかの種類の植物に加え、陸の景色と、空の景色まで正確に描く方法、そして、あなたのスケッチスキルを磨く方法も掲載されています。ネイチャー・ジャーナリングの経験のあるなしに関係なく、この本のどこからでも、読み始めてください。好奇心と喜びをもって世界を旅する方法についてのガイドブックになります。あなたのジャーナルを手に取り、外に出て、いま生きているという豊かな経験を耕し、育ててください。

> どんなことにも感謝しなさい。
> —— パウロ
> 『テサロニケの信徒への第一の手紙』
> 5章18節

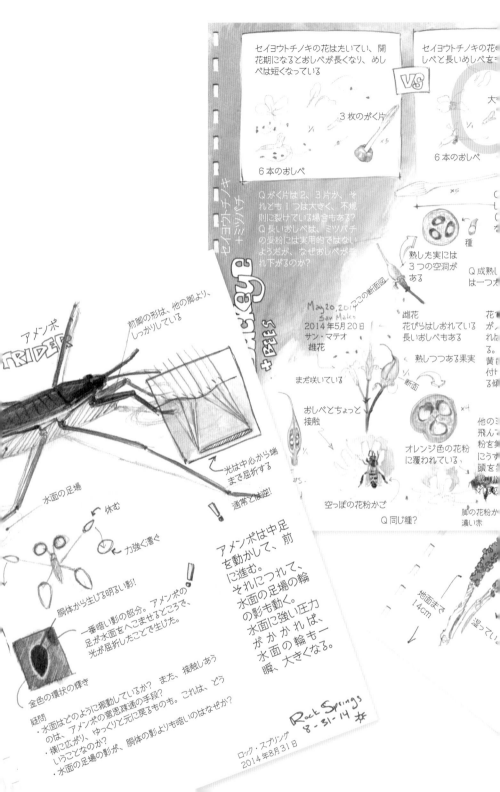

セイヨウトチノキの花はたいてい、開花期になるとおしべが長くなり、めしべは短くなっている

VS

セイヨウトチノキの花 ...しべと長いめしべを...

3枚のがく片

×5

6本のおしべ

大...

6本のおしべ

Q がく片は2、3片か、それとも1つは大きく、不規則に裂けている場合もある?
Q 長いおしべは、ミツバチの受粉には実用的ではないようだが、なぜおしべが垂れ下がるのか?

×5

熟した実には3つの空洞がある

種

Q 成熟し...は一つ...

セイヨウトチノキ + ミツバチ + BEES

May 20, 2014 ここの断面図
2014年5月20日
サン・マテオ
San Mateo
雄花

まだ咲いている

おしべとちょっと接触

雌花
花びらはしおれている
長いおしべもある

熟しつつある果実

断面

×4

花...が...れ...黄...付...る傾...

他のミ...飛ん...粉を...にうす...頭を...

オレンジ色の花粉に覆われている

空っぽの花粉かご

Q 同じ種?

脚の花粉か...
濃い赤

アメンボ
TRIDER

前脚の形は、他の脚より、しっかりしている

光は中心から端まで屈折する

通常ここは逆!

水面の足場

休む

力強く漕ぐ

胴体から生じる明るい影!

一番暗い影の部分。アメンボの足が水面をへこませるところで、光が屈折したことで生じた。

金色の環状の輝き

疑問
・水面はどのように振動しているか? また、接触しあうのは、アメンボの意思疎通の手段? これは、どういうことなのか?
・水面の足場の影が、胴体の影より暗いのはなぜか?

アメンボは中足を動かして、前に進む。
それにつれて、水面の足場の輪の影も動く。
水面に強い圧力がかかれば、水面の輪も一瞬、大きくなる。

地面まで14cm

湿ってい...

Rock Springs
8-31-14

ロック・スプリング
2014年8月31日

CURIOSITY

観察することと、意識的に好奇心を保つこと

観察、好奇心、創造性は、自分で高めることのできるスキルです。深く観察し、探究という不思議な世界へ、自分の心を開いて、足を踏み入れることを学びましょう。あなたが知らないことを出発点として受け入れ、世界の謎を探りましょう。

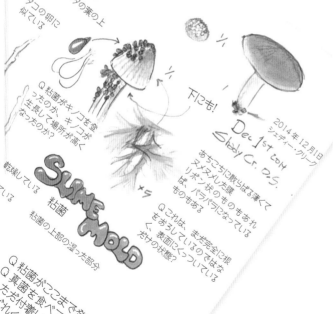

観察を深める、きっかけづくりのフレーズ

私は、「気づいたことは……」「不思議だな……」「連想するのは……」というフレーズを使って、観察と探究に集中します。これは、私の最も重要な習慣です。

どんなときでも、観察を通して身近な世界のことを知ることができます。一方で、気を抜くと、自分の考えや悩みに巻き込まれ、世界を本当の意味で見つめることをせずに、ただぼんやりと眺めながら歩き回ってしまいます。これら二つの違いは、注目すべきものに意識を向けているかどうかです。

ケリー・ルーフの「探偵プロジェクト（The Private Eye Project）」〔植物や生物をルーペで観察し、演劇やスケッチ等の多彩な方法で解剖学的視点から思考を深める教育方法。1988年から実践され、探究学習やアクティブ・ラーニングの草分けとされる。書籍化もされている〕に触発されて、「あれ？ 気づいたことは……」「おや？ 不思議だな……」「そういえば、連想するのは……」の三つのフレーズを活動の基本として使用します。これらが、意識的な注目に導いてくれるからです[1]。これらのフレーズをあなたの探究に組み込むと、美しいものを発見し理解を深めるために、わざわざ遠くへ出かける必要はなくなります。

> もし私が何か価値のある発見をしたことがあるとすれば、それは、どんな理由よりもまず、じっと根気強く観察したことによるものである。
> —— アイザック・ニュートン

まず、観察する小さなものを見つけます。葉、枝、または岩など。少し時間をかけて、ゆっくりと落ち着きましょう。禅僧のティク・ナット・ハン〔ベトナム出身の平和・人権運動家・学者・詩人。ダライ・ラマ14世と並んで、20世紀から平和活動に従事する代表的な仏教者〕はこう言っています。「いつも走る習慣をやめ、少し休憩してリラックスし、自分の中心を取り戻すことができれば、私たちはすべての努力において、より成功するでしょう。そして、私たちは、生きることにもっと多くの喜びを感じるでしょう」[2]。

非常に多くのことが、あなたの注意と集中を絶えず求めています。始める前に少しばかり静かな空間があれば、「いまここ」にあるという感覚をより多くもてます。行動の速度を落として落ち着くために、私は単純なマインドフルネスの呼吸法を使用します。約5回のサイクルの間、私は息を吸ったり吐いたりすることに焦点を合わせます。私はジャーナリングを始める前にこれを行い、また自然観察の一日を通して、定期的にこれを行います。それほど時間はかからず、焦点、集中力、感謝の気持ちを取り戻すのに役立ちます。

その後で、これらのフレーズを続けて試してください。奇妙に感じるかもしれませんが、考えていることはすべて口に出して言ってください。そうすることで、あなたが見たものが記憶のひだに織り込まれ、あなたの考えをより明確に表現するのに役立ちます。

あれ？ 気づいたことは……

あなたが目にしているものは、何でもよく観察してください。観察していることを、口

に出して言うのです。何も省略せずに、見たものはそのまま言葉にしてください。構造、動き、色、相互の関係を見てください。視点も変えてみてください。近く、または遠くを見上げて、他に何が観察できるかを確認します。観察が不足していることに気づいた場合は、何か新しいことを自分に発見させるようにより意識的になるか、そうでなければ、単に「あれ？」と言ってみてください。アイディアが飛び出すまで、あなたを驚かせるものに注意を払ってください。そうすれば、世界の姿があなたの予想とどのように異なるのか、ヒントを与えてくれます。

おや？　不思議だな……

　観察対象をしっかり見た後、それについての疑問を考え出し、声に出して言ってみましょう。あなたの疑問は、あなたが以前に行った観察に何か関連しているかもしれません。あるいは、あなたが観察していることのどんな側面についてでも構いません。その疑問にまだ答えようとしなくていいのです。とにかくすべて口に出してみましょう。まとめて言わずに、観察を続けて、疑問を思いつくたびに声に出すのでも構いません。

そういえば、連想するのは……

一周回って輪っかに。カリフォルニア州の湾岸沿いに生息するオークの枝は、自分とつながってリングを形成する

　最後に、観察対象があなたに思い起こさせるものを、すべて声に出して言います。この段階で自分の発想を押さえつけないようにしましょう。頭に浮かんだことは何でも言ってください。対象があなたの記憶を刺激し、過去の経験や忘れていた知識の断片を思い出したり、姿形から何かを思い出したりするでしょう。対象の個々の部

May 25, 2014　Lynch Canyon
2014年5月25日　リンチ・キャニオン

分を見てから、個々を組み立て、一つのまとまりとして捉えてみてください。

途中で振り返る

　ここで少し時間を取って観察対象を見て、短時間でどれだけ学ぶことができたかを考えてください。

　経験に基づいた学びや連想は、注意深く集中して観察することで、実現することができます。気づいたことを声に出して言うと、そのとき言ったことだけに意識が向くので、ただ見たことが、言葉で説明できる思考へと変わります。

　疑問を発することで、対象への関わりが深まり、焦点が合い、すでに知っていることを超えて興味が広がります。そうすることで、あなたのもつ好奇心と、あなたが理解していることの境目にあることを探る能力を伸ばします。

あなたが思い出したことを言うと、あなたがその瞬間に観察したことと、あなたがすでに知っていることを結びつけやすくなります。子どもたちは、今まで見たことのない何かに出会うと、「……のように見える」とよく言います。あなたが観察したことや考えたことを、あなたがすでに習得している、この世界の枠組みや知識の中に置くことによって、自分の経験をより鮮明な記憶として刻

あなたが見るよりも特別なものが、私に見えるわけではありません。ただ、見たものに対して、何か気づくように、自分を訓練してきただけのことです。

—— シャーロック・ホームズ

むことができるのです。一連の手順のうち、この段階は、科学的な理解にもつながる可能性があります。ポピーの花の膨らみがレーダーアンテナを思い出させた場合、おそらく、それら二つには共通した機能があるのでしょう。

　自然界の何かについてもっと知りたいときはいつでも、これらのフレーズを使ってください。慣れたら、必ずしも同じ順序にこだわる必要はありません。多くの場合、「連想するのは……」と言葉にすることは、あなたを疑問へと導き、さらなる観察をするように促すことでしょう。

　他の人と一緒に探索している場合は、全員で進めてください。彼らの観察に耳を傾け、あなたが聴いたことに基づいて、さらに議論を重ねたり、修正したりしてください。こうしたグループ観察では、お互いに影響し合いながら会話するのが、とても楽しいものです。そして、他の人は、あなたが気づかなかったことを観察し、思いも寄らない考えを見せてくれるかもしれません。

　これらのフレーズは、ジャーナルで使うとさらに強力になります。自然界の対象を選び、できるだけ多く記録します。このように探究することがどのように感じられるかに注意を払ってください。自分の周りの世界を意図的かつ注意深く観察し始めたら、不思議に思うようになります。意識して好奇心をもち、疑問に従って発見への道のりをたどってください。

気づいたことは……
客観的な観察から始める。この
スケッチが、縮尺をどのように取
り入れているかに注目しよう（そ
のほとんどは実物大で、その
横に拡大したものが描かれてい
る）。種莢構造（種子の莢の構造）
と、複数の異なる角度から見た
様子を描いている。

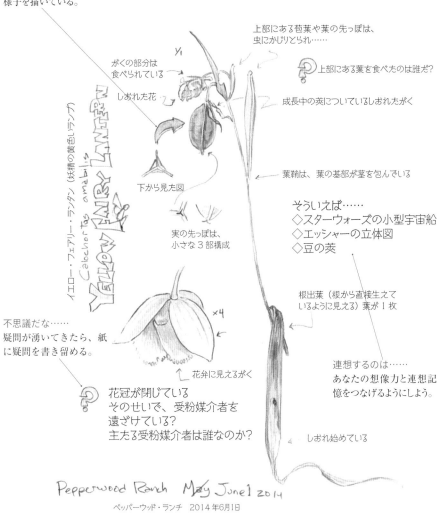

上部にある苞葉や葉の先っぽは、
虫にかじりとられ……

上部にある葉を食べたのは誰だ？

がくの部分は
食べられている

成長中の莢についているしおれたがく

しおれた花

葉鞘は、葉の基部が茎を包んでいる

イエロー・フェアリー・ランタン（妖精の黄色いランタン）
Calochortus amabilis
YELLOW FAIRY LANTERN

下から見た図

そういえば……
◇スターウォーズの小型宇宙船
◇エッシャーの立体図
◇豆の莢

実の先っぽは、
小さな3部構成

×4

根出葉（根から直接生えて
いるように見える）葉が1枚

不思議だな……
疑問が湧いてきたら、紙
に疑問を書き留める。

花弁に見えるがく

連想するのは……
あなたの想像力と連想記
憶をつなげるようにしよう。

花冠が閉じている
そのせいで、受粉媒介者を
遠ざけている？
主たる受粉媒介者は誰なのか？

しおれ始めている

Pepperwood Ranch May June 1 2014
ペッパーウッド・ランチ　2014年6月1日

13

意識的に好奇心を保つ心がけ

あなたは、今よりもっと好奇心をそそられるように、自分自身を訓練することができます。疑問を発する際は、積極的に、大胆に、意識的に、そして遊び心をもってください。謎を追究すると、世界はあなたに開かれます。

好奇心という楽しみ

　私の家の近くには、野生生物を見るために頻繁に訪れる沼があります。あるとき、私は観察をしていて、シギやチドリ（水辺に生息する鳥たち）が休んでいる間の顔の向きに興味をもちました。午後になって、私は鳥が動くのを見て、風と太陽に対する鳥の位置に注目しました。観察し、それを記録し続けると、パターンが現れ始めました。私はこれらの鳥が胸を風上に向けていると判断しました。

　次の日の午後、私は岸に沿って休んでいるカモのグループと充実した時間を過ごしました。私は以前の探究から、すでに太陽、風、そして鳥の胴体の向きについて考えようと待ち構えていましたが、このときは別のことが起こっていました。カモは胸を水面に向け、背中を陸に向ける傾向があり、しばしば頭をねじって背中に向けていました。捕食者を警戒するときの反応方法を考えると、このパターンは理にかなっています。シギやチドリは危険の最初の兆候で空

> 私たちが経験できる、最も素晴らしい出来事とは、自然の神秘です。真の芸術と真の科学というゆりかごの傍に待っているのは、あの根源的な感情です。その感情を知らないとか、もはや不思議だという気持ちが湧かず、驚きを感じられない者は、死んだも同然、火の消えたろうそくなのです。
>
> —— アルバート・アインシュタイン

チュウシャクシギ

ハジロオオシギ

アメリカオオソリハシシギ

曇天、風なし、鳥たちの顔はあちこちを向いている

アメリカソリハシセイタカシギ

Coyote Point Marina - High Tide ♡
コヨーテ・ポイント・マリーナ　満潮

2013年10月28日
Oct 28, 2013

風向き　アメリカソリハシ　　ヒメハマシギ
　　　　セイタカシギ

風が強くなると、シ
ギやチドリは胸部を
風上に向ける

日光

ハジロ
オオシギ

Oct 28　Coyote Pt.　10月28日　コヨーテ・ポイント

中に飛びますが、カモは水に滑り込むのです。

　この手順を通して、私は視点が定まり、意識が高められたと感じました。この経験は、喜びに溢れた不思議な体験でした。そして、もっと知りたくなりました。水辺から離れているときや、風が強いとき、カモはどのように向きを変えるのでしょうか？　これらの疑問を念頭に置いて、私はまた出かけることになります。こうした経験すべてに私が気づき、受け入れることができたのは、意識的かつ積極的に疑問を発するという手順をとったからでした。もし、自分の疑問を道具として使わず、遊び心をもって身の回りの世界と関わっていなかったら、好奇心を刺激されることはなかったでしょう。

　好奇心旺盛な探究は、あなたの脳の報酬系という領域を刺激します。それはドーパミンの放出を引き起こし、新しい記憶の形成に関与する脳領域である海馬を活性化します。その結果、好奇心が高まった状態では、最初に注目したことだけでなく、より多くのことを簡単に学習できるのです。好奇心が強い状態にある人々は、もともとは関心のなかった無関係な情報まで吸収してしまいます[3]。一つのことに集中すると好奇心の連鎖が生まれるというのは基本的な事実です。その連鎖は、関係のないものを吸い上げて、より噛み砕いて覚えやすいものにしてくれます。

　あなたの好奇心を育むと、意識のすぐ外に漂う謎のピントが合い始め、あなたの世界を豊かにし、そして喜びと探究心が滝のように流れ出すのがわかるでしょう。

謎を愉しむ

　私たちはみな、生まれたときは好奇心の塊です。好奇心は、経験によって発達する場合もあれば、低下することもありますが、練習によって常に向上する可能性のある特質です。好奇心は、時間の経過とともに向上できるスキルと考えてください。あなたはどこにでも

隠れている豊富な疑問を見つけるために、あなた自身を訓練することができます。

　子どもたちと過ごす時間は、こんなにも多くの疑問を出せるのかという楽しい気づきをもたらしてくれます。サンフランシスコの北に位置するミューア・ウッズ国定公園を散歩していたとき、男の子と大人の会話を小耳にはさみました。

男の子　「どうしてレッドウッドの木はこんなに大きいの？」

大人　　「他の木よりも背が高くなることで、より多くの日光を浴びることができるからだね」

男の子　「なぜ植物は日光を浴びる必要があるの？」

大人　　「すべての植物は日光を必要としている。植物は太陽からエネルギーを得ているんだよ。太陽は木にとって食べ物のようなものなんだ」

男の子　「なぜ他の木も高くならないの？」

大人　　「できないから」

男の子　「なぜ？」

大人　　「質問はもうたくさんだよ」

　質問をやめるようにと諭すのは、たいていの場合、大人が理解の限界に達してしまったからです。そして、私たちは子どもたちにそうするだけではありません。自分の疑問に答えられなくなると、黙って無意識のうちに、自分の好奇心を抑え込んでしまうのです。

　大切なのは、未知の領域に入り、自分の無知を受け入れ、真に不思議に思い、答えを探すことなのに、私たちはつい疑問を無視してしまいます。おそらく、既知の立場にいるほうが気持ちの上で安心だからです。学校では、生徒と教師は多くの場合、すべての質問に対する答えを知っていることが期待されます。生徒が答えを知らないと、注意力不足とか、不勉強だと思われてしまいます。そして、大人は大人で、世間体や職業意識から出世を求めるあまり、無知だと思われる危険性は、恐怖の対象であり続けるのです。どの職業でも、「わからない」と答えることは弱点と見なされる可能性があります。

　一方、博物学者の中には、自分が目にするすべての種の名前を言える人がいるかもしれません。医師の中には、すべての病気に正しい処方箋を出せる者がいるかもしれません。コンサルタントの中にも、すべての疑問に対する回答を作りだせる人がいるかもしれません。この種の専門家たちを形容する特別な言葉があります。それは「嘘つき」です。誰も、すべてを知っているはずはないのです。

　スマートで有能に見せたいというプレシャーのせいで、私たちは、堂々と疑問に思ったり、答えがわからないと認めたりすることを避けるようになります。また、場合によっては、新しいことに挑戦したり、新しいアイディアを受け入れたり、新しいスキルを習得したりするのを妨げてしまうこともあるでしょう。自分の好奇心を抑圧するプレシャーに陥っていないか普段から意識することで、そうした感情を跳ね除けることができるでしょう。答えがわからなくてもよいのです。実際、そこから、楽しみが始まるのですから。

疑問を投げかける

　自分の好奇心を受け入れてください。謎が自分の中で十分深まると、豊かで興味深い疑問を思いついて、そうした疑問と「踊るように戯れる」のは、疑問の答えを見つけるのと同じくらい、楽しい作業になるかもしれません。頭の中に斬新で挑発的な疑問を抱えて、森の中の散歩から戻ってくることができたなら、そのとき、あなたはすでに生きとし生けるものの深淵な領域に足を踏み入れているのです。

　「その動植物の種は何ですか？」。多くの人が、自然について尋ねる最初の疑問の一つです。植物や動物を特定することは、やりがいがあり、楽しいことです。種の名前は他の人とのコミュニケーションに役立ちますが、罠になることもあります。多くのバードウォッチャーは、鳥の名前がわかると、見るのを止めてしまいます。しかし名前は問題ではありません。種を特定することは、探究という氷山の一角にすぎません。興味深い質問をしたり、それについて発見したりするために、何という名前か知る必要はありません。できるだけ多くの疑問を出してください。最初は答えられなくても心配しないでください。疑問を投げかける一連のプロセス、それ自体が重要なのです。

> 私たちが観察しているものは、自然そのものではない、私たちが疑問を投げかけることで見えるようになった自然なのだ。
>
> —— ヴェルナー・ハイゼンベルク
> 〔ドイツの理論物理学者〕

　豊かな疑問を立てることで、脳が活性化してより深く探究でき、やがて厳選したテーマに集中することができます。疑問や質問は、観察して考えたことを整理する骨組みを提供し、密接な関係にあるさらなる細部を探すように促してくれます。

　例えば、マガモの頭の虹色の光沢が紫、緑、青の間で変化することに気づいたとします。探究に集中するために、観察結果を疑問に変換してください。「マガモの頭の色は、光の角度が異なると、どのように変化するのだろう？」。あなたはこの疑問を念頭に置いて、池の周りを歩くことになります。上から、横から、そして正面からのマガモを観察し、あなたの視野を横切りながら、個々のマガモが左右に泳ぐのを観察します。あなたは腕で巨大な分度器を作り、各観測スポットで、太陽とマガモの間の角度を捉えます。時間をかけると、このマガモの規則性が明らかになります。

　このようにして得た発見は、より深い疑問を解き放ちます。オスは自分を特定の色に見せるために、太陽とメスに対して向きを変えているか？　もしそうなら、オスはその場所をめがけて競い合っているか？　では、ハチドリではどうだろう？　メスと太陽に対してどのように飛んでいる？

　マガモの群れが翼を広げているのを次に見たときには、脳は探究の次のステップに備えることができます。このように疑問は、あなたをより持続的で深い探究に誘うのです。

　科学において最も魅力的な疑問の中には、これまで研究されたことがなく、おそらくこれまでに尋ねられたこともない疑問も多いことでしょう。できるだけ多くの疑問や問いを立てるように自分自身に挑戦してください。疑問を思いつくのに苦労する場合は、好奇心

光の当たり具合によって変わる色

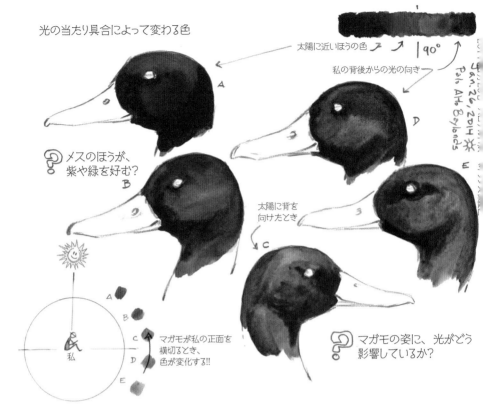

太陽に近いほうの色

私の背後からの光の向き

メスのほうが、
紫や緑を好む？

太陽に背を
向けたとき

マガモが私の正面を
横切るとき、
色が変化する!!

私

マガモの姿に、光がどう
影響しているか？

を高めるために次の作戦のいくつかを試してください。

観察から疑問へ

　観察しながら、それらに関連して浮かんでくる疑問があるかどうかを確認してみましょう。「重さはどれくらいか？」とか「それはどのくらい生きるのか？」といった疑問ではなく、その場で探究できる可能性のある疑問に焦点を当てるようにしてください。

パターン（規則性）を探す

　環境を見渡しながら、パターン探しの練習をしてみましょう。パターン、すなわち、規則性とは、自然界で機能している仕組みや変化への手がかりです。疑問を投げかけることは、パターンを識別するための便利な方法です。池に浮かぶカモの群れに遭遇したと想像してみてください。その場でさっそくパターンを特定する問いを出してみましょう。

　「鳥たちはどちらを向いているか？」「彼らはすべて同じ方向を向いているか？」「風向きが変わると、鳥の向きは、どのように変化するか？」「彼らはお互いにどれくらい近くにいるか？」「グループの中央にいるカモと、端にいるカモに違いはあるか？」

　傾向、類似点、相違点を探すと、様々な異なる疑問が発生します。

六つの疑問詞を使う

　誰が、何を、どこで、いつ、どのように、そしてなぜ、という疑問文が、科学者にとっても、ジャーナリストにとっても、同じように役立ちます。それらを使って、様々なタイプの情報に焦点を合わせてください。

1.「誰が」は、アイデンティティーとその判別方法に焦点を合わせます。
「誰がこの巣を作ったのか？」「あれはどんな鳥？」

2.「何」は、出来事や、ざっとした傾向、現象、行動の説明に焦点を当てます。
「この鳥は、どんな採餌の戦略を用いているか？」「ここで何が起きているか？」「太陽が出ると何が起こるか？」

3.「どこで」は、地域または大規模な地理に関係なく、場所に焦点を当てます。
「この種は、森の入り口と森の奥、どちらで見つかるか？」「この鳥はここに棲んでいるか、それとも移動しているか？」「次はどこへ行くのか？」「夜はどこで過ごすのか？」「この巣穴は風や水を防ぐ作りになっているのか？」

4.「いつ」は、タイミングに焦点を合わせます。
「巣づくりのサイクルのどこにいるのか？」「近づいてくる冬は、いま、鳥がしていることにどのように影響するか？」「この鵜はどれくらい長く息を止めることができるか？」「イモリが丸太を這うのにどれくらい時間がかかるか？」「ゾウアザラシは、休息する前にどれくらいの期間、陸地を移動するか？」「彼らが坂を上る場合と下る場合で、それは変わるか？」

5.「どのように」は、変化の仕組みや経過に焦点を合わせます。
「ペリカンは、どうやって、水面に触れることなく、水面すれすれに飛ぶのか？」「エナガはどのようにしてその繊細な巣を編むのか？」

6.「なぜ」は理由や意味に焦点を当てています。
「なぜ翼は、このように上に傾いているのか？」「なぜその鳥は、このように露出した止まり木にいるのか？」「なぜこの鳥は、冬の真っ只中に歌っているのか？」
「なぜ」の疑問は、どんな観察についても尋ねることができ、他の疑問へのよいフォローアップであり、探究をより深く推し進めます。

答えを探し出す

　せっかく見つけた疑問ですが、それらすべてに答える必要もありません。とはいえ、探

究することを選んだ以上は、疑問への答え方は、その疑問の立て方と噛み合ったものにするべきです。

科学とは、観察可能な経験や現象、つまり、見たり、聞いたり、味わったり、感じたり、測定したりできるものを研究するためのツールです。「地平線の近くで海の色が変わる原因は何か？」「この木にはいくつの穴があるか？」「蛾は夕方何時に飛び始めるか？」「このミミズの長さは？」。これらの疑問は調べることができ、場合によっては観察と実験を通じて答えることができます。

観察、測定、または検証できないものもあります。「神とは何か？」「優しさとは？」「木は風をどのように感じているか？」「ハイイロオオカミには魂があるか？」。これらの疑問は、科学の範疇ではありません。それらを考えることは人間生活の重要な部分ですが、探究するとすれば、詩、神学、哲学などの方法を用いるべきでしょう。

あなたが思いついた疑問のいくつかは、その場では答えが出ないかもしれませんが、それらは以前に尋ねられ、他の人々によって研究された可能性があります。後で調べることができるように、それらをジャーナルに書き込んでください。フィールドガイド〔テーマごとに自然に関する情報が掲載さ

> 観察して、質問をしないのは、……
> 寝ているも同然だ。
> ——トッド・ニューベリー〔カリフォルニア大学サンタクルーズ校名誉教授。専門はエコロジーと進化生物学。1994年に同大を退官後は、野鳥観察家として有名〕

れている手軽な市販の冊子。日本では、『野外観察図鑑』シリーズ（旺文社）などが有名〕、自然史の本、公開されている研究を用いて、生物を特定し、基本的な自然史情報を学びます。『鳥の描き方マスターブック』（森屋利夫訳、マール社、2016年）の製作に取り組んでいる間、私は翼の中の羽の重なり方の違いに悩まされました。

私は、とある博物学者がこのテーマを広範囲に調査し、1886年に *Proceedings of the Zoological Society of London*（ロンドン動物学会講演要旨集）に結果を発表していることを発見しました。なんて嬉しいことでしょう。私の疑問への答えを見つけただけでなく、一世紀以上前の誰かとの好奇心のつながりを感じました。

観察を通じて疑問に答えることができる場合は、焦点を絞った調査を行ってください。

> 私たちが、単に「観察しなさい」と言っても観察する人間を生み出すことはできません。彼らに力と、観察の方法を与えるのです。そして、その方法とは、感覚の教育を通じて獲得されます。
> ——マリア・モンテッソーリ〔イタリア初の女性の医学博士号を取得した人だが、有名になったのは幼児教育。彼女の教育法は、いまや日本を含めて世界に広がっている〕

例えば、カイツブリが潜水するのを見ていると、カイツブリが水中にどれくらいの時間留まり、ダイビングの合間に、どれくらいの時間、水面にいるのか不思議に思うかもしれません。あなたは直接観察を通して、これらの疑問に答えることができます。別の例を想像してみてください。枝を見つけて、その緑の葉にアブラムシがたくさんいることに気づいた場合、「一般的に、アブラムシは緑の葉と茶色の葉どちらに多いのか？」という疑問が浮

かぶでしょう。そして数分以内に、あなた
は答えを得ることでしょう。

　疑問の一つに答えることができる場合
は、そこで止まらないでください。その答
えを飛び板として使い、その後に続く、よ
り深い疑問にきちんとした説明を与えなが
ら観察を続けるか、あるいは、後日異なる
条件で、同じ場所に戻って、その疑問に対
する答えが違うものになるか確認します。
より深く、疑問を投げかけ続けてください。
「緑の葉では、葉の表または裏側のどちら
に、より多くのアブラムシがいるか？」。そ
の疑問にも答えられるなら、もっと深く進
んでください。異なる疑問から、一つのア
イディアにたどり着くと、いろいろな出来
事が、本当に面白く感じられるようになり
ます。

　「誰が」「何を」「どこで」「いつ」「どの
ように」の疑問は、直接観察することで答
えることができます（常にではありません
が）。対象を直接観察できない場合でも、関
連する観察を行うことで、答えを推測でき
る場合があります。「なぜ」は、疑問のサ
イクルが何回か巡った後に出てくることが
よくあります。「なぜ」その現象が発生する
のか疑問に思うのは簡単ですが、その答え
を明確に観察することはできません。ただ
し、説明を考えて対立仮説を調査するとい
った、様々なアプローチを通じて、答えに
近づくことはできます。

テントウムシのピクニック

LADYBUG PICNIC

斑点のある
テントウムシ

アブラムシは、茎のて
っぺん近くの葉の付け
根に集中していた

Q アブラムシはなぜ密集する？
テントウムシの格好の餌になって
しまうのに。

斑点のない
テントウムシもいる

裏側にはもっと
毛がある

長い脚

紫色のアブラムシ！

テントウムシは、活発に採餌し
てはいないようだ。
じっとしている。触角を動かして
いる。

Q いつ／どんなふうに、テントウムシは
餌を食べるのか？
アブラムシをどうやって見つけるの
か？

21

「なぜ」という疑問──それは、もしかすると?

対立する仮説を排除し、体系的に説明を絞り込みながら、常にさらなる調査と気づきの余地を残して、「なぜ」という疑問を探究しましょう。

キツツキをじっと見る

　ここで紹介するのは、野外で観察した後、「なぜ」という疑問にいかにして遭遇するかの例です。ドングリキツツキは、家族で棲んで、どんぐりを穀倉となる貯蔵木に保管し、他の動物から自分たちの食料を守っています。

　あなたがその棲みかを見つけたと仮定しましょう。キツツキを見ていると、観察した内容が疑問へとつながっていきます。一羽のキツツキが幹に穴を開けるとき、目元の薄いヒラヒラしたものに気づきます。「つつくたびに目を覆ってしまうのか?」とあなたは疑問に思います。望遠鏡を通して見ると、キツツキがくちばしで穴を開けるときに、目を覆っている薄い瞬膜、または内側のまぶたに気がつきます。他の鳥でもこの膜を観察できます。膜は常に広がっているのではなく、より強い衝撃や飛んでいる木くずに関連しているようです。この観察研究では、自然から直接学びを得ることができたのです。

　次に、木の根元には、どんぐりが保管されていないことに気づきました。「これはこの1本の木の場合だけか、それとも規則性があるのか?」と自問します。このタイプの疑問は、自然観察から直に答えを得られる、もう一つの例です。このとき、他の6本の木も同じパ

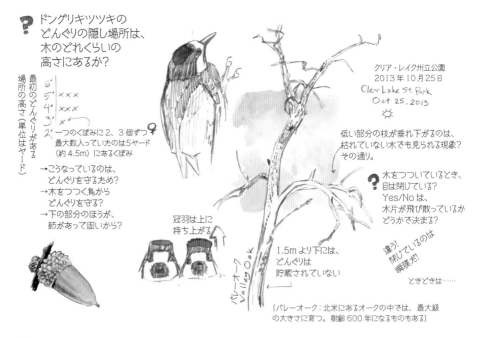

ドングリキツツキの
どんぐりの隠し場所は、
木のどれくらいの
高さにあるか?

最初のどんぐりがある
場所の高さ(単位はヤード)

6 |
5 | × × ×
4 | × × ×
3 |
2 | 一つのくぼみに2、3個ずつ
　最大数入っていたは5ヤード
　(約4.5m)にあるくぼみ

→こうなっているのは、
　どんぐりを守るため?
→木をつつく鳥から
　どんぐりを守る?
→下の部分のほうが、
　節があって固いから?

クリア・レイク州立公園
2013年10月25日
Clear Lake St. Park
Oct 25, 2013
☼

低い部分の枝が垂れ下がるのは、
枯れていない木でも見られる現象?
その通り。

木をついているとき、
目は閉じている?
Yes/Noは、
木片が飛び散っているか
どうかで決まる?

違う!
閉じているのは
瞬膜だ!

ときどきは……

冠羽は上に
持ち上がる

バレーオーク
Valley Oak

1.5mより下には、
どんぐりは
貯蔵されていない

[バレーオーク:北米にあるオークの中では、最大級の大きさに育つ。樹齢600年になるものもある]

ターンを示していました。大きなサンプルではありませんが、それはあなたがそのときに
もっている確固たる証拠です。というわけで、この場所で、この時点では、ドングリキツ
ツキは木の根元を避けているようですね。

　ここで疑問を止めることも、さらに問いを深めることもできます。キツツキが「どこに」
穴を開けたかを観察することができます。しかし、「なぜなのか？」を観察することはでき
ないし、キツツキに理由を尋ねるわけにもいきません。とはいえ、理解に一歩近づくこと
はできます。目で見て確かめることが可能な範囲で、理由を考えて、観察と実験を通じて
それらを検証し、証拠に基づいて可能性が低いと思われるものを排除すればよいのです。

「なぜ」は逆さまに探究する

　現象についてできるだけ多くの説明を考え出し、それぞれを「それでいいのか？」と問
います。このように考えを組み立てることで、頭に浮かぶ最初のもっともらしい説明にと
らわれるのではなく、創造的にアイディアを生み出し、それぞれを暫定的な可能性として
保持することができます。その結果出てくるのが、「対立する仮説」のリストです。

　これらの仮説のいずれかが真であることを直接証明することはできないかもしれません
が、一つ、またはそれ以上が、偽であるかもしれないと判断できる可能性もあります。思
いついた説明の中には、すぐにリストから除外できるものもあれば、逆に、あなたの手元
にある情報では調査するのが難しい、または不可能なものもあるでしょう。人智を超えた
超自然的なものである場合などは、説明しようとしても、観察可能な物理的世界の外にあ
る変化または力を含むため、検証できません。これらの考えは真実であるかもしれないし、
そうでないかもしれません。しかしそうであっても、科学は検証できないものには無力
です。科学的に「なぜ」を探究することが目的である場合は、観察と調査を通じて、検証で
きる説明に焦点を当ててください。

自分の説明を検証する

　それぞれの説明を検証するために、次のように予測しながら行動してみてください。あ
なたが観察できたらいいなと思う事柄について、その中にある仮説が、大なり小なり真実
であるならば、それこそが、あなたが期待していた事柄です。これらの予測を表現するの
に役立つ方法は、「この説明が正しい場合、私は……を観察してみようと思う」ことです。
そして、周りを見て、探索し、期待する観察が存在するかどうかを確認します。あなたが
見ているものが、あなたが見たいと思っていたものと異なる場合、その説明を否定するか、
言い換えれば、それが真実ではないか、そうでないかもしれないことを示すことができる
かもしれません。

　それでも、仮説を否定するあなたの能力は、あなたの予測の背後にある、仮説の質の如
何によって価値が決まります。例えば、木の根元にどんぐりの貯蔵庫がないことで考えら
れる説明の一つは、キツツキがそこで陸にいる捕食者に遭遇する可能性が高いため、その
場所を避けているということです。この説明は、陸生の捕食者の餌食になることが、鳥が

その場所を回避するほどに十分深刻であるという推測に基づいています。この例のように、推測自体が間違っている場合、仮説を排除できると思い込んでしまう可能性があります。それぞれの予測について、あなたの推測を書き留め、それらを念頭に置いて、それぞれの説明に公正な検証を与えることができるようにしましょう。

「消去法」で「証明」できますか？

一つを除いて、考えられるすべての対立する仮説を排除できると想像してみてください。残りの一つの仮説は、それを否定しようとするすべての試みに耐えてきました。この仮説に基づいてあなたが行う予測は、すべて観察によって裏づけられています。次に、残りの仮説または説明が真実であることを証明しましたか？いいえ。仮説を否定できないからといって、それが真実になるわけではありません。一つの説明をして、それが答えであることを証明することは不可能です。これは、あなたが探究した仮説と相関する、別の原因である可能性があります。あなたがまだ考えていない別の説明があるかもしれません。世界の基本的な様相について、あなたが思い込んでいることが、一つならず、間違っていることもありえます。

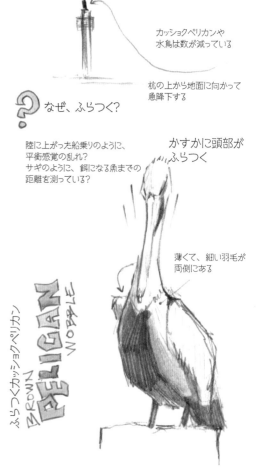

カッショクペリカンや水鳥は数が減っている

杭の上から地面に向かって急降下する

？ なぜ、ふらつく？

陸に上がった船乗りのように、平衡感覚の乱れ？
サギのように、餌になる魚までの距離を測っている？

かすかに頭部がふらつく

薄くて、細い羽毛が両側にある

ふらつくカッショクペリカン
BROWN PELICAN WOBBLE

「証明」は数学の世界からの用語です。数学者は、宇宙のルール、つまり問題が解かれる条件と仮定を、自らが設定することができます。自然界を研究するとき、私たちはこの贅沢を味わうことはありません。

科学的な説明をするとき、私たちは不確実性を受け入れなければなりません。こうした不確実性をふまえつつ、どうすれば前進できるでしょうか？　科学の世界では、有効な予測を生成する実証済みの仮説を暫定的に受け入れることができます。これは、現時点では正しいことを意味しますが、将来の証拠、基礎となる仮

> 私は失敗していない。うまくいかない
> 1万通りの方法を発見しただけだ。
>
> —— トマス・A・エジソン

定の再評価、またはよりよい説明に直面して、いつでも覆したり修正したりすることができます。謙虚ではありますが、この問題解決の枠組みは厳密で強力であり、今日の科学技術の進歩のほとんどはこのようにしてもたらされています。

「なぜ」に、真に答えることはできませんが、一歩一歩の手順を経て、何がうまくいかないかを学ぶことで、何がうまくいくかを推測することに近づくことはできます。このように疑問を探究することは、遊び心があり、創造的で、刺激的な作業です。あなたのジャーナルにこのプロセスを書いておくことで、自分の考えを整理して覚えておくのに役立ちます。

ケーススタディ —— シラサギに「なぜ」と尋ねる

野外でジャーナルを書くとき、「なぜ」の疑問をどう探究できるか見てみましょう。ここには、考えられるだけの仮説を立てること、予想すること、そして予想を検証するためにテストをすることの三つのステップがあります。

エルクホーン・スラウ〔カリフォルニアで最大の塩性湿地〕への旅行で、仲間と私は、狭い島の一方の端に 40 羽以上のシラサギなどが群がっているのを見つけました。群れには、ダイサギ、ユキコサギ、オオアオサギ、および 1 羽のカナダヅル（この地域では珍しい）が含まれていました。なぜこの鳥たちがこの場所に集中しているのか、疑問に思いました。

1 考えられる説明または仮説のリストを作成します。あなたが思いつかないような他のいくつかの仮説もあり得るので、すべてが網羅されていなくてもいいです。以下のリストが、私たちが思いついた仮説です。あなたは他に考えられますか？

・島の端では、食料がより豊富にある可能性がある。
・そこにある食料は、より高品質である可能性がある。
・サギ類は、複数の種が集まって集団でねぐらを作る習性があるので、何種類かのサギがいるだけで、他のサギたちも集まってくる。
・島のその端はより高い位置にあり、鳥は満潮を避けるためにそこに避難している。
・私たちが考えもしなかった他の理由は……

2 仮説によっては、観察可能または検証可能な予測がさらに浮上することがあります。「もし、この仮説が正しければ、私は……を確認できるでしょう」という具合に。検証可能な予測は、実際の観察内容と照らし合わせて検証してみるのがよいでしょう。もし仮説から検証可能な予測が生じないと、その仮説を科学的に調査しようがありません。

ここに二つの検証可能な（しかしまだ証明されていない）予想を挙げます。この二つは、島の片端に鳥が集まっているのは、そちらのほうに餌が豊富だからという仮説から生じたものです。その説明を成立させる条件も一緒に考えて、書き添えてあります。

・島の片端にいる鳥のほうが、より多く餌を食べているのではないか（ただし、どの鳥も

観察の時点で食事を済ませておらず、同じくらい空腹だと仮定できる場合）。
・餌を食べる鳥は、他の場所で餌を食べる鳥よりも頻繁に獲物をついばむ（ただし、つい
　ばむ頻度は獲物の入手可能性と相関すると仮定できる場合）。

3 予想を検証します。私たちが観察してみると、島の片端にいるほとんどの鳥が餌を食
　べていませんでした。他の地域で餌を食べる鳥よりも、分単位で比べると、餌をつい
ばむ回数が少なかったのです。私たちの観察が予想と一致しなかったという事実は、食料
の入手可能性の仮説が最良の説明ではないことを示唆しています。ただし、それは私たち
の基礎となる仮定が正しい場合です。

　私たちは他の仮説も検討し、そのいくつかは検証の上、却下できました。私たちの観察
内容では、満潮を原因とする仮説が有力だと思えましたが、それは証明されていない仮定
に基づいていました。なぜ鳥が島の端に集まったのかについての答えは見つかりませんで
したが、私たちはその疑問を探究する、豊かで楽しい経験をしました。また、「なぜ」と問
わなければ、決してしなかったであろう観察も行うことができました。

ダイサギの姿
翼をばたつかせる前に、頭をぐっと上げる。
ここは混みすぎている？

サギ30羽
オオアオサギ10羽
カナダヅル1羽

この場所のこの地点だけで、全部で100羽以内。
何を食べている？

→ 鳥　40羽

なぜ、ここには1羽もいない？

博物学者や科学者のように考える方法

常に科学的であろうと心がけることは、問題解決のための枠組みを提供し、人の心が陥りがちな落とし穴の多くからあなたを守ってくれます。謙虚さと明晰さを追求してください。

知識には慎重に手を伸ばす

科学の目標は、入手可能な証拠に基づいて、最も有用で正確な説明をすることです。科学的誠実さをもつためには、謙虚さをもち、自分がひょっとすると、時には、かなりの確率で間違えるのだと認識して、この作業に取り組むことが大切です。

人は膨大な知識をもっており、私たちは皆、自分が学んできたことを、間違いのない真実と思い込みがちです。しかし一方で、幅広い研究成果によれば、私たちが、その知識は間違っていると思い込むことも、これまた簡単なことなのです。私たちの脳は、あくまで感覚を通して環境を知覚し、発達してきました[4]。したがって、必ずしも正確な知識に基づいて発達してきたとは限りません。正しいと判断しても、あくまで無意識の感覚なので、アイディアが不正確な場合もあり得るのです[5]。自分の仮定や信念を精査し、間違っている可能性を検討するほど、私たちは真に理解できるようになります。

認識論で深い理解に近づく

認識論とは、知識とは何か、知識はどうやって成り立っているのかに向かい合い、吟味する実践のことです。いくつかの簡単な認識論的実践により、あなたは自分自身の考えや信念の起源と、それらの背後にある理論的根拠を検証することができます。これは、自分が間違っている可能性のある事例に気づくのに役立ちます。

まず、どのようにして情報を学んだのかを自問してください。あなたが自分自身の知識の源に立ち戻ると、その情報源の質を評価することができます。

1983 年に私はナチュラリスト（自然愛好家）のアン・カーラ・ロヴェッタとハイキングに行きました。

> 科学で最も刺激的な言葉であり、新しい発見の先駆けとなるもの、それは、「ユリーカ！（わかったぞ！）」ではなく「変だな……」である。
>
> ―― アイザック・アシモフ

彼女は自然界について信じられないほどの量の知識をもち、それをすぐに披露してくれました。私たちが見たことに関して事実を説明するときに、彼女は参考文献と引用でそれらが正しいと裏づけました。この解説は、素晴らしい体験でした。彼女が共有した情報の信頼性をしっかりさせただけでなく、事実の出所を提示することで、それを見つける仕事をした人々に敬意を表していたのです。ぜひ自分の情報源を引用し、そして、専門家には彼らの情報源を開示してもらうことで、あなたが提供する情報がしっかりしたものであることを明確にしましょう。

いま自分が考えていることを、そもそも、なぜそう思うのか自問することで、アイディ

アや意見の裏にある論理的な根拠にたどり着けるでしょう。それによって今度は、推測や論理の飛躍にせよ、信念にせよ、自分に由来すると思い込んでいるものこそ、実際には、自分自身の考えから導き出されたものではないことが、明らかになるかもしれません。

驚きに心を任せる

　驚きの気持ちは、あなたの心の営みであり、いわば自然界からの贈り物です。環境にある何かが、あなたが思っていた姿ではないことをあなたに伝えているのです[6]。あなたは何かについて間違って認識しているかもしれません。驚いたときに、それを例外的なことだとごまかして、あまり注意を払わずに先に進むのは簡単です。しかし、そうすることで、あなたを変化させるかもしれない、新しい何かを発見するチャンスを無駄にしてしまいます。驚いたときは、立ち止まって意識を集中させ、次のように自問してみてください。

・なぜこれに私は驚いているのか？
・これまで勝手に何かを思い込んでしまっていたのでは？
・自分自身の偏見について何か伝えているのでは？

　これらの驚きの瞬間をあなたのジャーナルに記録してください。その横に小さな感嘆符のアイコンを記し、それらを分類して、その価値に敬意を払うのです。驚きが出てこない場合は、「これの何が変わっているかな？」と自問してください。練習することで、どこでも驚きに気づき、学ぶ機会としてそれらを歓迎するよう自分を訓練できます[7]。

考えは変えるもの

　自分が間違っているという強力な証拠に出合ったとき、考えを変えることは当たり前のように思われるかもしれませんが、実行するのは難しいことです。自分を無防備にして自分の立場をひるがえすよりも、頑なな気持ちになって自分の考えに固執するほうが簡単です。政治の世界なら、考えをすぐに変える人はしばしば「風見鶏」と見なされてしまうでしょう。しかし、証拠を前にして心を変えることは、勇気、知力、柔軟性、物事を正確に捉えようとする意識、そして正直さの表れです。あなたが世界をよりよく理解しようとするならば、必要なことです。

　私が必ず行うのは、何か重要なことについて、考えを変えたのはいつだったかを定期的に思い返し、そうした体験を受け入れることです。それが本当のことに近づいているなら、私は自分の考えを変えることを誇りに思います。私はまた、自分が生み出した説明やアイディアを「とりあえず」受け入れるという、科学的な方法を実践し深めているところです。科学では、アイディアや理論は、絶対的な真実とは見なされません。現在手に入れている証拠によって裏づけられているアイディアには、暫定的な承認が与えられますが、常に、より多くの証拠またはよりよい説明によって異なる結論に導かれる可能性があるという前提があってのことです。

間違えるのが人間です

　間違いは容易に起こります。人間は、誤った理屈づけによって、証拠を誤解したり、間違った考え方をしたりするものです。論理的に考えているつもりでも、間違っていることがあると自覚することは、証拠を収集し、世界の理解を深めるときに大切なことです。

・ストーリーによる誤解

　うまい話に騙されないでください。たくさんの事実に向かい合うと、私たちは、それらの事実を結びつけ、それらを論理立てて考えようとして、いろいろと説明を考え出します。ほとんどのストーリーは、根底で筋が通っている限り信頼できますが、だからといって、説得力のあるストーリーは必ずしも真実を表すものではありません。

　ナチュラリストの間では、そのようなストーリーはしばしば「自然に関する雑学豆知識」の姿を借りて登場します。若いナチュラリストとして歩み始めたとき、私は、そうした話をたくさん知っている人々に安易に感動したものです。そのトリビアが、驚異的で変わったものであればあるほど、私は興奮し、それを覚えておこうとしました。例えばザトウムシは、クモのように長い脚をもつ不気味な姿のせいか、強い毒があると聞いたことがあるかもしれませんが、その牙は非常に小さいため、皮膚を噛むことができません。時間が経つにつれて、私はより深く掘り下げる機会をもち、ナチュラリストの伝承として語り継がれている多くの驚異的な物語（このザトウムシの事例のようなもの）が間違っていることを発見しました。

・確認するときに生じるバイアス

　自分たちの考えを正当化する証拠だけを求めることを指します。人間というものは、自分の世界の常識にフィットする情報を好んでしまうものです。矛盾する証拠を無視したり、例外として安易に却下してしまうことがよくあります。自分のアイディアを異論にさらさないでおくのではなく、むしろ既存の説明に反する証拠をきちんと探して、尊重しましょう。

・専門家に頼りすぎた議論

　専門家のすべての言葉を受け入れてしまうパターンです。私たちは自分の判断を専門家に簡単に委ねます。自然愛好家（ナチュラリスト）、自然保護官（レンジャー）、科学者、または権威ある誰かから「科学的事実」を聞くと、私たちはすぐにそれを信じてしまいます。この傾向は、私たちがその人を尊敬している場合、または、お金を払ってそこに参加している場合は、さらに大きくなります。これは、専門家の言うことすべてを無視したり、不信感を抱いたりする必要があるという意味ではありません。電気技師はおそらく、その分野以外のほとんどの人よりも回路と配線について多くのことを知っています。しかし、だからといって、専門家を信じ切ってしまうのも考えものです。

・安易につじつまを合わせる

　「進化論的ストーリーテリング」はナチュラリストがよくやってしまう間違いです。ある特性は、現在の目的を正確に実行するために進化したと主張するのです。例えば、カワセミの大きなくちばしは、今では魚を捕まえるのに役立つかもしれませんが、必ずしもこの機能のために進化したわけではありません。おそらくそれは、巣穴を掘ったり、陸上で動物を捕まえるための道具として進化したか（ほとんどのカワセミは実際に陸上で餌を食べます）、あるいは、大きなくちばしの遺伝子が、自然選択された別の特性に関連して、つられて遺伝したと思われます。

・相関関係と因果関係の混同

　二つのことが、同時に定期的に発生するからといって、一方が他方を引き起こしたとは限りません。両方の現象に対応する第三の要因が複数あるかもしれませんし、またはそれらの同時発生は、ただの偶然かもしれません。古代ギリシャとローマでは、人々は夏の湿地帯で、よどんだ水たまりが強い悪臭を放つことに気づきました。同時に、人々は発熱と悪寒を周期的に発症するようになっていました。においと発熱が同時に起こったため、においが発熱を引き起こしたと結論づけられ、イタリア語では、この病気は「マラ・アリア」（悪い空気）と呼ばれていました。19世紀になって初めて、現在マラリアとして知られているこの病気が、蚊媒介の寄生虫によって引き起こされていることが判明したのです。

ジャーナリングによる知の構築

　南北アメリカの西海岸の一部の先住民の言語は、個人的な経験を通して知ったことと、他の手段によって知ったことを区別しています。ペルーのマツェ族も、直接の経験、推測や予測、または他の誰かから聞いて知ったことを分けて、様々な動詞の形を使用しています。間違った動詞の形を使うことは、嘘をつくことと同じになります[8]。それに対して、英語は、知り方が違っても、一つの言葉しか使いません。これは、アイディアが伝達される正確さは言うまでもなく、そのアイディアを最初に考えたのは誰なのかという感覚までも侵害しています。自分の考えや信じていることの起源と理論的根拠を評価するのをやめてしまうと、私たちの知識はその豊かさを失い、単なる事実の集まりになってしまいます。

　ネイチャー・ジャーナリングは、個人的な経験から得られた知識から生じるものです。あなたがジャーナルに書いた観察を誰かと共有したとき、その内容が本当かと尋ねられたとしても、あなたはしっかり対応できるはずです。「私は、そこにいて、この目で見ました」というふうに。ジャーナルを持って自然の中へと出かけるたびに、自然への理解を深める観察や説明をする機

> 経験を予想と比較したり、アイディアと現実の違いをときおり書き残したりすることは、まさしく、喜びと示唆に満ちた経験そのものである。
> —— サミュエル・ジョンソン（イギリスの文学者で、文献学者。『英語辞典』の編纂により、現代の英語辞書の原型を作った。機知とユーモアに富んだ言葉で知られる）

会に恵まれます。こうした観察と説明は、謙虚さと科学的誠実さをもって実行すれば、最も真実に近いものになります。あなた自身の世界の捉え方を追跡することは、あなたが知を享受するための、寛大な敬意に溢れた、真摯かつ力強い行動なのです。新しい説明を受け入れることも、証拠をしっかり吟味した結果として考えを変えることも、同じように力強いことなのです。思慮深く、かつ注意深く知識を収集するように、自分を奮い立たせてください。外に出て発見してください。そして、それを書き留めてください。

31

苞葉

頭状花序の上では

タマムシ

苞葉上に

これらの昆虫が、
苞葉にある
小さな茶色の穴を
かじって開けて
いるのか?

中心部分に頭状花序

つぼみ

緑
オレンジ
紫

×4-5

咲き終わり

子房の中には、
蜂の巣構造が入っている

花びらの先端には、
分泌腺がある

5月
2日
2015年

FOCUS

意識を重視するプロジェクト

あなたが世界を観察するとき、ジャーナルを使うことで自分の観察に集中し、記憶力を高め、そして創造性が触発されるでしょう。しっかり集中して取り組めるように事前に準備して、ジャーナルを手に外へと出かけましょう。この章で紹介する活動やその準備作業は、世界を見るための新しいレンズを提供します。それらをジャーナリングへの招待状にして、自然の中で探究し、様々な発見をしてください。

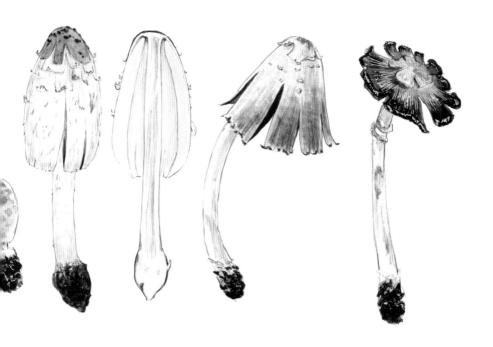

意識を集中させる

ジャーナルには、できることがたくさんあるので、どこから始めればよいのかわからないぐらいです。活動を限定することで、発見することに集中できるようになります。ジャーナリングのために、計画し、準備し、活動することは、新しい世界を観察し、発見するための基本です。

　博物学の基礎は、正確なメモをとりながら、丁寧かつ具体的に観察することです。自然界について、現在私たちが知っていることの多くは、ナチュラリストや科学者のジャーナルから、直接得られたものです。ジャーナルに情報を記録すると、その知識体系が補強され、自然界への理解が深まります。

　とはいえ、いきなりジャーナル作成に出かけても、特に新しい場所では、その可能性の多さに圧倒されるかもしれません。どこから始めればよいのかわからず、体験や風景のあらゆる側面を捉えなければというプレッシャーを感じてしまいます。

　ジャーナルに文字を書き込んだり、スケッチしたりすることで、自分の考えや経験を、観察し、処理して、記憶する能力が向上します。私たちは皆、やがて見たことを忘れたり、記憶が変わったりもします。観察されたのに紙に書き留められなかったものはすべて、科学の領域や後世の人々の手が届かないものになります。何より、あなたの人生にとっての損失です。それらをジャーナルに記録すると、あなたの考えや発見は、手に取れるもの、身近なものとなり、そしてあなたの心と記憶の中に、しっかり留まることでしょう。

　私は若い頃、グランドティトン国立公園でクレア・ウォーカー・レスリーとハンナ・ヒンチマンが講師を務めるネイチャー・ジャーナリングのワークショップに参加しました。このネイチャー・ジャーナリングの達人たちは、参加者一人ひとりにひもを渡し、外に出て、ひもを輪っかにして地面に置き、その円内のすべてを記録するように指示しました。広大なグランドティトン国立公園の中でも、その小さな枠組みのおかげで、私は発見をすることに集中できました。広大で壮観な風景の中で、私はその一本のひもの範囲内にも、同じように美しく豊かな世界を見つけました。その世界を何時間も探究した後、私はその場所全体との密接なつながりを感じたのです。

　ジャーナルをつくるとき、意識を向ける対象を限定すれば、どこからどのように始めればよいかに圧倒されることがなくなります。疑問を次々と発することは、ジャーナリングを始めるための一つの踏み台のようなもので、そこには、意識を高めてくれる他のプロジェクトが含まれています。そうしたプロジェクトは、あなたに出発点を教え、自然界とやり取りし合うように導いてくれます。それらを使って、ジャーナルの項目を決めたり、観察活動に弾みをつけましょう。これらは手で触れるひもではありませんが、自然をそれまでとは異なる方法で見るのに役立ち、どんな場所にも数百万の小さな世界が存在すると発見することができます。

すべての項目に詳細を

　観察結果を科学にとって価値のあるものにし、自分の経験を追跡できるようにするには、1ページごとに、日時と場所のデータを入れましょう。たった数秒の手間によって、ジャーナルの紙面が、単なるエピソードから科学的記録に変わります。鳥のきれいな写真は、ただの鳥のきれいな写真にすぎません。しかし、その写真に、その鳥がいつどこで見られたかの情報が付記されていると、それは豊かな科学的記録になります。羽毛から行動に至るまでの細かな情報は、年間を通じて、また場所によって異なります。観察結果を「いつ」「どこで」と結びつけることで、メモに基づいて多くの疑問に答えることができます。たしかに、カタジロアメリカムシクイを見たという事実だけで、素晴らしいことです。しかし、その振る舞いや羽毛を説明するスケッチやメモであるほうが、よりよいでしょう。それに日付と場所の情報が付記されているなら、個人としてはより楽しめるものになり、科学的な意味では、さらに有用なものとなります。

　メモを書くとき、将来そのデータが、どのように必要になるのかを知る方法はありません。日付、場所、時間、および天気は、観測が行われた状況の情報を提供します。このメタデータ（データに関するデータ）は、すべての観察記録やジャーナルのページに付け加えておきましょう。製本されたジャーナルを使用する場合は、（理想的には）すべてのページに、または日々の記述の先頭に、場所と「日付のスタンプ」を入れることを習慣にしてください。

　メモにメタデータを含めると、あなたが観察しているものが、その年のいつ、地球上のどこにいるかという情報との関連で、しっかりと提示されることになります。

　メモには、場所の概略図、位置情報、日付、天気アイコンを含めよう。

シエラ郡道
丈の低い草
草原（牛がいる）
郡道の右側

ヘリオットレーン

49号線
ロイヤルトン

Sierra Valley
July 8 '09　2009年7月8日
シエラ・バレー

頭部は常に
小刻みに
動いている。
首を回すのに
±2秒

発見を集めて、フィールドガイドを作成する

あなたが興味のあるテーマを選び、ジャーナルで考察する範囲を説明する具体例を集めてみましょう。また、多様な発見をしたことがわかるように、ちょっとしたコーナーをジャーナルの中に作ります。

いわゆる典型的なフィールドガイドとは、自然のある一部分について、どのように識別できて、どのような歴史をたどってきたのかという情報が入った資料集のようなものです。あなたのジャーナルの中のフィールドガイドは、あくまで自分の周りの環境のどこか一部分に焦点を絞ってみてはいかがでしょう。季節の兆候、種莢とベリー、冬の小枝、岩の下にあるもの、ビーチの漂着物の中から見つかったもの、破片や噛み跡があるものなどについて、フィールドガイドを作成してみましょう。創造性を発揮し、他のどの領域があなたにインスピレーションを与えるかを見定めてください。プロジェクトの焦点を絞ると、そうしなければ出会うことも吟味することもなかったであろう事柄を発見することにつながります。

背に近い
部分の屑羽

アルファベット・ゲーム

アルファベットの文字を選びます（ここではBとしましょう）。鳥(バード)、カブトムシ(ビートル)、イチゴ(ベリー)、青色(ブルー)など、Bで始まるものに注目してください。これらのいずれかを選択して、世界を見るためのレンズとして使います。行く先々で青を探し始めると、次々に現れる発見に夢中になれるでしょう……そうそう、ベリーを選ぶなら、各スケッチの隣に、塗布標本として果汁を一塗り必ず追加してください。次に外出するときは、別の文字を選んでください。探究するべき新しい何かは、常にあなたを待っています。

次列風切羽

１枚の羽には、白、
緑、黒の線が入ってい

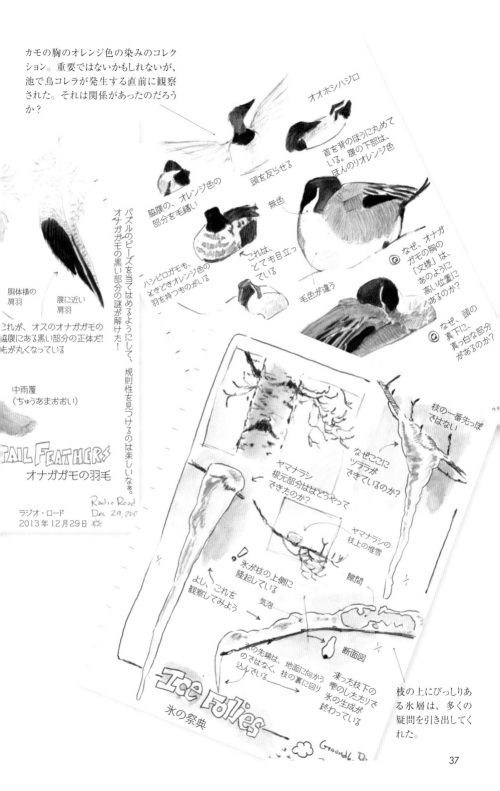

カモの胸のオレンジ色の染みのコレクション。重要ではないかもしれないが、池で鳥コレラが発生する直前に観察された。それは関係があったのだろうか？

オオホシハジロ

首を背のほうに丸めている。腹の下部は、ほんのリオレンジ色

頭を反らせる

脇腹の、オレンジ色の部分を毛繕い

無色

これは、とても目立っている

ハシビロガモも、ときどきオレンジ色の羽を持つ個体がいる

毛色が違う

なぜ、オナガガモの胸の「文様」はあのように高い位置にあるのか？

なぜ、頭の真下に、真っ白な部分があるのか？

パズルのピースを当てはめるようにして、オナガガモの黒い部分の謎が解けた！

規則性を見つけるのは楽しいなぁ。

胴体横の肩羽

腹に近い肩羽

これが、オスのオナガガモの脇腹にある黒い部分の正体だ！羽毛が丸くなっている

中雨覆（ちゅうあまおおい）

TAIL FEATHERS
オナガガモの羽毛

ラジオ・ロード
2013年12月29日 ☀

Radio Road
Dec 29, 2013

ヤマナラシ根元部分はどうやってできたのか？

なぜここにツララができているのか？

枝の一番先っぽではない

ヤマナラシの枝上の堆雪

氷が枝の上側に隆起している

よし、これを観察してみよう

気泡

隙間

断面図

枝の先端は、地面に向かうのではなく、枝の裏に回り込んでいる

凍った枝下の雫のしたたりで氷の生成が終わっている

Ice Follies
氷の祭典

Groundh. D.

枝の上にびっしりある氷層は、多くの疑問を引き出してくれた。

その一瞬に寄り添う

自然界のどの部分であれ、あなたにとって注目すべき姿を自然が見せる瞬間に、集中してください。スケッチと文章を一緒にして、ページを関連するアイディアで入念に埋めましょう。結論を決めずにネイチャー・ジャーナリングを行うこの方法は、あなたを予想外の発見へと導きます。

1 目の前の葦の上で踊るカオグロアメリカムシクイを想像してみてください。つかの間のポーズを捉えるために、ラフ・スケッチをいくつか描くことから始めましょう。

2 鳥が茂みに姿を消した場合は、その鳴き声や鳴き声のパターンの説明を書いてください。疑問とメモを追加します。少ない言葉で説明したほうが簡単なこともあります。

3 鳥の素晴らしい姿を見つけたときは、大きく描きましょう。鳥が遠くにいるときには、小さな縮小図を作成します。水彩絵具や色鉛筆が手元にない場合は、鳥の周りに直接、色に関する説明を加えておきましょう。

5 興味を引いたのに記録されなかったものについて、メタデータ、疑問、測定値、回数、およびメモを追加します。「何か見落としていないか?」と自問してみてください。

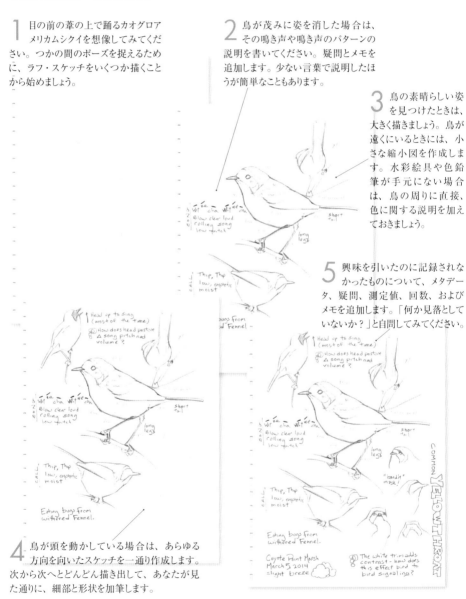

4 鳥が頭を動かしている場合は、あらゆる方向を向いたスケッチを一通り作成します。次から次へとどんどん描き出して、あなたが見た通りに、細部と形状を加筆します。

さえずるときは、頭を上げる
（たいていの場合）

頭の上げ具合は、
鳴き声の響きと大きさによって
変化する？

黄！

ブラックニッケル
オリーブ

黄色、際はオリーブ

さえずり

Wit we cha wit we cha

ゆっくりで、澄んだ声
喉を転がした鳴き声
低い響き

薄い

短い尾

青みがかる

長い脚

"強盗" のマスク！

呼びかけ

Thip, Thip

低音、強めの声
しっとりした

枯れたフェンネルから
虫を見つけて食べている

コヨーテ・ポイント沼
2014年3月5日
微風

Coyote Point Marsh
March 5, 2014
slight breze

額の白い線で
色のコントラストが強調される。
それによって、シグナルを送るとき
に、鳥にどんな効果が出る？

COMMON YELLOWTHROAT

よくいるカオグロアメリカムシクイ

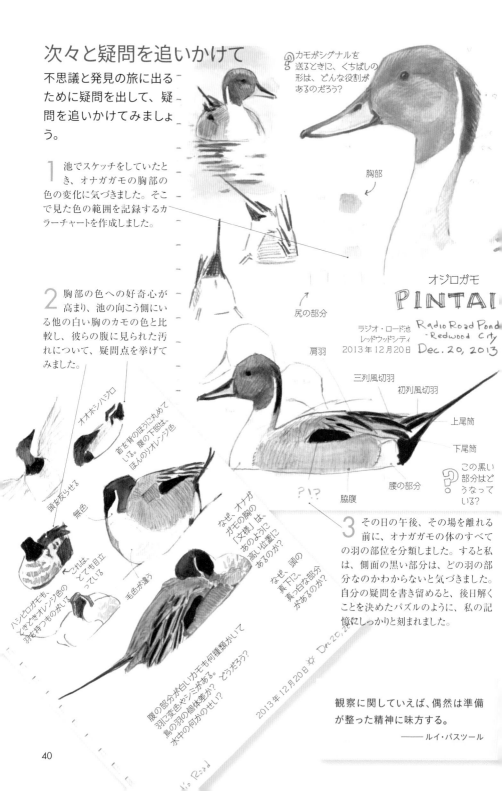

次々と疑問を追いかけて

不思議と発見の旅に出るために疑問を出して、疑問を追いかけてみましょう。

1 池でスケッチをしていたとき、オナガガモの胸部の色の変化に気づきました。そこで見た色の範囲を記録するカラーチャートを作成しました。

2 胸部の色への好奇心が高まり、池の向こう側にいる他の白い胸のカモの色と比較し、彼らの腹に見られた汚れについて、疑問点を挙げてみました。

ⓝ カモがシグナルを送るときに、くちばしの形は、どんな役割があるのだろう？

胸部

尻の部分

オジロガモ

PINTAI

ラジオ・ロード池
レッドウッドシティ
2013年12月20日

Radio Road Pond
-Redwood City
Dec. 20, 2013

肩羽

三列風切羽

初列風切羽

上尾筒

下尾筒

❓ この黒い部分はどうなっている？

腰の部分

脇腹

3 その日の午後、その場を離れる前に、オナガガモの体のすべての羽の部位を分類しました。すると私は、側面の黒い部分は、どの羽の部分なのかわからないと気づきました。自分の疑問を書き留めると、後日解くことを決めたパズルのように、私の記憶にしっかりと刻まれました。

オオホシハジロ

首を背のほうに丸めている。腹の下部はほんのりオレンジ色

頭を反らせる

褐色

?!?

なぜ、オナガガモの胸の「文様」は、あのように高い位置にあるのか？

なぜ、頭の真下に、真っ白な部分があるのか？

ハシビロガモも、くきさきオレンジ色の羽を持つものがいる？

これは、どこで毛立っている

毛色が違う

腹の部分が白いカモ何種類かいて、羽に変色や汚れがある。どうだろう？鳥の羽の個体差か？水中の何かのせい？

2013年12月20日

観察に関していえば、偶然は準備が整った精神に味方する。

――ルイ・パスツール

40

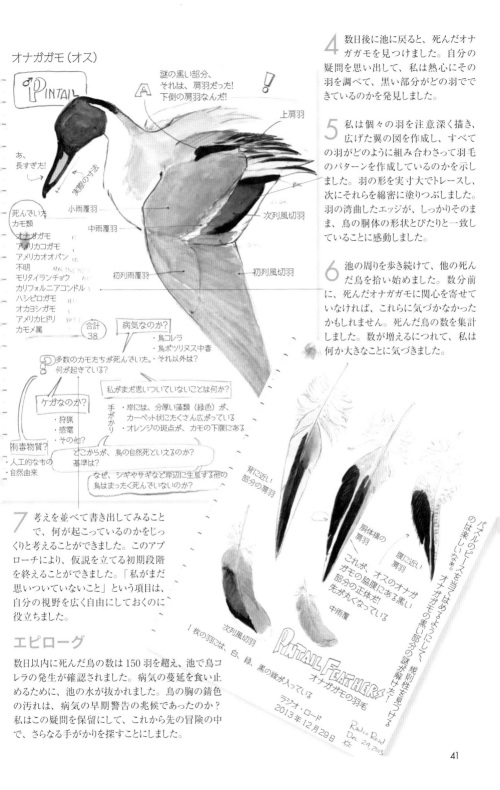

オナガガモ（オス）

PINTAIL

謎の黒い部分、それは、肩羽だった！下側の肩羽なんだ！

A !

上肩羽

あ、長すぎた！

実際のサイズ

小雨覆羽
中雨覆羽
次列風切羽
初列雨覆羽
初列風切羽

死んでいたカモ類
オナガガモ
アメリカコガモ
アメリカオオバン
不明
モリタイランチョウ
カリフォルニアコンドル
ハシビロガモ
オカヨシガモ
アメリカヒドリ
カモメ属
合計 38

病気なのか？
・鳥コレラ
・鳥ボツリヌス中毒

多数のカモたちが死んでいた。それ以外は？何が起きている？

ケガなのか？
・狩猟
・感電
・その他？

有毒物質？
・人工的なもの
・自然由来

私がまだ思いついていないことは何か？
手がかり
・岸には、分厚い藻類（緑色）が、カーペット状にたくさん広がっている
・オレンジの斑点が、カモの下腹にある

どこからが、鳥の自然死といえるのか？基準は？

なぜ、シギやサギなど岸辺に生息する他の鳥はまったく死んでいないのか？

4 数日後に池に戻ると、死んだオナガガモを見つけました。自分の疑問を思い出して、私は熱心にその羽を調べて、黒い部分がどの羽でできているのかを発見しました。

5 私は個々の羽を注意深く描き、広げた翼の図を作成し、すべての羽がどのように組み合わさって羽毛のパターンを作成しているのかを示しました。羽の形を実寸大でトレースし、次にそれらを綿密に塗りつぶしました。羽の湾曲したエッジが、しっかりそのまま、鳥の胴体の形状とぴたりと一致していることに感動しました。

6 池の周りを歩き続けて、他の死んだ鳥を拾い始めました。数分前に、死んだオナガガモに関心を寄せていなければ、これらに気づかなかったかもしれません。死んだ鳥の数を集計しました。数が増えるにつれて、私は何か大きなことに気づきました。

7 考えを並べて書き出してみることで、何が起こっているのかをじっくりと考えることができました。このアプローチにより、仮説を立てる初期段階を終えることができました。「私がまだ思いついていないこと」という項目は、自分の視野を広く自由にしておくのに役立ちました。

エピローグ

数日以内に死んだ鳥の数は150羽を超え、池で鳥コレラの発生が確認されました。病気の蔓延を食い止めるために、池の水が抜かれました。鳥の胸の錆色の汚れは、病気の早期警告の兆候であったのか？私はこの疑問を保留にして、これから先の冒険の中で、さらなる手がかりを探すことにしました。

背に近い部分の肩羽
胴体横の肩羽
腹に近い肩羽
これが、オスのオナガガモの脇腹にある黒い部分の正体だ！先が丸くなっている
中雨覆
次列風切羽
1枚の羽には、白、緑、黒の線が入っている

パズルのピースを当てはめるように楽しいなぁ。オナガガモの黒い部分の謎を解いて、規則性を見つけた！

PINTAIL FEATHERS
オナガガモの羽毛
ラジオ・ロード
2013年12月29日
Radio Road
Dec 29, 2013

個体に焦点を当てる

2 羽のコマドリはまったく同じものではありません。個体を見つけて、できる限りそれをよく知るようにしましょう。ゆっくり立ち止まって、他の動植物種の本質的な世界に入り込みます。

　その動植物種の「あるべき姿」について気にかける必要はありません。代わりに、その一個体から学べることに集中してください。しわしわの脱皮や、葉の斑点を深く観察してみましょう。

　このように見ることで、生え変わりの時期で毛が不揃いの動物や、しおれた花が、さらに愛らしく感じられます。

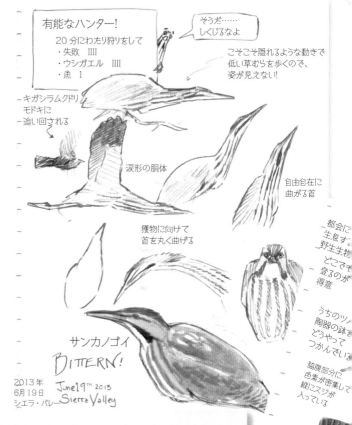

有能なハンター!

20 分にわたり狩りをして
・失敗　IIII
・ウシガエル　IIII
・魚 I

そうだ……
しくじるなよ

こそこそ隠れるような動きで
低い草むらを歩くので、
姿が見えない!

ーキガシラムクドリ
モドキに
ー追い回される

涙形の胴体

自由自在に
曲がる首

獲物に向けて
首を丸く曲げる

都会に
生息す...
野生生物

どこでも
登るのが
得意

うちのツ...
陶器の鉢...
どうやって
つかんでい...

脇腹部分に
色素が密集して
縦にスジが
入っている

サンカノゴイ
BITTERN!

2013年
6月19日
シエラ・バレー
June 19TH 2013
Sierra Valley

鳥の姿と本の知識が一致しないときは、鳥のほうを信じましょう
よく知っている動植物からでも新しいことを学ぶ方法は次の通りです。
・予期していなかった、または市販のフィールドガイドにあるものとは異なる色やパターンを見つける。
・フィールドガイドにない姿勢や角度を記録する。その姿勢や角度によってこれまでのパターンはどのように変化するか?
・あなた自身の言葉で、動物が発する声を説明する。
・その種をあなたが初めて見る場合、最初からフィールドガイドを参照するのではなく、できるだけ多く自分の言葉で記述してから参照する。

内側の遠目には
ー青みがかった
黄色の斑点

尻尾を添え木として
使い、斜面を登り
やすくする

自宅の玄関マット
の下のくぼみで
発見

これはメス?
顎筋の様子は

〔アルボリアルサンショウウオ：黄色い斑紋のある茶色のサンショウウオで、カリフォルニアの湾岸部やシエラ・ネバダの森林に生息〕

〔ヌカカ：糠の粒のように小さな吸血昆虫。実際には蚊ではなく、ハエ科〕

斑点が、花びら越しに透けて見える

成長したおしべは、短くなる

なぜ、おしべの形が変わるのか？

そもそも本当に変化しているのか？花①のおしべは、花②と同じ長さだったのか？

描いているうちにヌカカ（糠斑）に噛まれた

犬咬していないのでだが長いおしべ

茶色の斑点、Qこれはウイルスや真菌により葉の組織にダメージが出ている？

クモの巣

ゆるやかな曲線

Sierra Lily
Lilium kellyanum
シエラ・リリー

2008年7月4日・シエラネバダ・フィールド・キャンパス

1/1

アルボリアルサンショウウオ

ARBOR
SALA

5本指

4本指

胴体+尻尾 10cm

後から

深夜の目

黒みがかった指先

鼻孔の溝

喉が振動している。頭部や背では色素が密集しているが丸い粒状である

ことに変わりない

青

5:1

糞

1:1

別のもっと大きい昆虫の卵

サン・マテオ、カリフォルニア州 4月

翼の下は白い

小枝を運ぶ。他のコウノトリに渡している。引っ張り合いにもなる

くちばしの大きさはいろいろ。年齢ごと？

赤い点がより目立つ。これは膨らんだりするのか

背中に大きなこぶ

垂れ下がった筋肉（肉垂）は年をとるにつれ、大きくなる

こすれて白くなっている脚

くるぶしの節を軸にして後ろにもたれる

Feb 9, 2010
Macarou Oni
Kampala - Uganda

2010年2月9日 マケレ大学
カンパラ（ウガンダの首都）

種に焦点を当てる

動物か植物の種を、一つ取り上げて、観察してみましょう。同じ種で別々の個体の類似点と相違点を調べてみるのです。答えが目の前にあるときは、自然に関する教科書は必要ありません。

　特定の種の動物を見ることは、その行動について一般化する機会となります。パターンや例外を探してみましょう。個体を比較することによって、何か新しいことを学んでください。パターンの例外を見つけた場合は、なぜそれが存在するのかを自問してください。それが、豊かな探究のきっかけになります。あなたが複数の種の植物を見ているならば、それらの間の相違点と類似点を探してください。それらの構造と場所の変化に注意してください。観察が足りなくなったり、行き詰まったと感じた場合は、次の好奇心の手引きを参考にして、勢いを取り戻してください。

好奇心の手引き
・個体間の体格や行動に関する違いを観察できるか?
・どのような行動が観察できる?　みんな同じことをしている?　なぜそうなるか?
・この種の動物はどこにいる?　どこにはいない?　なぜそれが重要なのか?
・個体数はいくつ?
・この種の動物を観察し始める前に何が起こっていた?　次に何が起こる?
・この種の植物の近くでは、土壌や、日なたと日かげの様子は、どうなっている?
・この植物はどのような環境ストレスに耐えている?　この植物にはそのストレスに対処するのに役立つかもしれない特徴があるか?
・この植物を食べている動物の痕跡があるか?　この植物はどのようにして草食動物から身を守ることができるのか?
・この種の分布に、パターンはあるか?　どうしてそれがわかるのか?　パターンを推定すると、いくつぐらいあるか?

ズームイン、ズームアウト

対象を選び、観察しながら焦点のレベルを変更します。双眼鏡やスポッティングスコープ（小型の望遠鏡）を通して行う観察は、遠くから見た全体像とは異なります。両方の視点が重要です。

ズームイン

アフリカハゲコウの頭皮の斑点を間近で観察したり、まぶたと瞬膜がどのように閉じるかを確認したりすることもできます。

瞬きするときの
瞬膜
眼頭からさっと
出てくる

下のまぶたが
ゆっくりと
上がっていく

ズームアウト

遠くから見ると、カモメとペリカンが別々に群がっていることや、カモメよりはるかに大きいにもかかわらず、ペリカンが密集していることに気づくかもしれません。

瞳孔は常に
開いている

ぎっしりと集まっているカッショクペリカン

アメリカオオセグロ
カモメは散らばっている

張る!

きな肉垂と大きなくちばしのある鳥が、
さい肉垂と小さめのくちばしの鳥の尾を引っ張っている
さい鳥のほうが、つかつか歩いている

マケレレ大学　カンパラ

ズームアウト

戻って全体像を見ると、鳥同士の相互関係に気がつきます。

ズームイン

スポッティングスコープを通して見ると、細部に焦点が当てられます。ここでは、個々の鳥の羽の違いを観察しました。

繁殖羽と、通常の羽が
同時に生えている……
生え変わりの
タイミングは?

45

スケールを表示

サイズは重要です。対象のサイズとスケール（縮尺）をメモします。実物大のものを描く場合は、その横に「実物大」または「実寸」と書いてください。これを示す別の方法は、分数（または比率）、1/1（または1：1）です。ハーフサイズで描く場合は、1/2（または1：2）と書きます。実物大の3倍の絵を描く場合は、3/1（または3：1）です。

スケールを示す別の方法は、例えば、5倍に拡大したものの横に「5x」と書くことです。小数を使うと縮小を示すことができ、「0.5x」はハーフサイズを示します。絵をどれだけ拡大したかは簡単に見積もることができます。スケッチ用紙の上に現物を三つ並べれば、3倍に拡大したサイズがわかります。

または、絵の横に測定単位を併記してスケールバーを描いておくのもよいでしょう。これは、スケッチをスキャンまたは複製する場合に大きな利点があります。スキャンまたは複製で画像のサイズを変更した場合でも、スケールバーには対象の相対的なサイズが正確に表示されます。なお、このページの「1/1」および「5x」の測定値は、ページ全体が縮小されているため無効です。

ウェスタン・レザーウッド
〔サンフランシスコ湾岸の固有種〕

ギリシャ神話では
テーバイにある泉のこと

枝の表
白い模

枝の節の
多くに棘

カップ状のつなぎ目

ほとんどの株で
すっかり花が咲いていた

生態スケッチ

小さな「生態スケッチ」は、植物全体の一般的な形状を示しています。植物の高さが、50cmから70cm程度だと見積もったとき、頭の中ですぐに写真が撮れないので、自分のスケッチを簡単に追加しました。

誰が花粉を運んでいるのか

・足場はどこにもない
・ハチドリは花を眺めても、花粉を集めるのは無理

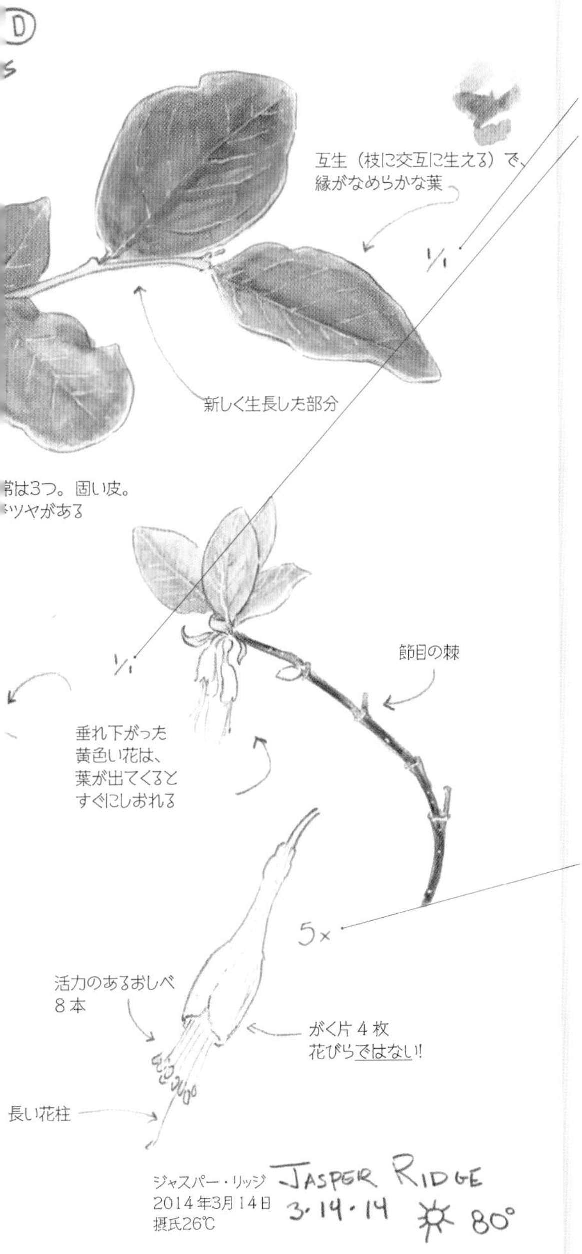

実物大

実物大の植物を描くとき、それを描く大きさを計算したり見積もったりする必要はありません。紙を植物にかざして、そのサイズを示すためにいくつかのマークを付けるだけです。これは、植物のスケッチを作成するときの私の定番のやり方です。1/1 を使用した縮尺の表示に注目してください。

拡大

実物大のスケッチでは、見えているすべての細部をスケッチする必要はありません。特に興味のある対象の部分を大きく描きます。ここでは、花の構造をわかりやすくするために、花の一つを5倍に拡大しました。

互生（枝に交互に生える）で、縁がなめらかな葉

新しく生長した部分

常は3つ。固い皮。ツヤがある

1/1

節目の棘

垂れ下がった黄色い花は、葉が出てくるとすぐにしおれる

5×

活力のあるおしべ 8本

がく片4枚 花びらではない!

長い花柱

ジャスパー・リッジ JASPER RIDGE
2014年3月14日 3・14・14 ☀ 80°
摂氏26℃

パターンを探して、例外を見つける

植物の構造、動物の行動、地形の特徴、または自然界の他の部分のパターンをよく調べます。パターンの背後で、興味深い動きや謎を発見するかもしれません。

　習慣になるまで、環境のパターンを探す練習をしてください。パターンは、自然界で機能しているメカニズムや変化の手がかりです。池に浮かんでいるカモの群れに遭遇したと想像してみてください。どんなパターンを見つけることができますか？

　彼らはみな同じ方向を向いていますか？　風向きが変わるとそれは変わりますか？　それらは互いにどれくらいの近さにいますか？　餌を食べたり休んだりしているとき、それは変わりますか？　群れの中でオスとメスは別々のグループにいますか？　オスとメスは

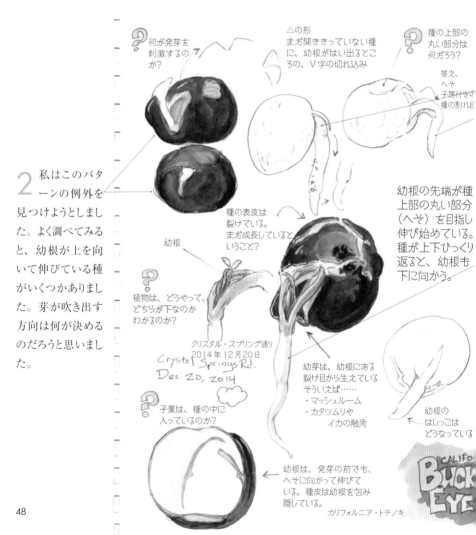

2　私はこのパターンの例外を見つけようとしました。よく調べてみると、幼根が上を向いて伸びている種がいくつかありました。芽が吹き出す方向は何が決めるのだろうと思いました。

? 何が発芽を刺激するのか？

△の形
まだ開ききっていない種に、幼根がはい出るところの、Ｖ字の切れ込み

? 種の上部の丸い部分は何だろう？

答え、
へそ
子房付きの種の割れ目

種の表皮は裂けている。
まだ成長しているということ？

幼根

? 植物は、どうやって、どちらが下なのかわかるのか？

クリスタル・スプリング通り
2014年12月20日
Crystel Springs Rd.
Dec 20, 2014

幼根の先端が種上部の丸い部分（へそ）を目指し伸び始めている。種が上下ひっくり返ると、幼根も下に向かう。

幼芽は、幼根にある裂け目から生えているそういえば……
・マッシュルーム
・カタツムリやイカの触角

幼根のはしっこはどうなっている

? 子葉は、種の中に入っているのか？

幼根は、発芽の前でも、へそに向かって伸びている。種皮は幼根を包み隠している。

カリフォルニア・トチノキ

CALIFO
Buck
EYE

群れの中で、ペアで泳いでいるように見えますか？

　パターンを探しながら、このように自問することで、他の方法では見逃してしまう発見につながる可能性があります。

　パターンを特定したら、それに当てはまらない例外を意識的に探します。その際は、こうだろうと予測したことを確認するときに、私たちは常に思い込みをもってしまうことを、心に留めて気をつける必要があります。例外がたくさんある場合は、それはパターンとはいえないかもしれません。逆に、丹念に例外を探しても見つからない場合、何か面白いことに近づいていると考えてよいでしょう。例外によっては、パターンについて、さらに深い気づきが得られる場合があります。例外がいくつかあるときは、それらをより注意深く調べてください。例外には共通点がありますか？　例外自体にパターンはありますか？　パターンを発見して解明することは楽しく、さらなる探究への扉を開きます。

1　私がこの探究を始めたのは、発芽しているトチノキの種がいくつもあるのを発見したときでした。パターンをざっと探すと、幼根が常に下を向いているように見えました。多くの場合、幼根はまっすぐに土の中に成長しましたが、曲がったり、ねじれた状態で出ているものもありました。

3　私は、幼根が常に種の円形のスポットに先端を向けて出現することを発見しました。調べてみると、この場所は「へそ」と呼ばれ、種莢の側面に種が付着する場所であることがわかりました。種がへそを下にして着地すると、幼根はまっすぐ下に成長します。しかし、種がへそを上にして地面に落ちた場合、幼根は土に到達するためにひねる必要があります。また、発芽していない種を半分に切ってみると、種皮が割れる前から、へそと幼根はつながっているのがわかりました。

4　私はトチノキの発芽に関する私自身の疑問の多くに答え、さらに興味深い疑問を思いつきました。植物はどのようにして、どの方向が下かわかるのか？　そして、へそを下にして着地した種子は、生存する可能性が高くなるのか？　パターンを探していなかったら、これらの疑問が出てくることはなかったでしょう。まず一通り疑問を出してそれに答える作業をしてみないと、本当に興味深い疑問が出てこないこともあります。

比較する

同じ種の二つの個体、または類似種の二つの個体を比較してみましょう。そうすることで、わずかな違いが際立ち、微妙な細部に気づき、描写するのに役立ちます。

違いに気づく

　対象を類似のものと比較すると、その特徴が際立ちます。例えば、一枚の葉を表現する場合、その表面の光沢やくすみについて言及することはないかもしれません。しかし、二つの異なる種の葉を比較すると、相対的に、光沢の有無が際立ちます。

　こうして比べることは、探究を深めるための方法の中でも強力な手段であり、「より大きい」「より粗い」「より暗い」「より繊細」などの観察を可能にします。二つの類似した対象を比較すると、それぞれを個別に評価および説明するための、より大きな枠組みや視点が得られます。

コヨーテ・ポイント
2014 年2月5日
寒冷、風あり
Coyote P
Feb 5
cold

風向き

青白い/バーントシエナ
（茶褐色）

小ぶりで
片側に
寄った

脇腹
縞

シャクシギ

curlew

伸ばした脚→
10 羽のシャクシギ
「サロン」

50

ELDERBERY VS. BUCKEYE

エルダーベリー　　　　　セイヨウトチノキ

2013年5月11日
レイズ岬

溝のある
錆茶色の樹皮

4～7
若葉

5～7
若葉

なめらかな
灰色の樹皮

分岐した
葉脈

「区画整理された」葉脈

5、6枚の花びら　　　実寸

短いおしべ、3本

長いおしべ

長い花房ではおしべが、
4～6本でいろいろ

×3

穂状花序

多種多様な花の形状
Q 花粉を運ぶのは誰か？
Q 花粉の運び手は、花のタイプによって異なるのだろうか？

が寝ているか
か判別
きるか？

脚で、枝を
ひっかいている姿は、
犬のよう

翼と尾っぽを
伸ばしている。
鳥のヨガだ

くすんだ、
寒色系の黄褐色

チュウシャクシギ

Whimbrel

17羽の鳥
「物乞い」

た脚

時間の経過とともに変化を観察する

興味深い対象を見つけて、数分間、数時間、数日、または数週間にわたってその経過を追跡します。観察した変化を記録し、それらがいつ発生したかをメモし、何が変化を引き起こしたのか疑問に思います。

　花を一つ選び、数日または数か月かけて、その花に寄り添ってください。あなたは、その変化の有り様に驚くことでしょう。同じ個体を何度も見つけることができるように、茎に糸などを巻いて印をつけるとよいでしょう。成長が急に進んだり止まったりする様子を観察します。

　紅葉した葉を集めて、色の変化の進行に合わせて並べます。年の暮れには、朽ちている葉を見つけて、葉の腐食が最も遅いものから最も進んだものへと順番に並べます。

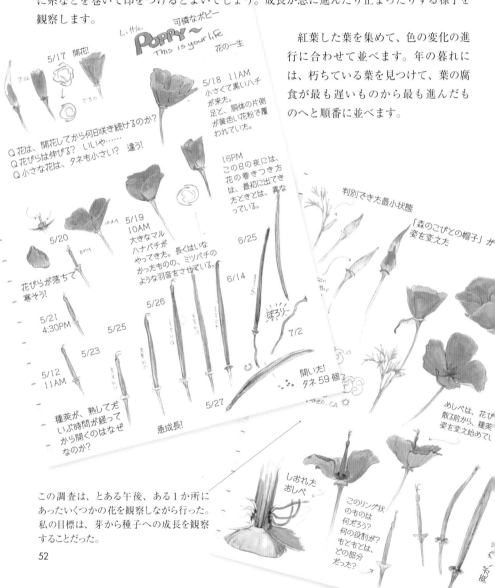

Little POPPY〜 This is your life 可憐なポピー 花の一生

5/17 開花!

5/18 11AM 小さくて黒いハチが来た。足と、胴体の片側が黄色い花粉で覆われていた。

Q花は、開花してから何日咲き続けるのか?
Q花びらは伸びる? いいや……
Q小さな花は、タネも小さい!? 違う!

16PM この日の夜には、花の巻きつき方は、最初に出てきたときとは、異なっている。

5/20

5/19 10AM 大きなマルハナバチがやってきた。長くはいなかったものの、ミツバチのような羽音をさせている。

花びらが落ちて寒そう!

5/26

5/21 4:30PM

5/25

5/23

5/12 11AM

種莢が、熟してだいぶ時間が経ってから開くのはなぜなのか?

急成長!

5/27

6/25

6/14

7/2

開いた! タネ 59 個?

判別できた最小状態

「森のこびとの帽子」が姿を変えた

めしべは、花びら散る前から、種莢へ姿を変え始めていた

しおれたおしべ

このリング状のものは何だろう? 何の役割が? もともとは、どの部分だった?

この調査は、とある午後、ある 1 か所にあったいくつかの花を観察しながら行った。私の目標は、芽から種子への成長を観察することだった。

52

キノコの群れに遭遇した場合は、毎日観察し、時が経つにつれてどのように変化するかを確認します。

毎週同じ海岸に行き、様々な潮位や波の状態を確認します。

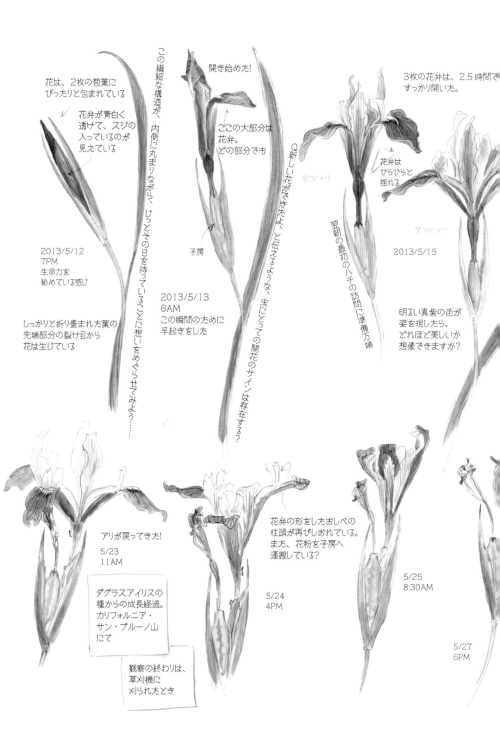

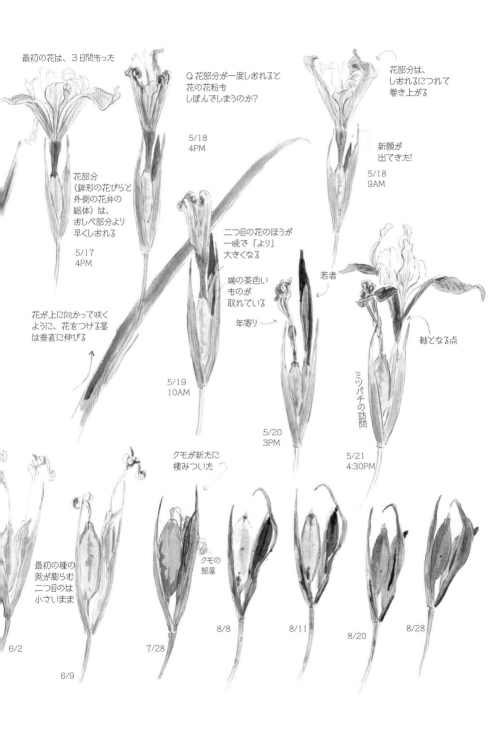

最初の花は、3日間もった

Q 花部分が一度しおれると
花の花粉も
しぼんでしまうのか?

5/18
4PM

花部分は、
しおれるにつれて
巻き上がる

新顔が
出てきた!

5/18
9AM

花部分
(鉾形の花びらと
外側の花弁の
総体)は、
おしべ部分より
早くしおれる

5/17
4PM

二つ目の花のほうが
一晩で「より」
大きくなる

端の茶色い
ものが
取れている

若者

年寄り

軸となる点

花が上に向かって咲く
ように、花をつける茎
は垂直に伸びる

5/19
10AM

5/20
3PM

ミツバチの訪問

5/21
4:30PM

クモが新たに
棲みついた

クモの
部屋

最初の種の
莢が膨らむ
二つ目のは
小さいまま

8/8

8/11

8/20

8/28

6/2

7/28

6/9

心に残る出来事を記録する

一つの動物の集団を観察し、イラストとメモを組み合わせて一連の行動を捉えます。
そこから物語を探し出して、伝えてください。

　興味をひかれる行動を目撃したら、立ち止まって、そこで起こっていること（それぞれ
の段階の詳細を含めて）をすぐに言葉にしてみましょう。そうすると、見たものをジャー
ナルとして仕上げるまで、しっかり記憶に留めておけます。スケッチを詳細にする必要は
ありません。スケッチは、生物のサイズと相対的な位置関係を簡単に記録しておけば十分
です。まずは言葉で語ることに集中しましょう。

　このカモメとシギチドリ類の調査では、両者の間隔を観察し始め、それで見るべきもの
は終わりだと思っていたのですが、より大きなアメリカオオセグロカモメが飛んできて群
れを追い散らしたので、カモメたちが飛び去ってしまい、がっかりしました。しかし、こ
れはむしろより面白い物語であることに気づきました。私は海岸の同じ場所で、新しい鳥
の組み合わせで描き直しました。他の鳥たちはアメリカオオセグロカモメが来ると一斉に
姿を消してしまうのです。

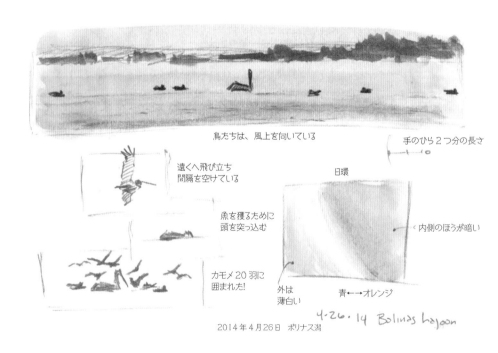

鳥たちは、風上を向いている

手のひら２つ分の長さ

遠くへ飛び立ち
間隔を空けている

日環

魚を獲るために
頭を突っ込む

内側のほうが暗い

カモメ20羽に
囲まれた！

外は
薄白い

青←→オレンジ

4.26.14 Bolinas lagoon

2014年4月26日　ボリナス潟

56

ウィリッツにて。
アメリカオオソリハシシギと、オオハシシギが、びっしり肩を寄せ合っている。
あるクロワカモメが飛んでくると、みなスペースを空ける。他のクロワカモメでさえ!
アメリカオオセグロカモメが来ると、みな飛び去る。

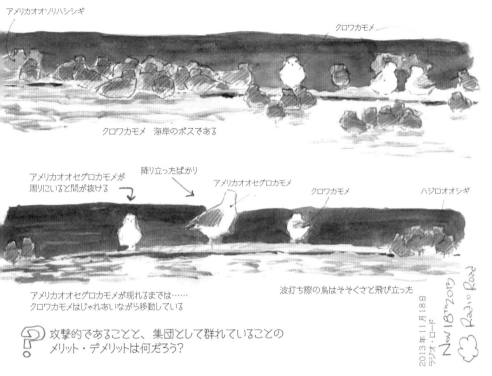

アメリカオオソリハシシギ

クロワカモメ

クロワカモメ　海岸のボスである

アメリカオオセグロカモメが
周りにいると間が抜ける

降り立ったばかり

アメリカオオセグロカモメ

クロワカモメ

ハジロオオシギ

アメリカオオセグロカモメが現れるまでは……
クロワカモメはじゃれあいながら移動している

波打ち際の鳥はそそくさと飛び立った

2013年11月18日
Nov 18th 2013
ラジオ・ロード
Radio Road

攻撃的であることと、集団として群れていることの
メリット・デメリットは何だろう?

　矢印や動きを示す線を使って、注目する出来事の流れを示します。映画の絵コンテやグラフィックノベルを研究して、アクションを示す方法についての素晴らしいアイディアを見つけてください。直線的に描くもよし、遊び心で変化をつけて描くもよし、気の向くままにしてください。

　観察が終わりかけたら、メモを見て、細部を見落としていないか自問してみましょう。記録しないと、時間の経過とともに、すべて忘れてしまいます。

　ある友人がクラークカイツブリの求愛について説明を書いたとき、この鳥たちは2羽やそれ以上で水面を並んで疾走する習性があるのですが、それはどれくらいの時間なのか、私に尋ねました。私はこれについて、かつてジャーナルにメモをとった記憶があったので、確認したところ、時間などの細かい情報までは記録していないことがわかりました。観察を定量化することは忘れがちです。彼らはどこまで走っていた?　潜水したとき、彼らはどれくらい水中にとどまったか?　省略した細部が、将来必要になることがあります。

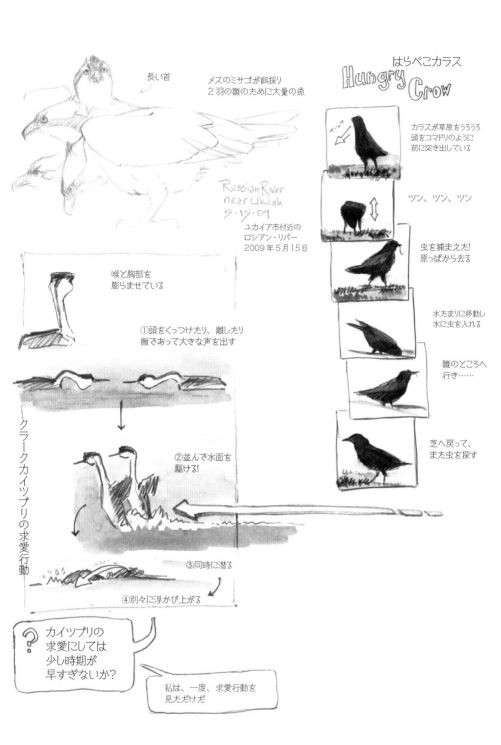

長い首

メスのミサゴが餌採り
2羽の雛のために大量の魚

Russian River
near Ukiah
5·15·09
ユカイア市付近の
ロシアン・リパー
2009年5月15日

はらぺこカラス
Hungry Crow

カラスが草原をうろうろ
頭をコマドリのように
前に突き出している

ツン、ツン、ツン

虫を捕まえた!
原っぱから去る

水たまりに移動し
水に虫を入れる

雛のところへ
行き……

芝へ戻って、
また虫を探す

喉と胸部を
膨らませている

①頭をくっつけたり、離したり
撫であって大きな声を出す

②並んで水面を
駆ける!

③同時に潜る

④別々に浮かび上がる

クラークカイツブリの求愛行動

? カイツブリの
求愛にしては
少し時期が
早すぎないか?

私は、一度、求愛行動を
見ただけだ

58

地図を作る

地形の特徴または景観の一部の地図を作成します。広いエリアや自然の中の木などの位置を表すのもよいでしょう。これにより、場所の地理を確認でき、見落としがちなパターンが明らかになることもあります。

空間に関する不思議に迫る

空間の配置を一工夫すると何でも地図に描くことができます。ズームインして小さな範囲に限定すると、もしかしたらアリの塚の詳細情報を収集することもできます。より広いエリアの地図を作成すれば、ある土手からのアリの小道のネットワークなどを確実に描写できます。または、さらにズームアウトして、森の中のアリ塚の分布を記載してもいいでしょう。

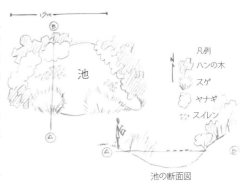

凡例
ハンの木
スゲ
ヤナギ
スイレン

池

池の断面図

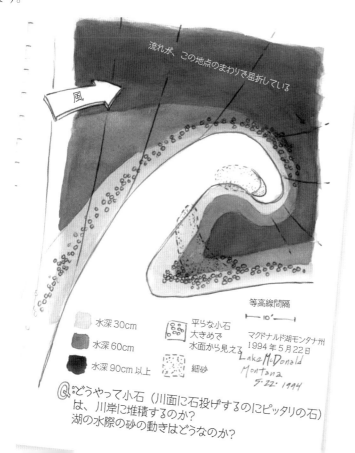

流れが、この地点のまわりで屈折している

風

水深30cm
水深60cm
水深90cm以上

平らな小石
大きめで
水面から見える

細砂

等高線間隔

マクドナルド湖モンタナ州
1994年5月22日
Lake McDonald
Montana
5.22.1994

Q：どうやって小石（川面に石投げするのにピッタリの石）は、川岸に堆積するのか？
湖の水際の砂の動きはどうなのか？

59

凡例、縮尺、および方角の指標

　関心のある対象に対して、わかりやすい凡例を作成します。

　文字の略語から遊び心のある記号まで、あらゆるものを使いましょう。色を濃くすることで、奥行きなどのグラデーションを表示できます。縮尺も使いましょう。小さな縮尺指標（スケールバー）を使用するか、例えば絵の中に自分を描き入れるなど、比較できる物を使います。北を示す矢印もお忘れなく。

景色の断面図を作る

横断図を作成すると、垂直面の規則性を詳しく表現するのに役立ちます。

必要に応じて正確に

　地理学者であれば、地図上のすべての機能を適切かつ正確にする必要がありますが、個人の場合は、もっと柔軟に考えましょう。あなたの描く地図は、興味のあるパターンがわかる程度に正確であれば十分です。この地図を作成する目的は、まっさらな視線で風景と対話することです。このような地図や断面図を作成するのに、特別な機器は必要ありません。じっくりと目を皿のようにして眺め、推測するだけで、多くの状況に対応できます。より正確なものが必要な場合は、重要なランドマーク（目印となる物）の間の距離を調整し、それらの周りからスケッチを組み立ててみましょう。

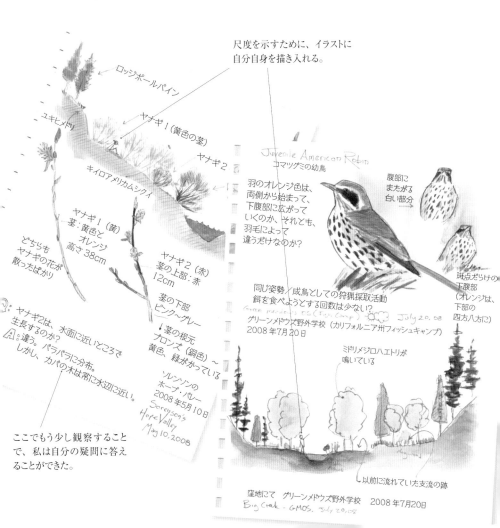

尺度を示すために、イラストに自分自身を描き入れる。

ロッジポールパイン

ユキヒメドリ

ヤナギ1（黄色の茎）

ヤナギ2

キイロアメリカムシクイ

ヤナギ1（黄）
茎：黄色とオレンジ
高さ38cm

どちらもヤナギの花が散ったばかり

ヤナギ2（赤）
茎の上部：赤
12cm

茎の下部
ピンク～グレー

茎の根元
ブロンズ（銅色）～
黄色、緑がかっている

ソレンソンの
ホープ・バレー
2008年5月10日
Sorenson's
Hope Valley
May 10.2008

Q: ヤナギ2は、水面に近いところで生長するのか？

A: 違う。バラバラに分布。しかし、カバの木は常に水辺に近い。

ここでもう少し観察することで、私は自分の疑問に答えることができた。

Juvenile American Robin
コマツグミの幼鳥

羽のオレンジ色は、両側から始まって、下腹部に広がっていくのか、それとも、羽毛によって違うだけなのか？

腹部にまたがる白い部分

斑点だらけの下腹部
（オレンジは、下部の四方八方に）

同じ姿勢／成鳥としての狩猟採取活動
餌を食べようとする回数は少ない？
Green meadows OS (Fish camp)
グリーンメドウズ野外学校（カリフォルニア州フィッシュキャンプ）
2008年7月20日
July 20.08

ミドリメジロハエトリが鳴いている

窪地にて　グリーンメドウズ野外学校　2008年7月20日
Big Creek - GMOS. July 20.08

以前に流れていた支流の跡

垂直方向の広がりに関するパターン

　自然の力には、印象的な垂直パターンを作るものが多いです。潮汐は海岸に沿って動植物の水平方向の帯を作ります。水と飽和土からの距離は、水路と牧草地に沿ってパターンを作ります。太陽の角度の影響は、断面図でも調べることができます。北半球では、北向きの斜面は、乾燥した南向きの斜面よりも日陰になり、水分をより長く保持します。南半球では逆です。横断面の調査図は、岩一つのように小さい場合もあれば、谷全体を含む大きい場合もあります。

新しいパターンの出現

　河川の片側の植生パターンを地図に落とすと、距離、高さ、水分勾配の関係に気づくようになります。ジャーナルの中で関連づけて見なければ、これらのパターンを漠然と認識しているだけです。こういうふうにやってみると、風景を見るための新しい目が養えます。

風景を立体的に取り出す

地図と断面図を組み合わせて、ブロック図にすることができます。これは、風景を三次元で視覚化し、その中のパターンを見つけるのに役立ちます。実際のブロック図を描く前に、練習としていくつかの架空のブロック図を作成しましょう。

地図、断面図、およびブロック図は、地形に応じて、植物と動物とがどのような空間的関係にあるのか確認するのに役立つ。

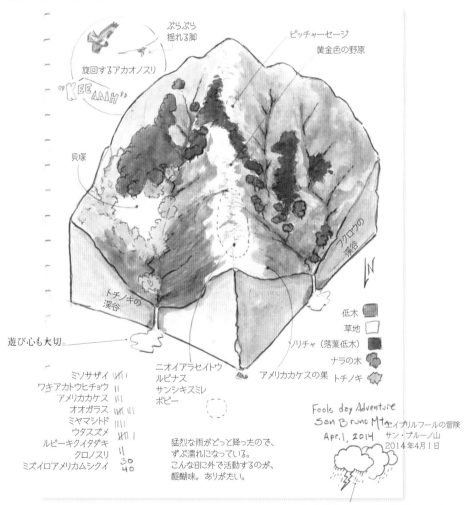

ぷらぷら揺れる脚

旋回するアカオノスリ

"KEEAAIH"

ピッチャーセージ

黄金色の野原

貝塚

フクロウの渓谷

トチノキの渓谷

遊び心も大切。

低木
草地
ソリチャ（落葉低木）
ナラの木
アメリカカケスの巣
トチノキ

ミソサザイ
ワキアカトウヒチョウ
アメリカカケス
オオガラス
ミヤマシトド
ウタスズメ
ルビーキクイタダキ
クロノスリ
ミズイロアメリカムシクイ
30
40

ニオイアラセイトウ
ルピナス
サンシキスミレ
ポピー

猛烈な雨がどっと降ったので、ずぶ濡れになっている。こんな日に外で活動するのが、醍醐味。ありがたい。

Fools day Adventure
San Bruno Mt. エイプリルフールの冒険
Apr. 1, 2014 サン・ブルーノ山
2014年4月1日

私はずっと、この天気記号をページに追加したかったので、わざわざ嵐の真っ只中に外に出て、このメモのための情報を集めた。

ブロック図は、俯瞰図（ふかん）（平面図）と断面図（側面図または立面図）の情報を組み合わせたものです。座っていた場所や、探究に適したお気に入りのエリアの眺めのブロック図を描いてみましょう。ブロック図を作成すると、傾斜（急勾配）、景観の特徴または水平方向（北向きと南向きの傾斜）、植生、および野生生物のパターンの間の関係について、生態と空間の視点から考えるのに役立ちます。これはより高度なスキルが必要なので、簡単な俯瞰図と断面図を作成することに慣れたら試してみるとよいでしょう。

1　立体を作成することから始めます。こうするとブロック図を描き込んでいく際に便利です。

2　立体の4面すべてについて、土地の断面の形状を推測します。できるだけ正確に。ただし、ここで完璧な形にはできません。斜面の稜線を描くことから始めると簡単です。

3　次に、谷の底に薄くガイドラインを描きます。川は常に谷の底にあります。稜線の頂点にぶつかるまで薄いガイドラインを描きます。

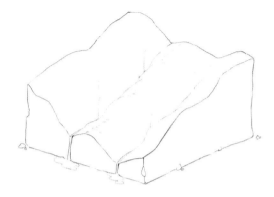

4 位置がきちんと定まったガイドラインを使って、地形を描き込みます。

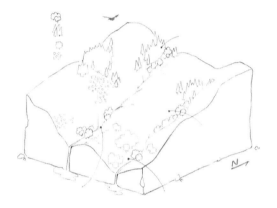

5 植生について、簡単な凡例を作り、地形に植物群落を描きます。森として密集している木の幹は小さくすること。この場所特有のものや野生動物の姿を加えます。

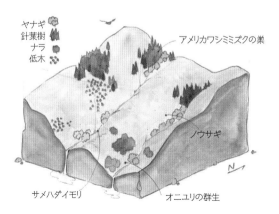

ヤナギ
針葉樹
ナラ
低木

アメリカワシミミズクの巣

ノウサギ

サメハダイモリ

オニユリの群生

6 色付けをして、地形の起伏と輪郭を示します。

INQUIRY

探究を深めるための方法

自分の疑問に答えようとしたり、前の章で紹介した
ジャーナリングを実践するときは、ここで紹介する
様々なツールが大活躍するでしょう。数のカウント、
測定、目算、リスト作成、音の文字化、スケッチ、
表作成、科学的な説明記述、ふとした気づきの記
録によって、探究を深めることができます。これら
のツールを使うことで、新しい情報を探したり、隠
れたパターンに気づいたり、新たな真実を発見した
りすることができるのです。

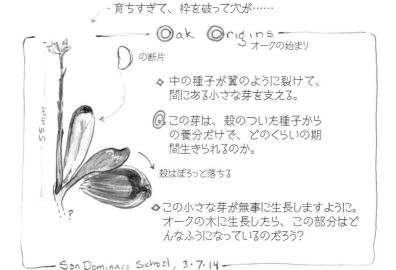

育ちすぎて、枠を破って穴が……

Oak Origins
オークの始まり

の断片

◆ 中の種子が翼のように裂けて、
間にある小さな芽を支える。

Ⓠ この芽は、殻のついた種子から
の養分だけで、どのくらいの期
間生きられるのか。

殻はぽろっと落ちる

◆ この小さな芽が無事に生長しますように。
オークの木に生長したら、この部分はど
んなふうになっているのだろう？

55 mm

San Dominaco School, 3・7・14
サンドミニコ・スクール 2014年3月7日

COAST LIVE OAK
コースト・ライブ・オーク

観察を広げる方法

書き込み、イラストスケッチ、図表化、および定量化（カウント、測定、および目算）
は、様々な視点からあらゆる対象を探究するのに役立ちます。

　書き込み、スケッチ、図表化、および定量化など、情報を記録する様々な方法には、そ
の方法ごとに適した観察方法や考え方があるものです。これら方法をすべて使いこなせれ
ば、あらゆる対象に対してより多くの視点が得られます。

　この本は、あなたが観察し、探究するのを助けるための方法として、スケッチをいかに
活用するかに焦点を合わせています。自然の中で描くことは非常に貴重な体験です。その
作業は、正確に見ることを助け、観察スキルを養い、記憶力を高めます。しかし、イラス
トが、他の方法に比べて重要なわけではありません。これらの方法はすべて、新しい発見
とより深い理解にあなたを導きます。それらすべてを駆使して、あなたのジャーナルを作
成してください。

　あなたの観察に使えるすべての方法を、探究に活かしてください。

観察の中にはスケッチに向いている
のもあるし、文章化に向いているの
もある。

がくの色は、花自
体が開くにつれ、
緑からクリーム色
に変わる

角ばったつぼみ

花びらとがく
4枚ずつ

つぼみから莢へ

観察する

計量する

種の莢は長く
なっていく

めしべ
半透明で色鮮やかな
おしべに囲まれている

高いところにある葉は、
まっすぐな形

短い

3.5x

短い

4本のおしべ
が内側を向い
ている

ミルク・メイド
〔牧場の乙女。可
憐な白い花とミル
クの連想から〕

低いところの葉は、丸い

2本の短いお
しべがへこん
だ形で外側を
向いている

10x

興味深い部分の関係を示す
図を描く。

オロンパリ
2015年2月1日

今季最初に開花した野草。
誰が花粉を運んでいるのか?
なぜ、低いところの葉は丸み
を帯びているのか?

数値で表す:測定して数える。

日光をたくさん
浴びるため?

文字で書く

あなたの観察や考えの中には、スケッチとして描くことによってより容易に記録されるものがあります。他のものは、文字で書くことによってより容易に記録されたり、効果的に伝えられたりします。どちらもジャーナルづくりには不可欠な方法です。

書くときの注意点

　ジャーナルで探究する際、短いメモ、文章、説明書きを使って、あなたの観察、疑問、説明を記録します。そうすることで、新しい理解に到達し、考えをより明確に表現し、記憶力を高めることができます[1]。

　関連する科学的な観察だけでなく、あなた自身の経験を書くためにもジャーナルを使ってください。「これは、これまで見たことがないものだ」「いまバスを待っている」などのメモや、同行者のリストは本質的に科学的ではありません。しかし、これらの情報はとるに足らないものでもありません。あなたのジャーナルにこのようなメモを含めることは、あなたが経験を思い出す際に役立ちます。これらのメモは、あなたがジャーナルを手に取って、将来それを読むときに、あなたをその瞬間に、より完全な形で連れ戻してくれることでしょう。

　自分がそこに存在していたという経験をさらに活用したいなら、個人的な気づきを文章に含めてください。私たちは感じ取ることができる存在です。私たちは世界を移動しながら、感じ、成長し、変化します。バリー・ロペス〔アメリカ人のエッセイスト、ネイチャーライターの草分け的存在。オレゴンを拠点に世界中を旅して、風景から環境・人間社会などを考察した。代表作の『極北の夢』（草思社）など邦訳も数点ある〕は、次のように書いています。

　「……人の思考の形と性格は、この地球上のどこに行くか、何に触れるか、自然の中で観察するパターンに深く影響されると思います」[2]。ジャーナリングを定期的に行うとき、自然界での出来事だけでなく、あなた自身の中で起こっていることにも注意を払ってください。その内省とより深い気づきによって、あなたの感情的知性が高まります。

　個人的な気づきや、一人の人間としての自覚を得るための道筋は、観察と同じように、まず注意力をもつことから始まります。個人的な気づきを求め始めるには、観察として行う作業を、自分の内面へと向けていきます。少し時間を取って心を静め、深く呼吸してください。あなたはあなた自身について何に気づきますか？　どのような疑問がありますか？この瞬間に何を思い出しますか？　生じる考えに注意を払ってください。自然の中でゆっくり黙ったまま動かないでいると、予期しない知恵や新しい意識につながる可能性があります。

詩のための場所を作る

　個人的な気づきを探究する一つの方法は、自然の中での経験について詩を書くことです。あなたにも詩を書くことができると知ってください。あなたが自分の観察、疑問、そして

つながりを（「気づいたことは……」「不思議だな……」「連想するのは……」などのフレーズによって。P.10 参照）ジャーナルに記録しているなら、あなたは詩の構成要素にすでに出会っているのです。ジャーナリングの一日の終わりには、自然界と自分自身についての観察と疑問の記録を見直してみましょう。広い視野をもって、深呼吸をしてください。気づいたことと疑問を書き出してください。風景、自分自身、または一つの対象に意識を向けます。その成果は、あなたの人生の様々な瞬間に関する、豊かで正確な記録としての短い詩になります。

この作業では、比喩表現と「そういえば、連想するのは……」というフレーズに特に注意を払ってください。あなたは自然界の中に心惹かれる部分がありますか？　そこには、ひょっとすると、あなた自身に関する洞察が眠っているかもしれません。風に打たれる草の姿に心惹かれるのは、そこに、あなた自身のしなやかな強さを連想しているからかもしれません。

まずは考えることから始めましょう。例えば、鳥と木とでは、何が共通していますか？ あなたの答えを書き留めてください。つづりも文法も、韻や形式も、または「上出来か」どうかも、心配する必要はありません。こんなふうに短い詩を書くような気持ちで、自分のジャーナルを書きます。あなたの作品が、あなたに新しい気づきをもたらしてくれるなら、その作品は成功と言えるでしょう。

これにより、あなたの手元には、ジャーナルとしてより完全な記録が残ります。数年後に見直したとき、ある場所での単なる経験だけでなく、それがあなたにどのような影響を与えたかを思い出すことができます。あなたが世界を調べるとき、あなたの心を自然と結びつけてください。

遊び心ある記述法
多様な考え方ができるように、創造的で斬新な方法で言葉を使ってください。
・アイディアや観察の箇条書きリストを作成する。この方法で、たくさんのことを素早く紙に書ける。
・メモやスケッチを矢印線でつなげて、絵が「話し始める」ようにする。
・謎を探究しながら（P.40 ～ 41 参照）、関連するアイディアをつなげてマインドマップを作成する。
・文字の大きさや書体を変えて、または色鉛筆で、見出しや強調をする。
・縦、斜め、または円弧を描くように、文章を対象の端に添えるように書く。文章を書き込んだ部分も、ジャーナルのページの構成要素と考える。もし文字を密に書いた場合は、そこだけで一つの独立した要素になる。

解説図を作成する

解説図はイラストに似ていますが、データを正確に記録することを目的として描きます。解説図の美しさは、その情報の密度と明快さにあります。ジャーナルには両方の形式が必要です。

美しい情報

　図表は、スケッチとデータ収集の交差点にあります。上手な解説図は、可能な限り明確に、わかりやすく、情報を記録し、説明します。図表は、芸術的な美を生み出すプレシャーから解放してくれますが、情報の量の適切さと、それを提示する明快さの中にも美は生まれます。その美しさは活力に溢れ、知的な興奮を与えてくれます。

ジャーナルづくりという
応急処置

　絵を描き始めて、芸術作品としてはだめだと思った場合は、それを解説図に換えてください。その図にた

丸まっている
種鱗

35cm

ぺたぺたした樹液のにじみ

タネ
×

斜線の入った
種鱗

樹液

一つの種鱗の下側に
必ずタネが2個。
先っぽにあるのではないことに注意!!

球果なのに、樹液の染みが種鱗の先についているのはなぜか?

SUGAR PINE　サトウマツ

U.C. Berkeley Forestry Camp, Meadow Valley, Aug 13 2012

カリフォルニア大学バークレー校
森のキャンプ、メドバレー　2012年8月13日

くさんの矢印を書き込んで、メモを追加します。あなたが紙面にびっしり情報を書き込むことで、すぐに新しいエネルギーを帯び始めます。メモを書き加えることで、うまく描けているかどうかの重圧から解放され、絵の出来は気にならなくなります。さらに重要なことに、こうすることで、今していることに集中できます。紙面の絵の出来を心配することから解放し、観察すること、そこに自分がいることに引き戻してくれます。

パターンの繰り返しを活用する

　シダを描くことを考えると、すぐにパニックに陥るかもしれません。フラクタル〔同じ形の繰り返しにより全体が構成されている、無限に続くように見える模様のこと〕のように繰り返される、これらの小さなパーツすべてを描くなんて、と。あなたはスケッチに時間をかけすぎているのかもしれません。あなたが瞑想状態にあったり、時間が有り余っているなら問題ないですが、それを素早く描くにはどうしたらいいのでしょう?

　葉を一枚採取しておくのも、よい解決策です。もう一つの便利なアプローチは、解説図を描くことです。すべての小葉を描く代わりに、パーツの細部（おそらく上面図、正面図、

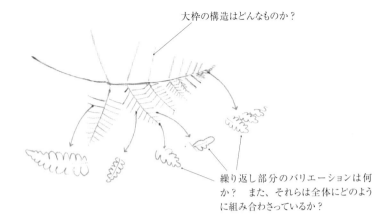

大枠の構造はどんなものか？

繰り返し部分のバリエーションは何か？　また、それらは全体にどのように組み合わさっているか？

側面図）を示すスケッチと、パーツがどのように組み合わされているかを示す図を描くのです。これにより観察することに多くの時間を割けて、同じ情報を機械的に何度も繰り返して描く手間が省けます。このアプローチは、個々のパーツの接続の仕組みをよく観察するのにも役立ちます。葉を次々と描いているうちに、こういう大切な観察の手順を見失いがちです。

　松ぼっくりの鱗片は、対称的なパターンが繰り返されます。一つの鱗片を注意深く見て、それを説明してください。

　円錐の中央の鱗片は、端の鱗片と、どのように異なるか？　鱗片の種類ごとに、何かパターンを形成しているか？

　スケッチに行き詰まったり、観察するものが足りなくなったりした場合は、自然観察の基本に戻ってください。私が気づいたのは……、おや、不思議だな、連想するのは……。しばらくの間、ジャーナルに書き足すことについて心配

> さあ、耳という耳が覚醒し、目という目は開かれた。
> ── E. E. カミングス〔20世紀前半に活躍したアメリカの詩人。前衛的でありながら、人々の日常に寄り添う表現によって現在もアメリカで愛される詩人の一人〕

する必要はありません。自分が落ち着き始め、再び好奇心をそそられるようになるまで、観察し、疑問を出し、連想したことを思い出して、声に出して言ってみてください。それから新しい視点を見つけて、見つけたものを記録し始めます。

これは、色を探究し、絵具がどのように混合するかを学ぶための簡単で確実な方法。

全体を構成するパーツはどんなものだろう？

下側の肩羽
白黒半分ずつ

濃い茶色
初列風切羽

すべて黒

緑

黒

アメメ色

紫

青

白い尾っぽ

閉じたまぶたは
黒

濃い茶色の
斑点やスジ

赤茶色

明るく
澄んだ白

オレンジ

脇腹の端
赤茶色（ルディ・
シエラ）と黄土色の
まだら模様

このカモは、イラストスケッチとしてはうまくいかなかったので、私は解説図モードに移行した。こうすることで、スケッチも残しつつ、観察する元気が出た。

Marsh So. of
Coyote Point
Jan 7 2012
mid Art cool 沼の南側

コヨーテ・ポイント
2012年1月7日　午前中　やや寒い

上のカモ解説図のほうが、右下にあるスケッチよりも、興味深いものになった。情報の量が十分あり、内容も具体的なので、何度もこのページを読み返している。

いくつもの見え方を提示するために、解説図には、通常のスケッチも添える。

鳥の鳴き声（およびその他の音）の図解

自然音を図解することで、自然の声をより注意深く聴くことができます。これは、鳥を耳で区別して、識別するための最も手軽な方法です。

自分の説明が、一番納得できる

　テープや本から、鳥の鳴き声を学ぶのは難しいことです。野外にたどり着くまでに、私はテープで聴いたことを忘れてしまい、市販のフィールドガイドの説明の一部が理解できなくなりました。私には、鳴き声が「クーガ チューガ ジープ ジープ ジュリープ リープ」とは聴こえませんが、フィールドガイドを書いた人には、そのように聴こえたのでしょう。鳥の鳴き声を聴いて自分で説明するのが、鳥の鳴き声を学ぶ最良の方法です。そうすることで、聴いたことに集中でき、記憶に残しやすくなります。

　野原で鳥の鳴き声が聴こえたら、自分で音の説明を書き留めてください。鳥が見つかった場合は、さえずりの説明の横に、その鳥の名前（または識別できない場合は説明）を記入します。鳥がわからない場合は、「ミステリーバードソング #3」のように書いて、一日中同じ鳥の声を聴き続けてください。鳥の姿が十分にわかれば、鳴き声の横に名前を書けます。音に集中し、状況説明をして、音を書き写す一連の作業によって、鳥の鳴き声がしっかり記憶に刻まれることでしょう。

聴くことを学ぶ——森のカラオケ

　あなたが鳥のさえずりに耳を傾けるとき、何を聴くべきかの基準があれば便利です。これは、医者があなたの脈をとるときとよく似ています。医者は、1分あたりのビートを数えているだけではありません。脈拍のリズム（規則的か、不規則か）と音色（強いのか、

鳥のさえずりの性質に関する説明。

ツバメのさえずり　大きく、澄んで、音楽のよう

さえずりを図にする。線の質で音の明瞭さを示し、上下に位置をずらして音の高さを示す。

スタッカートを刻む口笛のようなイントロ　　多様なエンディング

De De De　tette　ch ch ch　te de la d...　brrr

キイチゴの木3m高、止まり木からの鳴き声
ティルデン広域公園、2015年5月4日午前10時

メタデータ
どこで、いつ？

さえずりに合わせて、歌詞や意味のない音節を当ててみる。

75

弾んでいるか、かほそいか）に注意を払います。これと同じ基準（リズム、レート、音色の質）を使用して、鳥の鳴き声やその他の自然音を表現できます。練習することで、音を説明するための語彙が増え、音を比較するために参考にできるポイントが増えます。これにより、聴いたことを説明する能力と、実際に聴く能力の両方が向上します。

　目を閉じて、音に集中できるようにします。手を空中に掲げて、鳥が歌うときに「指揮」し、高音で手を上げ、低音で手を下げ、指を小刻みに動かして、さえずりの響きをリードしましょう。次に、できるだけ音を真似してみます。口笛を吹くか、ハミングしてみてください。聴いた音に、言葉や意味のない音節を当てて、鳥と一緒に「歌う」のです。

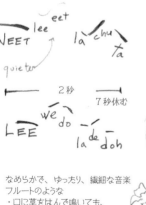

なめらかで、ゆったり、繊細な音楽
フルートのような
・口に草をはんで鳴いても、
　澄んださえずり！
・鳴き方は、様々に変わる

リズム

　次に、さえずりの旋律の進行と響きを文字で紙に書き写します。そこに、抑揚を表すため、弧を描くように短い線をつけます。不明瞭な音には実線を使用し、スタッカート音には細い線を使用します。大きな音には太い線を、小さな音には細い線を描きます。音の高さの変化に合わせて、線を上向き、下向きの矢印にします。

　あなたが音楽に込められる言葉を書き留めてください。長い音節には太字またはアルファベットの大文字を使用し、短い音節には小文字を使用します〔日本語で記述する場合は、ひらがなとカタカナで書き分けるのもよいだろう〕。文字の位置を上下させて、音の高さの変化を示します。

レート（周波数）

　その鳥の鳴き声は、早いですか、遅いですか？　それは同じペースのままですか、終わりに向かって加速しますか、それとも最後は失速しますか？　さえずりの速度を、聞きなれた鳥と比較します。チュッチュッという響きを数えることができますか、それとも小刻みな振動を伴う鳴き声に溶け込んでいますか？　さえずりの長さはどれくらいですか？　さえずり曲の間隔は何秒ですか？

音色

　ここでは、説明を充実させます。音を微妙に区別するために使用できる用語を探してください。さえずりは大きいですか、小さいですか？　音量は変わりますか？　響きはクリアですか、不明瞭ですか？　さえずりは揺らいでいますか、それとも安定していますか？それは音楽的、機械的、それともキーキーと甲高い音か、フルートのような音色か、または昆虫の羽音のようでしょうか？

サウンド環境

　さえずりが聴こえる場所の全体像を観察します。あなたはどのような生態系のコミュニティーにいますか？　このサウンドスケープで他にどのような音が聴こえますか？　鳥はどこでさえずっていますか？　それは直接見えますか、それとも植物に隠されていますか？　木の高いところですか、それとも低木層ですか？　それはある止まり木からさえずっているのですか、それともさえずりながら枝から枝に移動していますか？　同じ種の近くの鳥と対抗する試合のようにさえずっていますか、それとも自分だけでさえずっていますか？

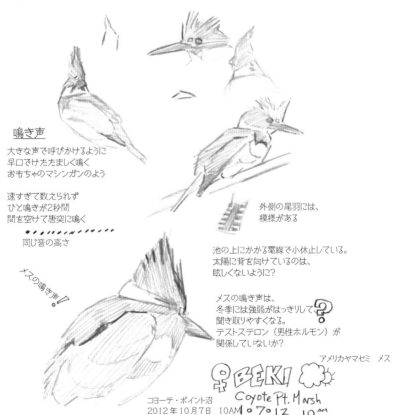

鳴き声
大きな声で呼びかけるように
早口でけたたましく鳴く
おもちゃのマシンガンのよう

速すぎて数えられず
ひと鳴きが2秒間
間を空けて唐突に鳴く

同じ音の高さ

メスの鳴き声。

外側の尾羽には、
模様がある

池の上にかかる電線で小休止している。
太陽に背を向けているのは、
眩しくないように？

メスの鳴き声は、
冬季には強弱がはっきりして、
聞き取りやすくなる。
テストステロン（男性ホルモン）が
関係していないか？

アメリカヤマセミ　メス

♀BEKI
Coyote Pt. Marsh
コヨーテ・ポイント沼
2012年10月7日　10AM　0712　10ᴬᴹ

基準

　ユキヒメドリのさえずり（トリル）は速いですか、遅いですか？　何らかの基準がなければ、これに答えることは不可能です。何より速いか遅いか？　鳥の鳴き声を聴き始めたら、身近でよく知っている鳥のうち3種類を選んで、そのさえずりを識別する練習をします。これらの鳥は、他の鳥の発声を比較する基準になります。特定の基準を使用すると、別の鳥のさえずりを、知っている鳥のさえずりよりもピッチが高い、遅い、または機械的であると説明できます。

シーッ。まわりの音に耳を澄まして。音の高さ、音量、音色、音の掛け合いと調和を感じ取ってください。光がモネに絵画を教えたように、大地はあなたに音楽を教えているのかもしれません。
── ピート・シーガー〔アメリカのフォーク・シンガーで、プロテストソングのパイオニアとして、1960年代のアメリカ公民権運動の一翼を担った〕

ノドグロヒメドリ

棘いっぱいのサボテンを止まり木にしている

@: 体に棘が刺さったりしないのか？

多様なイントロ

さえずりの最後は、澄んだ音色が変化しながらトリルで終わることが多い。

リストを作る

いつ、どこで、何が存在しているのかを記録することは、それだけで、十分に科学的な情報といえます。あなたが見た種の個体数をリスト化するか、あなたがその地域で見つけることができるすべての種について「生物の多様性を示す目録」を作成してください。

チムニーロック

　私は子どもの頃、両親がサンフランシスコの北にあるポイントレイズ国立海浜公園のチムニーロックに定期的に旅行して、野花の多様性と開花の時期を記録するのを見ました。彼らは今、何十年にもわたるデータという、変化する気候への小さな手掛かりを手にしているのです。この種のメモをとることは、場所との親密なつながりを構築します。私の父と母によるモデルが、大人としての私の価値観や考え方に、どれほど影響を与えているか知れません。

コヨーテ・ポイントの池
（ゴルフコースの横）
2013年11月4日

Coyote Pt. Ponds (S. of golf course) Nov 4, 2013

ほとんどのオスは
羽毛が生え変わる

黄金の目

うっすら緑がかり
七色に光る背中

新しい繁殖羽、
かっこいい！

眠るときは、
ガマの茂みの内側で

これは小さな沼のために作られた小さなリストの例。たくさん観察されたハシビロガモ、マガモ、アメリカオオバンの数については、下一桁はまとめてしまい、十羽単位になっていることに注目。これらは概算だ。アメリカコガモ、カオグロクイナ、クロエリセイタカシギは正確な数である。

Coyote Pt Pond – S of Golf Course Nov 4 2013 1PM ☀ strong breza

コヨーテ・ポイントの池　ゴルフコースの南側
2013年11月4日　1PM　強めの微風

風向き

ハシビロガモ	50
マガモ	10
アメリカオオバン	20
アメリカコガモ	4
カオグロクイナ	1
クロエリセイタカシギ	1

風上に顔を向けない。
海岸にいる鳥と同じ。

カモが水面を向いている。
頭は後ろを向いている。

カモたちは、素早く逃げるときは
背を陸地に向けたままにする？

どれくらいの数の何が、いつどこにいるか？

　「ライフ・リスト」（自分が人生で見た動植物の種の数を記録しておくリストのこと）は、科学的な根拠がありません。観察する者が、ライフ・リストを単に鳥の名前を探すだけだったり、さっと目を通すだけに使うなら、ライフ・リストはむしろ、浅い考察を助長するだけです。それに対して、特定の場所で特定の時間に見られる種のリストは有用であり、見られる各種の数の推定と相まって、こうしたデータは非常に貴重です。野外用メモに、その場所固有のリストを書き留めておきましょう。一日に複数の場所を訪問する場合は、それらを一つの大きなリストにまとめるのではなく、場所ごとに個別のリストを作っておきます。これらのメモを使用すると、何が、どのくらい、いつどこにいるかを再び想像することができます。

あなたのリストを科学的に意味のあるものにする

　生物季節学は、植物や動物の季節サイクルのタイミングの変化を研究する学問です。鳥の渡り、営巣、および巣立ち、それに昆虫の羽化、野花の出蕾、開花、結実、そして、葉の芽吹き、紅葉、および落葉は、気候の変化に反応する生物学的な出来事です。季節は四つであるという固定的な見方は葬り去ってください。この見方は、自然のサイクルのニュアンスと微妙さを大雑把に単純化しすぎています。固定的な見方をやめれば、季節パターンの月ごと、週ごと、さらには毎日の変化を見つけることができます。これらの起こるタイミングを、ある年と次の年で、比較してみてください。

　世界中の気候が変化するにつれ、私たちのような市民科学者によって収集されたデータが、この地球という惑星の生命を守るために、非常に大事な意味をもち始めています。生物季節学的な出来事の重要性を理解し、それらをジャーナルに記録することから始めてください。eBird や USA National Phenological Network の「Nature's Notebook」などのウェブサイトで、観察結果を共有してください。あなたの観察は、科学者が世界的な推移を理解し、変化する世界で土地管理者と政策決定者が決定を下すことに影響を及ぼすでしょう。

数える、目算する、測定する、および時間を計る

観察結果を定量化すると、他の方法では見逃してしまうパターンや細部を発見するのに役立ちます。この種の厳密な観察は、自然への別の窓を開きます。

数える

　葉の棘、鳥の数、植物のパーツ、1分あたりの採餌行為、またはその他の特徴や行動などを数え始めます。数えることはあなたの意識を集中させたり、見過ごしやすいパターンを明らかにするかもしれません。以下の調査では、シカが食んでいた枝と、口が届かない枝について、一枚の葉あたりの棘の数を数えました。するとシカが食べていたエリアの葉は、小さいながらも上部のものよりも棘が多かったのです。何を観察したらよいか選ぶのに、それほど時間はかかりませんでした。

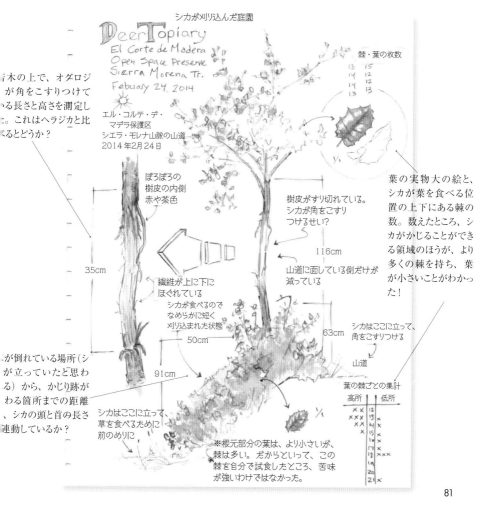

数えたことをレートと比率に変換します。巣立ち前のハチドリは、30分で何回餌を与えられていますか？　捕食中のサギは、クチバシを浅瀬に突っ込む回数に対して、どれくらいの割合で魚を捕らえていますか？

目算する

正確な数がわからない場合は、目算してみてください。「数えきれない」という言葉で、多数いることを気楽に表現していますが、なぜ数えてみないのですか？　数百または数千というくらいには、見積もることができますか？

「多数」の目算を練習します。まず一つの方法としては、動物でも植物でも、10の個体を数えることです。10の個体がどのように見えるかを心に思い描いてください。次に、10から50程度のグループで数えます。50がどのように見えるかを思い浮かべましょう。次に50から100まで数えます。100がどのように見えるかを思い浮かべます。次に、数百で数えます。最初は大変ですが、練習すればずっと上手になります。

あなたの周りにあるものの数を簡単に見積もる練習をしてから、それらを数えてあなたの正確さを判断してください。暗い色の毛布の上に、ひとつまみの米粒を幾度か投げて、その数を推測します。

10を数えることによって、そこにある米粒の数を体系的に推定し、次に、それらが占めるスペースに基づいて残りを推定します。最後に、それらを数えて正確さを確認します。あなたは過大または過少に捉える傾向がありますか？　許容誤差はどれくらいですか？　別の数量で再試行してみましょう。

作業に耐えうる精度になるまで、目算を続けてください。鳥の群れを数十羽と10の単位で推定して、約70羽がいるとして、そこにさらに2羽の鳥を見つけた場合は、メモに「72」とは書かないでください。数が意味をもつのは、あなたがすべてを一羽一羽数えたときのみです。そうではなく、さらに約10羽見つけるまで70のままにしてから、80羽に増やします。

右図の点のかたまりを調べて、100または1000がどのように見えるかを理解するのに役立ててください。既知の量の観察対象を見る機会があればいつでも、実際の数に驚いた場合は特に、多めに推測したか、少なめだったかに気を配りましょう。

測定する

定規を取り出して測定します。手元に定規があると、サイズと距離をしっかり捉えることができます。この点に注目することで、興味深いパターンが浮かび上がります。私のジャーナル・キットには、ソーイング・キットの巻尺、目盛がミリメートルの定規、分度器を入れています。

自分の歩く歩幅を知りましょう。これは、大きな物体のサイズを測ったり、物体間の距離を測定したりするのに役立ちます。30m歩くのにかかる通常の歩数を数えます。歩幅を狭めたり誇張したりしないでください。あなた自身の自然な歩幅を測定する必要がありま

す。次の式を使用して結果を変換します。

　　30m ÷ 歩数 ＝ 1 歩あたりの長さ

　この数値（1 歩あたりの長さ）をあなたの歩幅として、あなたのジャーナルの最後のページ付近に記入してください。距離を測定したいときは、歩数を数え、その結果に歩幅を掛けることで、その距離が何メートルかわかります。距離を歩幅で割ると、その距離を歩くのに必要な歩数がわかります。

時間を計る

　時計をお持ちの場合は、観測の時間を計り、それらが発生する頻度をしっかり確認できます（時間間隔ごとの観測）。カワセミは 10 分間に何回餌を求めてダイビングしますか？そのうち何回成功しましたか？　コマドリは 5 分間に何回さえずりましたか？　1 分間に何匹のアリがマーカーを通過しますか？　1 匹のアリは 1 分間に何 cm 移動しますか？　カウントダウン機能のある時計だと、1 分が経過したことを知るために時計を見直す必要がないので便利です。

100 は、どのように見えますか？

これらの数を観察して、「多数」への直感的な感覚を磨いてください。直感を既知の量と照合して、定期的にあなたの計測の感覚を調整します。あなたの周りの小さな物体の数を推定することによって、あなた自身をテストし、次にそれらを一つずつ数えてあなたがどれほど正確であるかを確かめてください。他のことと同じで、練習すれば上手になります。

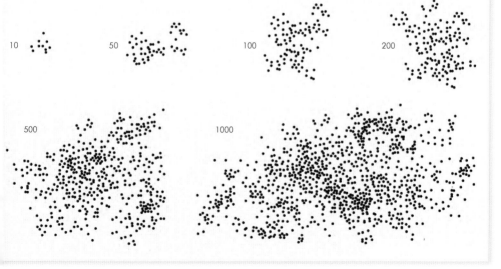

データツールボックス

数値観測を記録および視覚化し、目算をより適切かつ正確なものにするのに役立つツールをいくつか紹介します。

幹葉図

　膨大な数値データを勘だけで処理することはできません。幹葉図とは、データを図示しながら記録する方法で、未整理の数値について、その分布と中央値（平均値）を視覚化することができます。

　次のようなケースを想定してみてください。露出した尾根で育つ植物は、雨風から保護された近隣の森にあるものよりも、背が低い傾向にあると観察して考えたとしましょう。一般的な観察はそこで止めることもできますが、両方の場所で一つの種の高さを実際に測定することで、このパターンをより明確に説明できる可能性があります。植物を測定し、その結果をリストとして記録した場合、次のような整理されていない数値の集まりができます。

尾根：24　36　41　22　16　42　37　35
　　　30　4　16　54　7　66　42　34
　　　54　23　21　44　32　48　43　31
　　　23　18　10　4　54　72　33　24
　　　34

森：25　38　63　54　49　43　36
　　41　89　41　62　51　94　71
　　77　82　64　58　104　66　57
　　51　40　42　56　32　13　53
　　92　74　57

統計が得意であれば、平均と標準偏差を計算することもできますが、それを野外で行うのは難しく、多くの人にとって無意味です。そこで、よりよい方法があります。データを収集して分析する代わりに、データを記録するときに幹葉図に直接入力するのです。方法は次の通りです。

1 幹葉図のフレームを作成します。幹とは左側の数字の列のことです。幹にある数は、十の位と百の位にくる数を示しています。

2 次に、「葉」の追加を開始します。森の各植物を調べながら、測定値を書き込みます。最初は25でした。縦軸にある2は、十の位を表し、20のことです。5は一の位で、5を表します。

3 測定を続け、リストに追加します。次に測定した値は38、63、54、49、および43でした。幹葉図の表でそれぞれがどのように表されているかを確認してください。43の3は、前の数値49の9の隣に追加されます。表作りが始まると、後はどんどん進みます。

stem	森
0	
1	
2	5
3	8
4	9 3
5	4
6	3
7	
8	
9	
10	
11	

4 測定が終わると、結果が並ぶ幹葉図は、非常に素晴らしいものになります。データの分布図ができあがっているのです。一目見ただけで、数値は50代の列に集中し、13から104まで広がっていることがわかります。幹葉図は明確で直感的に読むことができます。

stem	森
0	
1	3
2	5
3	8 2
4	9 3 1 1 0 2
5	4 1 8 7 1 6 3 7
6	3 6 2 4 6
7	1 7 4
8	9 2
9	4 2
10	4
11	

5 尾根と森を比較するには、表の縦軸の反対側に別の幹葉図を作成するだけです。これで、尾根の植物の背が低いだけでなく、高さの範囲も狭くなっていることがわかります。

尾根	stem	森
4 7 4	0	
0 8 6 6	1	3
4 3 1 3 2 4	2	5
4 3 1 2 4 0 5 7 6	3	8 2
3 8 4 2 2 1	4	9 3 1 1 0 2
4 4	5	4 1 8 7 1 6 3 7
6 2	6	3 6 2 4 6
2	7	1 7 4
	8	9 2
	9	4 2
	10	4
	11	

何かが覆っている割合（被覆率）

　空がどれだけ曇っているのか、あるいは、丘の中腹がどれだけカエデで覆われているのかを推定するのは困難です。「多数」を推定する練習をしていないのと同じように、私たちには、被覆率を推定する経験が不足しています。右の円を使用して、被覆率推定の精度を向上させましょう。被覆率がわからない場合は、範囲を指定してください。

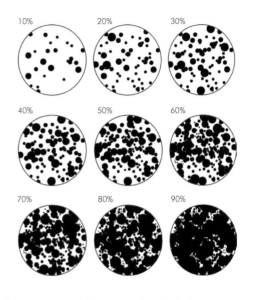

円弧の角度

　からだを使用して、空または海の中にある観察対象の間隔を、それらを円の上に置いたとき何度離れているかで推定します。幻日〔巻雲や巻層雲の氷の結晶などに太陽光線が屈折や反射をし、太陽の左右に現れる明るい光のこと。太陽が天空の低い位置にあるときに起きることが多い〕と太陽の間、一次虹と二次虹の間、または太陽と地平線の間の距離はどれくらいでしょうか？　この方法は、近くの観察仲間に鳥を見つけさせるときにも使えます。「納屋の左30°の柵柱にワシがいる」。

　腕を完全に伸ばした状態にして、指を使って角度を測定します。もちろん、人によって手のサイズは異なります。でも、腕の長さと比例関係にあるので、手指を使った推定角度はほぼ同じになるのです。

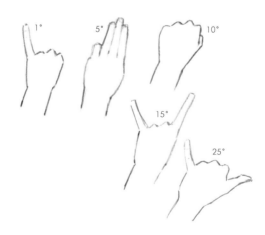

風速

　ビューフォート風力階級を使用して風速を推定し、フィールドノートにその結果を書き込みます。この階級は、1805 年にイギリスの提督、フランシス・ビューフォート卿〔イギリス海軍提督。武装帆船上での経験から風力を区分、1874 年から国際気象通報に採用された〕によって開発され、風速を 0 から 12 のスケールで記録します。ここに最近の改訂版を引用しておきます。

ビューフォート風力階級

0 平穏、1km/h 以下。煙が垂直に上がる。水面は平らで鏡のよう。

1 至軽風、1.1 〜 5.5km/h。煙の向きは風向きを示す。木の葉と風見鶏は静止している。波の形にはならない程度に波がゆらめく。

2 軽風、5.6 〜 11km/h。露出した肌に風を感じる。木の葉がざわめく。風見鶏が動き始める。小さなさざ波が立つ。波の頂点は透明でなめらかで、波しぶきは立っていない。

3 軟風、12 〜 19km/h。葉や小さな小枝は絶えず動き、薄い旗が伸びてはためいている。大きなさざ波が立つ。波の頂点が砕けて、所々白波が立つ。

4 和風、20 〜 28km/h。ほこりや薄い紙が舞い上がる。小さな枝が揺れ始める。かなり頻繁に白波が立つ。小波の頂点が砕ける。

5 疾風、29 〜 38km/h。中程度の大きさの枝が動く。葉っぱの小さな木が揺れ始める。ある程度の長さの中くらいの波。多くの白波が立つ。少量の水しぶき。

6 雄風、39 〜 49km/h。大きな枝が動く。電線が揺れてひゅんひゅんと音を立てる。傘の使用が難しくなる。カラのプラスチック製のゴミ箱がひっくり返る。長い波が形成され始める。白い泡を吹く波の頂点が至るところにできる。水しぶきが宙を舞うところがある。

7 強風、中程度の強風、疾強風に近い、50 〜 61km/h。木全体が動いている。風に逆らって歩くのに努力が必要。海が盛り上がる。砕けた波から、泡が風に吹かれて、風下へ筋状に伸びる。中程度の量の水しぶきが宙を舞う。

8 疾強風、62 ～ 74km/h。木から折れる小枝がある。自動車は、ハンドルを取られることがある。風上に向かって歩くのは困難。適度に高い波が砕けて、波の頂上部からは巨大なしぶきが上がる。はっきりとした泡の筋が風向きに沿って吹き流される。かなりの量の水しぶきが空中に舞う。

9 大強風、75 ～ 88km/h。木から折れる枝があり、小さな木の中には吹き飛ばされるものもある。建設標識やバリケードが吹き飛ばされる。波の頂上部が逆巻いている高波。風向きに沿って濃い泡が吹き流される。空中に舞う大量の水しぶきによって、視野が狭められる場合がある。

10 全強風、暴風、89 ～ 102km/h。木が折れたり根こそぎに倒れたりして、建物が損壊する可能性。波の頂上部が迫り出すほどの非常に高い波。波頭からの泡が大きく広がり、海の表面が白くなる。大きな衝撃を伴って波が相当うねる。空中に舞う大量の水しぶきによって、視界が遮られる。

　風力階級は 12 まで上がりますが、そのような風の中では、ジャーナルに風速を記録するどころではありません〔なお気象庁によれば、台風の強風域で平均風速 54km/h、つまり風力 7 だから、7 か 8 ですでに歩けないだろう〕。

好奇心探究キット

あなたがハンマーしか持っていなければ、すべての問題は、打たれるのを待っている釘のように見えるでしょう。好奇心探究のために、キットに様々な調査および測定ツールを入れておけば、より多くの疑問を生み出すことができます。

好奇心探究キットの作成

　適切な道具は、いま目の前で何が起こっているのかを確認して説明するのに役立ちます。これらの道具を持っていると、新しい可能性と探究方法が開かれます。遠くの観察対照は、双眼鏡を持っている人にその秘密の多くを見せてくれます。同様に、巻尺を持っていると、動物の足跡をより正確かつ徹底的に探究して説明することができます。軽量で小型で、様々な方法で使用できる観測および測定道具を探してください。

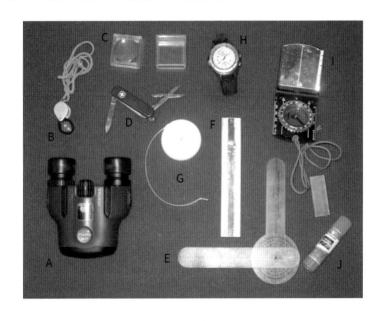

観察および測定ツール

A. 短焦点コンパクト双眼鏡

　Pentax Papilio 8.5x21〔日本でも同じモデルを入手可能〕は、私のお気に入りの双眼鏡です。離れたところにいる鳥を見るのに最適で、明るく鮮明な画像が得られますが、40cm しか離れていない昆虫や花にも焦点を当てることができます。アリがアブラムシに向かっていく様子や、ミツバチが花で採餌しているときの吻まで見えます。それはまったく新しい世界を開いてくれるでしょう。この手の双眼鏡は軽量なので、バッグに詰めてどこにでも持ち運べます。また片手で持って（肘を膝で支えて）、もう片方の手で描くのにも適しています。

B. 拡大鏡

拡大鏡により、手で持った対象の細部に近づくことができます。私は倍率 10 倍のヘイスティングス・トリプレット〔トリプレットとは三枚重ねのレンズを使ったルーペの総称〕を使用しています。

C. 拡大箱

生きている昆虫をよく見るには、透明なプラスチックの箱が不可欠です。片側に拡大鏡を組み込んだものを手に入れることができればなおよし。

D. 小型ポケットナイフ

はさみ付きの小さなナイフもキットに入れます。これは、マメ科植物の莢を切開して断面図を描くときや、地図やその他のアイテムの一部を切り取ってコラージュとしてジャーナルに接着するときまで、あらゆることに使用できます。

E. 角度計

理学療法士が可動域を測定するために使用するこのツールは、観察された角度を数値化するのに最適です。キットに追加するまで、これがどれほど役立つかは想像もできませんでした。今では、それを使って鳥たちの七色に輝く羽の様子を詳しく調べ、鮮やかな青色で複雑な模様をもったクラゲ・カツオノカンムリの構造を記録し、自然界の枝の角度や他の何百もの角度を測定しています。

F. 小さな定規

小さくて硬い素材の定規は、注意深い測定に欠かせません。

G. 巻き取り式の巻尺

金物屋や手芸用品店、あるいは 100 円ショップで軽い巻尺を探してください。

H. 腕時計

腕時計で、観察の時間を記録します。潜水している鳥が水中にいる時間、1 分間に鳥が何回さえずるか、1 分間に一つのポイントを通過するアリの数などです。ストップウォッチとカウントダウン機能があるととても便利です。

I. コンパス

ポケットにコンパスを入れておけば、鳥の群れの移動方向を記述したり、地図に北を示す矢印を追加して傾斜面を記録したり（例えば丘の中腹と基本的な方向との関係）、岩の上の苔や地衣類〔菌類の一種で、藻類と共生して生息するもの〕の成長パターンを記録したりできます。

J. スティックのりとカット済み透明テープ

　ジャーナルを、見つけた対象のコラージュへと変身させます。鳥の羽、スズメバチの巣のかけら、葉脈、またはその他平らで興味深いものなら何でも、直接ジャーナルにのり付けしたりテープで貼り付けましょう。都市の風景を探究している場合は、列車の切符、領収書、その他、その場所について何か伝えるものを追加します。カット済み透明テープを買って手首に何枚か貼っておくと、コラージュを作るときにすぐに使えて便利です〔日本では見かけない商品だが、柄付きマスキングテープならばカット済みのものが発売されている。キングジム・KITTA〕。

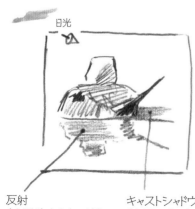

日光

これまで、水面のキャストシャドウ
を意識したことはあっただろうか?
気がつくのが遅かった……。では
見たものをありのままに捉えること
はしていただろうか?

反射
(水面が映す鳥の姿)

キャストシャドウ
(水面に映る鳥の影)

視覚的思考と情報の表示方法

観察することとジャーナルに記録することとが、相互に影響を与え合い、あなたを落ち着かせ、あなたの考えに論理的な構造を与えます。ジャーナルのページ構成とレイアウトに注意を払うことは、ノートから情報を得るときや、将来の読者があなたの観察の成果に目を通し、その本質を理解するのに役立ちます。何を何の隣に配置するのかなどの取捨選択が、それらの要素に対するあなたの考え方を変えます。ページに各要素を配置するための、多様で遊び心のあるアプローチも、創造性を刺激します。

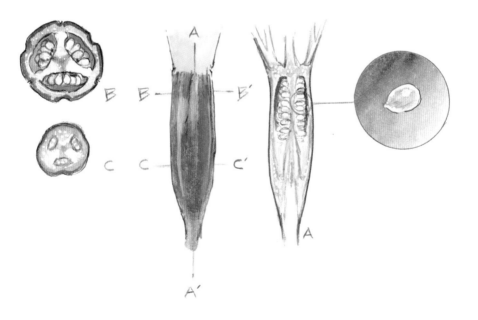

グリンネル法

グリンネルのノート記述法は、厳密な相互参照をする科学的フィールドノートの記念碑的存在です。世界中の生物学者によって使用されており、ナチュラリストは、この手法を知っている必要があります。その厳密さがあなた向きではなくても、このやり方から基本的なアイディアを学ぶことができるでしょう。

　ジョセフ・グリンネルは、1900年代初頭、カリフォルニア大学バークレー校の脊椎動物学博物館の初代館長でした。彼は、生物とそれが生息する環境を観察することは、彼が収集した標本の現物と同じくらい重要であると信じていました。そして、時間の経過とともに、すべての観察が忘れられる可能性があること、または観察者の死去によっても失われる可能性があることを知っていました。これを防ぎ、博物学のメモを保存するために、彼はスタッフと学生に、野外で使うメモ帳、ジャーナル、種の説明書き、収集された標本のカタログという、四つの部分からなる厳密なシステムで、見たものすべてを記録するように指示しました。100年後、彼のメモはカリフォルニアのシエラネバダ山脈の気候変動の研究の中心となっています。

野外で使うメモ帳

　野外では、科学者はすべての関連するメモと情報を、持ち運べるメモ帳に書き留めます。このメモ帳はどこにでも持っていけるように、小さいものにしてください。

ジャーナルの項目

　野外でとったメモはすべて、メモ帳からジャーナルに、そのままそっくり詳細を転記しておきましょう。いつの日か科学者が、その観察についてどのような問いを発するのか予測もしてみましょう。グリンネルの記録のよ

日付（余白）と場所（波線付き）は、簡単に参照できるように、常に同じ場所に同じ方法で記入する。

動植物の種の説明内容は、同じ一つの動植物について、異なる日付の観察を組み合わせたもの。ジャーナルをつけ始めてから、その後、より多くの時間を費やしてより深く考えたいと思ったら、ジャーナルに「種の説明を参照」と書いて、種説明のページに移動する。何ページもの種説明のページができあがるから、一緒に綴じておこう。

ジャーナルの項目は、一日の出来事を表す、詳しい説明付きの散歩案内のようなもの。取捨選択はせずに、どんどん書く。いつ、どんな出来事やさいな情報が関係してくるかわからない。すべてを書き留める。

地図、写真、図、スケッチを入れる。

見た種のリストと数（あるいは目測数）が書かれている。

LAWS, JOHN
1988

Black-shouldered Kite
Coyote Hills Regional Park, Freemont,
Alameda Co. Calif. Sea Level
Feb 2 2 kites perched in a low (15') dead
tree in a salracomia marsh near
the side entrance to the park. 08:08
They flew away when
a man with a dog
approached within
150' on a nearby road
Briones Regional Park, East end,
Contra Costa County, Calif. Elev. 800'
Feb 19 09:20 Pair perched at top of large oak
within 3' of eachother. An elderly
couple said they had seen kites
here for the last 5 years. One
bird left the perch and circled
within 200' of me.

wrist
patch
on
underside
of
wing

shoulder patch
on top of
wing

ここに、すぐ続きを書く。次の日の分でも、前日の最後の部分に続けて、間隔をあけない。

LAWS, JOHN
1988
Jan 22
cont.

Berkeley JOURNAL
Berkeley Aquatic Park, Berkeley,
Alameda Co. Calif. Sea Level
1 Belted Kingfisher
40 Ruddy Duck
10 House Finch
2 Brown towhee
10 Yellow-rumped Warbler (Audubon's)
2 Morning Dove
15 Anna's Hummingbirds
1 European Starling
5 Lesser Scaup
30 Glaucous-winged Gulls
10 Song Sparrow
10 Ring-billed Gulls
1 Unidentified Gulls
Least Sandpipers
Tilden Regional Park, Berkeley,
Alameda Co. Calif. elev. 700'
55° Overcast: it rained last night: cool
Rob At parking lot near Environmental
cation center: Oak woodland with
se understory on West side of
yon, Eucalyptus forest on East
of canyon - open understory:
to lawn at meadows
st side of canyon. Wren tits singing
song:
x pit pit pit pit pi pi pi?
stacato notes

うに、100年後にどんなデータが必要になるかわからないのですから、ページが増えるのは気にせずに。つまり、すべてを書いてください（それは不可能ですが、価値のある目標です）。記憶はすぐに消えてしまうので、野外で使うメモ帳から中身を書き写す場合は、帰宅次第、書き写してください。ジャーナルの項目には、日付、場所、天気、地図、その場で一緒に観察した人を加え、どこで何を見たのかや、それを見た時間なども一緒に示します。記述の最後は動植物の種のリストで、目にした個体数や概数を加えておきます。また、ジャーナルを直接、野外へ持ち出し、メモから書き写す手間を省いてもいいでしょう。

動植物の種についての説明書き

　種のリストのページでは、それぞれの種について、より具体的な観察結果を書いてください。これにより、各種に関する豊富な行動観察情報をすべて一か所にまとめられます。繰り返しになりますが、各項目には、日付、場所、時刻、天気、および観察者の情報を表示します。常に具体的に。そして個体数のカウント、測定、目測をすること。スケッチ、地図、解説図も入れます。

標本カタログ

　グリンネルは、収集した標本の記録をカタログとして保管しました。標本番号は彼のジャーナルで相互参照されていました。グリンネル式のこの部分は、現在のジャーナルの書き手にとっては関係ないかもしれません。標本を集めることも珍しくなって、集めた標本に番号をふる方法もたいていの場合不要になっているからです。

いつも整理された状態に

　ジョセフ・グリンネルは、6×9インチ（ほぼA5サイズ）の中性紙のルーズリーフ用紙と墨汁を使用して、経年変化に耐えられるようにしました。彼はメモをバインダーで綴じて、毎年新しいバインダーを使用して時系列で保管しました。グリンネル式では、動植物の種のメモを分類学に従って整理します。

私がこの方法を使わない理由

　グリンネル法は、野外で収集したデータを整理、相互参照、および取り出すための最良の方法です。それでも、私はこの方法を使っていません。私はすべてのジャーナルを時系列で整理し、ジャーナルのような記入項目と種目について、説明を組み合わせるほうが好きです。裏地のない大きな紙とネイチャーダイアリーのような感じが好きです〔アメリカでは一つのジャンルとなっていて、たくさんの愛好家がいる。nature diary と英語でインターネット検索すると実物の写真がたくさん見られる。Google画像検索も使ってみよう〕。私はまた、野外ですべての作業をするのが好きで、メモ書きをジャーナルに写し換える忍耐力もありません。種に関する古いメモを見つけるのに長い時間がかかりますが、ある特定の記入項目を探して、とあるジャーナルをめくり、また次の一冊をめくって記憶の道をたどる、非効率な旅が大好き

です。自分に合った方法を見つけましょう。

P.94・95 のジャーナルの訳

【左】
ロウズ、ジョン
1988年
観察日記
コヨーテヒルズ・リージョナルパーク、フリーモントアラメダ郡、カリフォルニア州、海辺

4月15日 08:15 曇天、雨が降りそう、やや風が強い、14、15℃ 西の空に雲の切れ間。晴れてきそう？
ミドリツバメが、たくさん公園内に。多くは飛んでいるが、1羽、低い砂地で小休止している。±1分程度。地面から3mくらいの高さで低く飛んでいる。
8:20 空が晴れてきた。遊歩道へと歩き、道具を洗った。ゴイサギが、波打ち際に沿って南へと飛び立っていった。
9:00 ハシナガヌマミソサザイの巣が、丈の長いガマの茂みの中にあった。30mの間に、3つの巣を発見。

【中】
ロウズ、ジョン
1988年

1月22日 計測
パークレー・アクアテパーク、パークレー
カリフォルニア州アラメダ郡、海辺
1 アメリカヤマセミ
40 アカオタテガモ
10 メキシコマシコ
2 ブラウントウヒチョウ
10 キヅタアメリカムシクイ（オーデュボン）
2 ナゲキバト
2 アンナハチドリ
15 ヨーロッパムクドリ
5 コスズガモ
1 ウタスズメ
5 ワシカモメ
30 クロワカモメ
10 種類不明のカモメ
10 ヒバリシギ

1月29日
ティルデン広域公園、パークレー、カリフォルニア州アラメダ郡、標高 700m

曇天、昨夜は雨だった、肌寒い
12℃、観察を 8:00 に始めた。
環境教育センター近くの駐車場でざっと描く。峡谷の西側の密生した低木層とオークの森林地帯、峡谷の東側にあるユーカリの森と低木層の開放地域。
牧草地の運動場まで芝生を歩いた。峡谷の西側からミソサザイの幼鳥がさえずっていた。
"ピッ、ピッ、ピッ、ピッ、ピッ、ピッ、ピピピ"

大きな澄んだ声でスタッカートを打ちながら……

コマツグミは、餌を食べるとき……

【右】
ロウズ、ジョン
オーストラリアカタグロトビ
コヨーテヒルズ・リージョナルパーク、フリーモントアラメダ郡、海抜
0m

2月2日
2羽のトビが低所（5m高）に止まっている。公園の横の入り口近くのサルナコニア湿地の枯れ木。
08：08 犬を連れた男がそばの道路で45m以内に近づいたとき、彼らは飛び去った。

2月19日
9:20 ブリオーンズ・リージョナルパーク、イーストエンド
コントラコスタ郡カリフォルニア、標高 300m

トビのつがいは、互いに1m以内の大きなオークの枝に止まっている。とあるお年寄り夫妻によると、ここ5年間で何度もトビを見たとのこと。1羽のトビが止まり木を離れ、私から半径 60m で回旋した。

創造性を刺激するジャーナリング

探究する対象の選び方次第で、観察方法や思考法が変わります。観察方法と記録方法を意図的にいろいろ組み合わせることで、あなたの思考を、発見に結びつきやすくしましょう。

枠組みが変われば、考えも変わる

　ジャーナリングを最も実りあるものにするには、訪れた場所に応じて、探すべき情報の種類を変えることです。P.94 で説明したように、探究を豊かにするために、プロジェクトと手法を厳選することによって、目の前の風景との関係性が深まるでしょう。ジャーナリングを通じた学びは、ページに情報を記録する方法によっても影響を受けるのです。

　よくあるケースとして、各ページの中央に何か一つ、自然事物を丁寧に描いて、ジャーナルを自然事物の絵のコレクションとして扱うことがあります。個々の画から学ぶこともあるかもしれませんが、この静的な方法では、実際には好奇心と発見を妨げてしまいます。あなたの頭脳を刺激し、新しい方法で探究し、不思議だな～と思うための手がかりが、まるでないのです。このタイプのジャーナルの書き込みを見ると、ページの中央部分または文字段落ばかりに目が行ってしまい、それ以外が注目されません。

　対照的に、メモ、スケッチ、図、地図、リスト、疑問、丁寧な説明記述、詳細な拡大図、

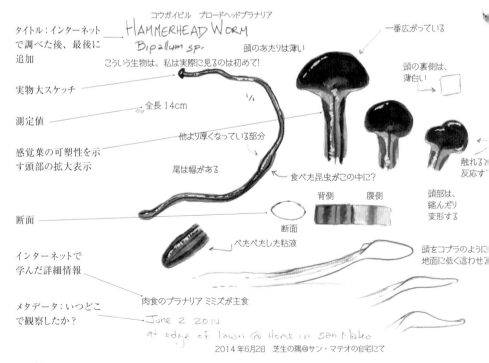

タイトル：インターネットで調べた後、最後に追加

コウガイビル　ブロードヘッドプラナリア
HAMMERHEAD WORM
Bipalium sp.
こういう生物は、私は実際に見るのは初めて!

実物大スケッチ

測定値 —— 全長 14cm

感覚葉の可塑性を示す頭部の拡大表示

他より厚くなっている部分

尾は幅がある

断面

インターネットで学んだ詳細情報

メタデータ：いつどこで観察したか？

一番広がっている

頭のあたりは薄い

頭の裏側は、薄白い

触れると反応す

頭部は、縮んだり変形する

食べた昆虫がこの中に？

背側　腹側

断面

べたべたした粘液

頭をコブラのように地面に低く這わせる

肉食のプラナリア ミミズが主食

June 2 2014
at edge of lawn @ Home in San Mateo
2014年6月2日　芝生の隅@サン・マテオの自宅にて

風景図、詩で埋め尽くされたジャーナルのペ
ージは動的です。すなわち、それらを作成し
た経験も、動的だからでしょう。経験を記録
に残す方法をたくさん考えてみましょう。ジ
ャーナルの一ページの中で、前章で紹介した
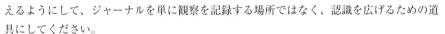
多種多様な「探究への招待状」を使ってみてください。多種多
様な見方と記録の仕方によって、自由な観察と広がりのあるイ
ラスト作りが可能になります。また、様々な方法で探究して考
えるようにして、ジャーナルを単に観察を記録する場所ではなく、認識を広げるための道
具にしてください。

　ジャーナルへの情報の記録の仕方が、バラエティー豊かになるように心がけましょう。
説明書き、詳細な拡大図、風景画、そして文章を丁寧に並べていきます。ジャーナルの一
ページの中で、前の章とは異なる「探究への招待状」を使ってみてください。次ページの
「ジャーナルに載せたい項目の例」のリストをコピーし、ジャーナルの最終ページに貼り付
けて、様々な探究方法を思い出せるようにします。情報を記録する様々なやり方は相互に
作用し、新しい方法で探究し、考えるようにあなたを導きます。

　ページ上でジャーナリングの各項目をあれこれ組み合わせたとしても、マンネリに陥る
可能性はあります。正しいスケッチ法や、与えられた題材を探究することにこだわってし
まうと、その習慣のせいで行き詰まることがあります。過去のジャーナルを読み返してみ
ましょう。同じようなサイズと内容で、鳥の姿を描いていませんか？　植物は同じ縮尺に
なっていませんか？　自分の行動に、惰性が入っていないか確かめましょう。そして、常
に異なる方法を試してください。

　あなたのジャーナリングの可能性を開くための、もう一つの素晴らしい方法は、他のナ
チュラリストや芸術家が出版したジャーナルを丹念に読むこと、または、あなたのネイチャ
ー・ジャーナリング仲間の作品を見ることです。マイケル・R・キャンフィールドは *Field
Notes on Science & Nature*（科学と自然に関するフィールドノート）の中で、「別の科学者
の実際のフィールドノートを見ると、自分ならノートをどのように組み立てるかの着想が
湧いてくる」と書いています。ジャーナルの項目を確認するときは、その作者が何に焦点
を当てているのか、どのように情報を記録しているのかに注目しましょう。また、スケッ
チ式記録ノートは、こうした形式の視覚的思考が活躍する、もう一つの領域です。インス
ピレーションを得るために、マイク・ロウドゥ（*The Sketchnote Handbook*［スケッチ・ノ
ート・ハンドブック］の著者）の作品は一読に値する本です〔日本での類書は、『たのしいスケ
ッチノート——思考の視覚化のためのビジュアルノートテイキング入門』（櫻田潤・ビー・エヌ・エヌ新社）
がある〕。他の人のテクニックやアイディアを使って、自分の練習を繰り返しましょう。他
人のジャーナリングの手法を真似しても、自分の創造性が低下したり、他人のクローンに
なったりすることはありません。自分のスタイルに役立つと思うものを取り入れて、自分
に合わないものは捨てます。

次のページから、あなたの考えを視覚的に表現するための、他のアイディアやテクニックを掲載しました。それらを使って、いかに考え、疑問をもち、そして表現するか、自分の枠を広げてください。

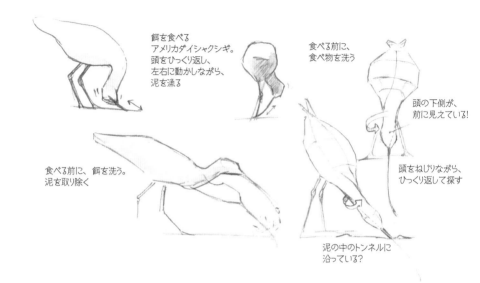

餌を食べる
アメリカダイシャクシギ。
頭をひっくり返し、
左右に動かしながら、
泥を漁る

食べる前に、
食べ物を洗う

頭の下側が、
前に見えている！

食べる前に、餌を洗う。
泥を取り除く

頭をねじりながら、
ひっくり返して探す

泥の中のトンネルに
沿っている？

ジャーナルに載せたい項目の例
　ここに、スケッチブックの一ページに収めることができる要素のリストの一部を示します。好奇心のおもむくまま、組み合わせてみましょう。このリストをコピーしてジャーナルの最後のページに貼り付け、様々な探究の方法を思い出してください。

・日付、時刻、場所、天気
・疑問
・観察対象の見本集、フィールドガイド
・個体または種レベルの調査
・ズームイン、ズームアウト
・パターン、比較、時間の経過による変化
・出来事のストーリーボード〔出来事を段階ごとに、イラスト中心で説明したもの。絵コンテや4コマ漫画風の表現〕
・地図、断面図、解説図。対象地域の地図を印刷して貼付し注釈を加えるのもよい
・あなたが観察し、考え、感じていることの、文章による説明
・あなたが小耳に挟んだ面白い、または思慮深い引用や発言
・スケッチ、図、拡大図、細部、横断図、断面図、および投影図
・個体数、測定、定量化、およびグラフ化
・種のリスト。見つけた個体数を入れてもよい
・タイトル、矢印、アイコン、箇条書きの見出し記号、囲み線

自然世界の設計図[ブループリント]

ナチュラリストは、建築や工学分野にならって、図示と記述のルールを取り入れています。インスピレーションを得るために、設計図と機械図面をよく学びましょう。

　建築分野における設計図とは、構造を表すものであり、明快さ、正確さ、そして美しさを備えています。建築家やエンジニアは、対象をいかに正確に記述するかに労力を注いできました。ナチュラリストは、これらの方法を使い、花や昆虫、その他の発見を記述します。

　複雑な対象の構造と細部を説明するインスピレーションとアイディアを得るため、建築物と機械の図面をよく見ましょう。自分が設計図を引いて、松ぼっくりを作る建築家であると想像してみてください。どのような情報を表示する必要がありますか？　得た情報をわかりやすく伝えるにはどうしたらよいでしょうか？

投影図

　非常に便利な定番のやり方は、同じ対象を異なる角度で示すこと、つまり投影図です。平面図または上面図は、対象の幅と長さを示します。端面図と立面図は、対象の側面を示し、高さと幅を示します。破線は、対象の反対側にあるもの、または他の方法であなたの視点から隠されているものの場所を示すことができます。物体から延びる破線は、対象の一部が壊れたり埋められたりしたときに、対象の形状を推測する最善の方法でもあります。

断面図

　縦断面図と横断面図によって、対象の内部構造がわかります。ハッチング線〔対象の構造などを示すための平行な補助線〕は、黒曜石の刃のように、切り開くことができない対象の断面を示すためによく使用されます。このやり方によって、観察や考え方への新しい扉が開きます。

　断面を示す線と断面図に記号をつけることで、様々な角度からの断面が、どのようにつながっているかを示すことがで

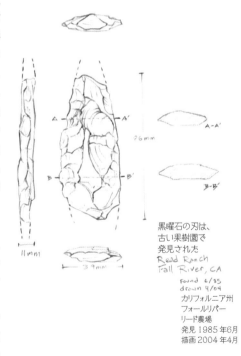

黒曜石の刃は、古い果樹園で発見された
Read Ranch
Fall River, CA
Found 6/85
drawn 4/04
カリフォルニア州
フォールリバー
リード農場
発見 1985年6月
描画 2004年4月

この黒曜石の刃の解説図では、平面図、立体図、端面図などの機械製図の方法を使った。破線は、欠けている部分を私が推測したところ。平面図を作るために、私は紙の上に対照を置き、その輪郭をなぞった。

きます。下の水仙の種莢の断面図では、断面図 A が A–A' 線に、B が B–B' 線に対応しているのがわかります。

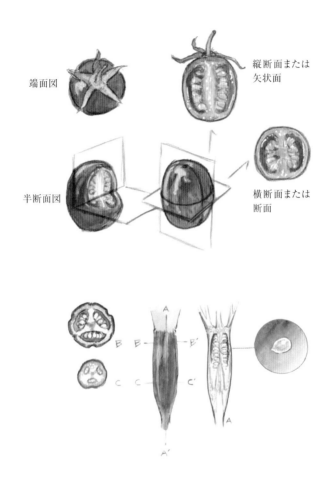

端面図

縦断面または
矢状面

半断面図

横断面または
断面

拡大と詳細

　記号、丸枠、囲い線、および引き出し線を使用して、追加図を他の絵と視覚的に関連づけます。

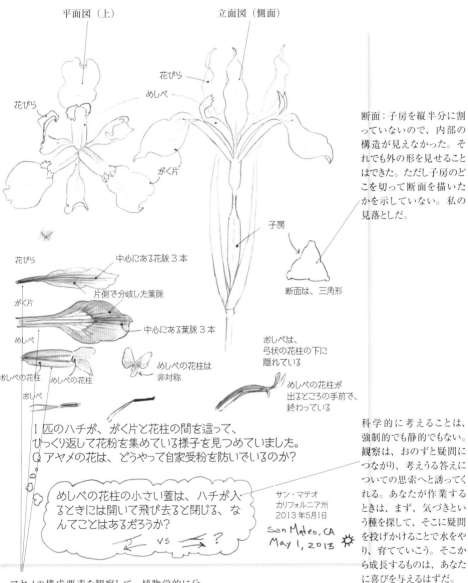

平面図（上）　　立面図（側面）

花びら
めしべ
花びら
がく片

花びら
中心にある花脈 3本
片側で分岐した葉脈
中心にある葉脈 3本
がく片
めしべ
おしべの花柱
めしべの花柱
おしべ
めしべの花柱は非対称

子房
断面は、三角形

おしべは、弓状の花柱の下に隠れている

めしべの花柱が出るところの手前で、終わっている

断面：子房を縦半分に割っていないので、内部の構造が見えなかった。それでも外の形を見せることはできた。ただし子房のどこを切って断面を描いたかを示していない。私の見落としだ。

1 匹のハチが、がく片と花柱の間を這って、ひっくり返して花粉を集めている様子を見つめていました。
Q アヤメの花は、どうやって自家受粉を防いでいるのか？

めしべの花柱の小さい蓋は、ハチが入るときには開いて飛び去ると閉じる、なんてことはあるだろうか？

サン・マテオ
カリフォルニア州
2013年5月1日
San Mateo, CA
May 1, 2013

アヤメの構成要素を観察して、植物学的に分析することは、アヤメをより正確かつ迅速に描くのに役立った。ひらひらした紫色の何かに見えていたものは、きちんと交わった三つの植物パーツとして描けた。

科学的に考えることは、強制的でも静的でもない。観察は、おのずと疑問につながり、考えうる答えについての思索へと誘ってくれる。あなたが作業するときは、まず、気づきという種を探して、そこに疑問を投げかけることで水をやり、育てていこう。そこから成長するものは、あなたに喜びを与えるはずだ。

ページをうまくレイアウトする際のヒント

観察やアイディアを強調して整理するために、ページに追加できる機能はたくさんあります。追加は野外でも、後でメモを確認するときにもできます。

タイトル

書き込みを終えたら、観察したことを確認し、適切なタイトルと、必要に応じてサブタイトルを考えてみてください。文字の書体も、ブロック体、バブル文字〔文字の端を丸く膨らませた書体〕

（最近、バブル文字を使ったり、文字で遊んだりしていますか？）、マーカー、またはカリグラフィー〔西洋の古典的装飾書法。聖書やグリーティング・カードなどに使われる〕でタイトルを追加します。気の向くまま、文字のデザイン次第で、シンプルにしたり、遊び心を加えたりできます。タイトルは横書きでも縦書きでも構いません。タイトルを追加することは、思考に集中し、観察の主要なテーマを探すのに役立ちます。また、将来、当該ページを見つけやすくなるでしょう。さらに、あなたのメモに目を通す他の人々が、あなたの考えを理解しやすくなるでしょう。

アイコン

自分のジャーナルで使うデザイン文字のリストを作りましょう。それらは、主要な興味深い発見への注意を促すための目印となり、読み直すときに目を引きます。特に面白いものや新しい観察の横には、目の形または感嘆符のアイコンを置いて、疑問の横には太字の疑問符アイコン、音の説明には耳アイコン、または拡大された細部のスケールを示すときには虫眼鏡のアイコンを置くのもよいでしょう。

アイコンは単なる装飾ではありません。観察記述の横に感嘆符を置くのは、これが何か新しいことであり、私たちがすでに知っているという慢心から自分を引き離すためです。太く強調された疑問符は、好奇心の表れです。あなたが知らないことに誇りをもってください。聞こえたことにアイコンをつけておくと、しっかり立ち止まって、もっとよく聞こうという気持ちになります。アイコンは探究するための手がかりであり、招待状なのです。

すべてのページの日付と場所の横に天気アイコンを追加すると、ノートにデータを素早く書き込めます。私は失読症のせいもあるのか、「ときどき曇り」と文字で書くよりも、太陽と雲のアイコンを描きたくなります。これらのアイコンを各ページの下部に追加すると、天気に注意を払うきっかけになります。

その日は曇りで始まり、その後晴れたか？ 雲は何時に消えたのか？ 太陽が出るとジリスの行動は変わったか？ 日焼け止めを塗り直す時間かな？

箇条書きの見出し記号

リストを作成したり、文章を強調したりする方法を探している場合、箇条書きのマークは便利な視覚的ツールになります。好きな形の見出し記号を使うことができます。ただし、すべての説明文を箇条書きでまとめるのが最善というわけではありません。ショートメールとパワーポイントの時代では、複雑な概念はしばしば簡潔で単純なリストに要約されます。箇条書きは必要なときだけ限定して使い、あなたの内なる詩人が箇条書きで押しつぶされないようにしてください。多くの場合、きちんとした省略しない書き方のほうが、言いたいことが十分に表現できます。フィールドノートには、走り書きではなく、しっかりと段落で書き込むくらいのゆとりを、レイアウトにも自分の心にも与えましょう。文字列で遊ぶのもよいでしょう。ページの端でテキストを折り返したり、斜めに書いたり、図形に合わせてテキストを囲んだりしてみます。

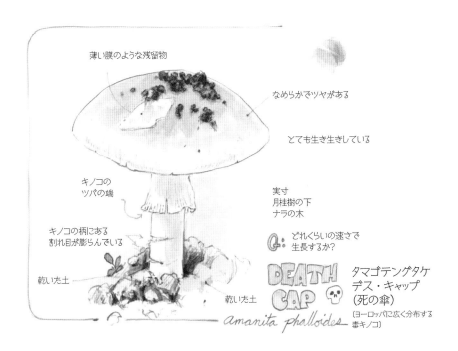

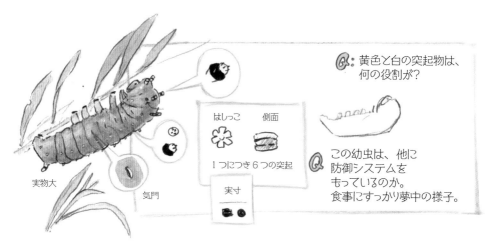

黄色と白の突起物は、
何の役割が？

はしっこ　　側面

1 つにつき 6 つの突起

実寸

実物大

気門

この幼虫は、他に
防御システムを
もっているのか。
食事にすっかり夢中の様子。

フレーム

　囲み枠を使用して、関連するアイ
ディアまたは一連の観察結果を囲み
ます。こうすると、同じ囲み枠内の
要素の結びつきを示すことができま
すし、ページにメリハリがつきます。
囲み線を使用して、特定の要素に注
意を向けることもできます。作業中、
またはページの仕上げ時に、その場
で囲み線を追加するのもよいでしょ
う。

あなたは何を
考えている？

囲み枠にはす
べて影を追加
する。

クローズアップ、それと
も望遠鏡を通した像？
コインやボトルのキャッ
プをなぞってみる。

角を微妙に丸めてみる。こ
れは、ミント・キャンディの缶
をなぞった。身近なものを活
用する。

囲み枠の色は、ペ
ージ上の他の要素
に関連するものを
選択する。

注意事項や、
再検討？

角がわずかに重なり
合っていると、紙面
にセンスが光る。

より大きな囲み枠でアイディアや観察を結び
つけ、関連づける。これにより、画面構成
の基本的要素が決まり、構図やレイアウト
の問題を解決できる。

コールアウト（引き出し線）

　コールアウトとは、スケッチの一部を拡大して細部を追加し、別の絵のどこに収まるかを示すことができるスケッチ技法です。この方法で、細部、背面図、またはその他のアングルを表示します。絵の一部に関心があるけれど、全体的に書き込む必要がない場合は、吹き出しが適しています。引き出し線付きの囲み枠を使って、書いてある文章をスケッチの一部として加えてもよいでしょう。

　スケッチに引き出し線を追加する機会を探しましょう。意図的に焦点を変えて、ズームインすることで、他の方法では見逃していたであろう事柄に気づくでしょう。

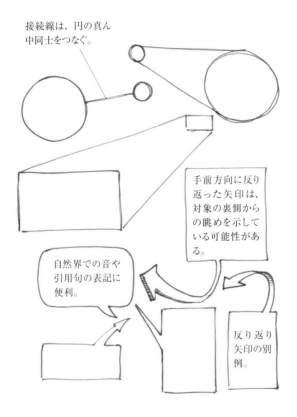

接続線は、円の真ん中同士をつなぐ。

手前方向に反り返った矢印は、対象の裏側からの眺めを示している可能性がある。

自然界での音や引用句の表記に便利。

反り返り矢印の別例。

矢印の詳細

矢印の用途はいろいろあります。関連するアイディアをつなげたり、重要な細部や発見を強調したり、プロセスやタイムラインの進行状況を示したり、説明の詳細をスケッチにつなげたり、拡大した部分が別のスケッチのどこに収まるかを示したり、動物や風や水流、その他の動きを示したりなどです。

シンプルな矢印

矢印は、派手でも単純でも、お好みでどうぞ。急いで作業する場合は、コピー機に写らないブルーペンシルで、単純な矢印または矢印付きの囲み線を描き、それから書き込みます。

私がよく使うシンプルな矢印の一つは、始点が黒丸の矢印です。コールアウト部分や説明書き部分にひもづけたいスケッチ内の箇所に黒丸をつけて、そこから、記述部分や拡大図まで線を引きます。

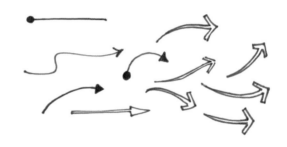

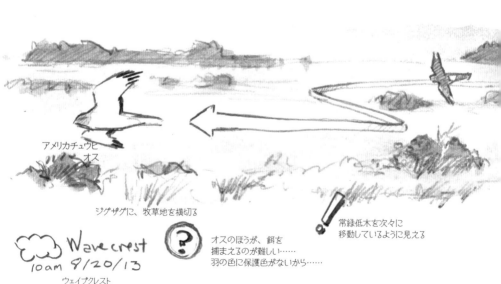

アメリカチュウヒ
オス

ジグザグに、牧草地を横切る

常緑低木を次々に
移動しているように見える

Wavecrest
10am 8/20/13
ウェイブクレスト
2013年8月20日　午前10時

オスのほうが、餌を
捕まえるのが難しい……
羽の色に保護色がないから……

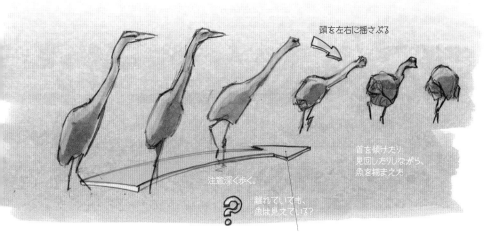

頭を左右に揺さぶる

首を傾けたり
見回したりしながら、
魚を捕まえた

注意深く歩く。

離れていても、
魚は見えている?

観察者の斜め上に向かっている矢印の形は、左右対称の形ではなく、非対称に少しゆがむ。観察者に近い（手前側）辺のほうが長くなる。

スケッチに奥行きを加えるための3D矢印

3Dとリボン状の矢印は、動きを示すのに、特に役立ちます。ハヤブサの飛行経路を表示する場合や、風がカモメの群れとは反対方向に吹いていることを示す場合に、3D矢印なら、どんな角度からの動きも示せます。自分のジャーナルで、文や絵によって何らかの動きを示す方法については、映画のストーリーボードに加え、グラフィックノベルや漫画からヒントを得ましょう。

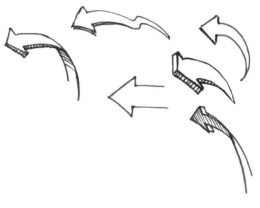

　1ページに複数の矢印がある場合は、矢印の先端の角度に一定のルールを設けましょう。90°の角度（直角）を基準とし、同じページ内では、直角以外の角度の矢印によって画面の奥行きや遠近を示します。矢印の先端部分が鈍角（90°を超える角度）の場合は、矢印の向きによって、観察者に近づいたり、遠ざかったりする動きを表現します。鋭角（90°未満の角度）の矢印は、観察者の上方向または下方向への動きを示します。

矢印の描き方

コピー機に写らないブルーペンシルで、より複雑な矢印の形を大まかに描いてみてください。

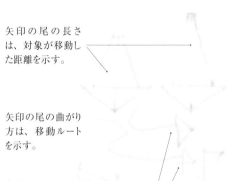

矢印の尾の長さ
は、対象が移動し
た距離を示す。

矢印の尾の曲がり
方は、移動ルート
を示す。

矢印の頭の部分を線
で閉じて三角形にす
ることで、矢印の両
脇の角が揃う。

矢印の中心線を、矢印の
尾の向きに合わせて、矢
印の先端が正しい方向を
向くようにする。

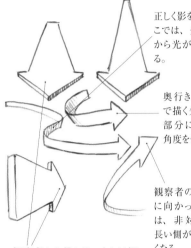

正しく影をつける。
こでは、矢印に左
から光が当たって
る。

奥行きをつける
で描く矢印の先
部分には、90°
角度を使う。

観察者のほうに斜
に向かってくる矢
は、非対称になり
長い側が観察者に
くなる。

観察者から離れる、または観
察者に向かう矢印の先端を鈍
角にする（元の矢印の先端が
90°であると想定）。

円錐形の矢印

円錐形の矢印は簡単にスケッチでき、
観察者に近づいたり遠ざかったりする動
きを示すのに適しています。私はよく太
陽や風の方向を示すために使用します。
円錐の底部に相当する楕円から始めて、
自分に向かって、または自分から離れる
方向を向いた頂点を描きます。

110

MATERIA

バタバタと
羽ばたいて

巣によっては、大きなヒナ
がいる。ほとんど親と変わ
らない大きさ

ジャーナル・キットと画材

画材を使いきったからといって、すぐに新しい画材セットを購入しないでください。おそらくあなたの家の周りに、必要なものがあるはずです。コンパクトで手近にあって、持ち運び可能なジャーナル・キットを用意すれば、旅行や探究に、気軽に携行できます。すべての目的を満たす万能のキットはありません。個人の好みやニーズに合わせてキットを調整してください。

ネイチャー・ジャーナルの定番キット

私が自分のネイチャー・ジャーナル・キットの内容を決めるには、三つの指針があります。シンプルに保てて、持ち運びしやすく、いつも手元に置いておけることです。

ごちゃごちゃのおもちゃ箱

ネイチャー・ジャーナリングを始めてすぐの頃、私は画材店にあるすべての道具が必要だと思っていました。すでに、あらゆる硬度の鉛筆、水彩絵具、色鉛筆、ペン、ブレンダー〔顔料なし、調合剤だけの無色の色鉛筆。混色・仕上げ用。線をぼかしたいときや、異なる色を重ねて塗った上にこれを塗るとなじんで混色したように仕上がる〕、サンドペーパー、水筒、双眼鏡、フィールドガイドなどを持っていました。私のキットを収納するには、バックパックと釣具箱が必要でした。

私が受講したアートクラスではいずれも、新しい画材のセットが必要だったため、もともと持っていた釣具箱がいっぱいになり、クローゼットの中の「美術用品」というラベルの付いた箱も溢れるほどでした。

この山積みの荷物を持っていくのがとても面倒だったので、それをすべて家に置いておくことがよくありました。時には自分の画材を漁って、いくつか適当にアイテムをつかんでバックパックに入れました。探索のたびに、画材を準備するのに時間がかかり、やっと目的地に到着したと思ったら、肝心の画材や道具を忘れていることもよくありました。

また、いざ描きたいときに、バックパックから道具を取り出すのにも時間がかかりました。スケッチしたい鳥を見たら、バックパックを下ろしてポンチョとランチをずらして、ジャーナルを取り出して鉛筆を見つけるのですが、見上げると鳥はすでに飛び去っていました。こんなふうに手間取るので、それ以降、何かを描きたいと思っても、自分のジャーナルを出そうとすることがあまりなくなりました。ジャーナルを持っていても、まったく使わずに野外で一日を過ごすこともありました。

やがて、キットにたくさんのものがありすぎると、持っていかなくなることに気づきました。ジャーナル・キットをまとめるのに手間取っていると、時間がなくなって、すべてを置いていくことがよくありました。自分のジャーナルをバッグから取り出しづらいと、自然散策の中でのたくさんの小さな発見をスケッチするために立ち止まることをしなくなってしまいました。これらの問題はどれも克服できないものではありませんでしたが、積もり積もって、ジャーナルに記録することを止めるという、ネガティブな壁を作り出してしまったのです。自分のジャーナルをいつも持ち歩き、野外でしっかり使いこなす簡単かつ体系だった方法が、私にはありませんでした。

そんな経緯を経て、いまでは自分に合った方法を見つけました。私のネイチャー・ジャーナル・キットは、肩掛け式のメッセンジャーバッグに収まり、玄関の横にあるフックに掛けられているので、忘れずに持っていきます。持ち運びに便利で、扱いやすいネイチャー・ジャーナル・キットを作成してください。使いたくなるような道具を詰め込みましょ

う。ここでは、自分に合ったキットをつくる
のに役立つポイントを紹介します。

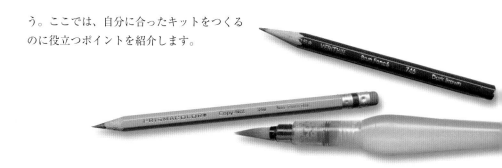

独自の方式でフィールド・キットを準備

　ジャーナリングの方式とは、フィールド・キットと、その使用に役立つ習慣と定番行動^{ルーティン}
までも含んでいます。詳細は、あなたのスキル、興味、ライフスタイルによって異なりま
す。次の探索に向けて、フィールド・キットをいつも準備しておきましょう。自宅のペン
立てにお気に入りのスケッチツールがすでにある場合は、自宅用とは別に、二つ目のセッ
トを用意してください。部屋から画材をその都度持ってくるのは、時間がかかるし、何か
しら忘れがちです。

　キットに何を入れるか悩むときは、少ないに越したことはありません。たくさんは必要
ないのです。画材が多すぎると重くなるし、お気に入りの道具がなかなか見つからなくな
ります。選択肢が少ないことはよいことですが、多すぎると混乱します[1]。使うことが確
実な少量の画材や道具を、慎重に選んでください。素晴らしいジャーナルをつくり出すの
に、水彩絵具、ペン、色鉛筆を必ず携帯せねばならないわけではないし、すべての表現方
法の達人になる必要もありません。

　私のお気に入りのイラストレーター、ウィリアム・D・ベリーは、フィールドワークの
ほとんどを硬い鉛筆一本で済ませました。「私は本物のアーティストだから、水彩画もや
るのだ」などと自分に言い聞かせるのはやめましょう。あなたが楽しめることに集中して、
それを上達させましょう。シンプルな道具に出会ったら、それでどれだけのことができる
かを確かめるのは、ワクワクします。新しい表現方法をまず試してみることに魅力を感じ
るなら、それもいいでしょう。ただし、ジャーナル・キットに、一度に多くの画材や道具
を詰め込まないでください。

　数か月間使っていない道具があれば、その道具はキットから外しましょう。もう一度使
用したい場合は、キットに戻せばいいのです。試してみたい道具を見つけたら、バッグに
入れて試してみてください。役立つならそのままキットに採用し、そうでないなら外しま
す。ネイチャー・ジャーナル・キットを進化させましょう。ジャーナリングの腕前が向上
するにつれて、ジャーナルを書き続ける動機と、それを邪魔するものを考えましょう。ニ
ーズに合わせてフィールド・キットを変更します。探索に出かけるときに、毎回持ち歩け
るくらいの量が適切です。

思ったらすぐ描く

「それをスケッチしたい」と決心してから、ジャーナルを取り出して描き始めるのにどれくらいの時間がかかりますか？　そのプロセスが速くて簡単であれば、ジャーナルも活躍するでしょう。逆に、ジャーナルを取り出すのが面倒だと、使わなくなってしまいます。

バックパックがいろいろな物でいっぱいだと、取り出しづらいです。一方、ジャーナルを手に持って歩くのは面倒です。アウトドア用の軽量肩掛けバッグは、ポケットがいくつもあり、中身をすぐに取り出せるので便利です。ジャーナルは一番大きなポーチ部分に入れておくと、簡単に取り出せます。最もよく使う道具は、取り出しやすい外部ポーチ部分に入れておきます。すると、スケッチしたい鳥やキツネから目を離さずに、鉛筆やジャーナルを取り出すことができます。ランチ、水、ポンチョを運ぶための袋が別に必要な場合は、肩掛けバッグに加えて、リュックサックを背負うのもいいでしょう。

常に準備万端にしておく

これで、優れたフィールド・キットの準備が整いました。外出するとき目につく場所にキットを置いてください。それを頻繁に見ていると、携帯するよう意識ができます。クローゼットの中で目につかないままでは、忘れがちです。スケッチの場所に車で行くことが多い場合は、車内の取り出しやすい場所に置いておくのもよいでしょう（ただし、家の窓から面白いものを見たときには、メモする機会を逃してしまうかもしれません）。ジャーナリングの冒険から戻ったら、キットを補充し（必要に応じて変更して）、特定の場所に戻し、いつでも使えるようにします。

フィールド・キットの例

基本的なフィールド・キットの例を示します。あなたのニーズやスタイルに合わせてカスタマイズしてください。

最小限でいい人の場合

最初の段階は、これが正解です。ジャケットのポケットに小さなキットを入れて、どこにでも持っていきましょう。本格的なキットの他に、持ち運びしやすいミニ版のキットを作っておくのもよいでしょう。

色鉛筆派のキット

フィールドワークで色づけまで手早く行うのに最適な一式です。最初は、色数を限定しましょう。同じ系統の色ごと（暖色系、寒色系、中間色系）に輪ゴムで束ねます。このキットには、フィールドコラージュ用のスティックのりも含まれています。

水彩画家の場合

水彩画は、野外で面倒になる可能性がありますが、この携帯用キットにより、水彩画を簡単に描くことができます。水彩用の筆、すぐに使えるパレット、腕に巻き付けられる使い古しの靴下は、野外に最適です（詳しくは P.121）。

ペンとインク

ペンは素早く、濃く、描くことができます。ペンとインクを使い始めてすぐの頃は、消すことができないのでイライラするかもしれません。慣れて不満が薄らいでくると、このことが、ペンの機能の最も優れた点の一つであることがわかります。何も消せないので、そのまま先に進むしかありません。自分が描くことに自信がもてるようになり、満足することも学ぶのです。

組み合わせは自在

ジャーナリングの楽しみと自信が増してきたら、より多くの道具や材料を持ち歩き始めてもよいでしょう。鉛筆、ペン、水彩画など、好きなものを組み合わせることができます。ただし、使うものが増えるほど、キットを分類して整理するように、注意する必要があります。明るい色のバッグなら、昼食後、置き忘れることはないでしょう。より落ち着いた色は、鳥に忍び寄るのに適しています。

あなたのキット

自分のキットを作る際に、これらの例を参考にしてください。他の誰かのキットをそのまま真似するわけにはいきません。あなたがいいと思うものを選び、あまりたくさんにせず、シンプルに保ち、そしてあなたのニーズと興味が変化するにしたがって組み換えてください。

持ち運びに手間がかかるようになるまでキットを拡大してから、削減します。持ち運びのしやすさと、すぐ手に取れるところにあるかどうかで、使用頻度が決まるでしょう。あなたがいつも持っていくことこそが、最高であることの証です。

スケッチの必須アイテム

好きな画材は人それぞれです。ここでは私が愛用している画材を紹介します。自分が試したい道具があれば、キットに入れましょう。

鉛筆

コピー機で写らない（ノン・フォト）ブルーペンシル：これは、私の必須アイテムです。詳細なスケッチを開始する前に、下描きとして形を大まかに捉えるために使います。軽く描けば、後で絵をスキャンまたはコピーしても、下描きが写りません。プリズマカラー・ノンフォト・ブルーペンシル（Prismacolor Non-photo ＃ 20028）を必ず入手してください。代替品は見つかりませんでした〔アメリカでは Prismacolor のブランド名で現在も流通しているようだが、日本では、企業合併後のブランド名を採用して、サンフォード・カリスマカラー PC919 ブルーペンシルとして販売されているようだ。なお、本書内のブルーペンシルはノンフォトのものを指す〕。

シャープペンシル：手早くスケッチするために、硬度 2B で、細さ 0.7mm と 0.5mm の芯を使用しています。これらは豊かで濃い線を作りますが、簡単に汚れます。ゆっくりと丁寧に細かい作業をするには、0.3mm の芯に切り替えます。汚れを防ぐため、野外から引き上げるときに、スプレー式の画用液（フキサチーフ）を使います。

水彩鉛筆は、通常の鉛筆のようにスケッチしますが、湿ったブラシで撫でると、線のタッチが溶け合って、水彩画のような色合いになります。

プリズマカラー・ベリシン（Prismacolor Verithin）シリーズなどの芯が硬い**色鉛筆**を使用して、細部を描き加えましょう。これは、黒鉛の鉛筆ほど汚れません。ダークブラウンの鉛筆でスケッチしてみてください。

鉛筆の線を柔らかい**練り消しゴム**で軽く叩いて薄くします。練り消しゴムは、キャラメルのように温めて柔らかくしてから伸ばします。次に、鉛筆の線の上にしっかりと押しつけると、（新聞紙におもちゃのスライムを置いたときのように）にじむことなく黒鉛が取れます。

トンボ鉛筆の消しゴムブランド・MONO の**ペン型精密極細消しゴム MONO zero** は、鉛筆で描いた部分の細部をピンポイントで消すのに最適です。

プラスチック消しゴムで、描き間違いを消します。柔らかめで、白いタイプを選びさえすれば、やはり普通のプラスチック消しゴムが、紙を傷つけることなく、黒鉛をきれいに取り去るには一番です。

圧縮紙でできた**擦筆**〔木炭や鉛筆、パステルの描線をぼかしたり、なじませる棒状の道具〕を使用して、鉛筆の線をなじませて、陰影を加えます。先端に黒鉛がこびりついて真っ黒になるくらい使い込んだら、それをグレーの絵筆のように使うと、背景スペースに濃淡を追加し、微妙な影や、中程度の色値の肌理(きり)と質感を生み出します。

鉛筆には様々な硬度があります。非常に柔らかいものもあります（柔らかさ、つまり黒の濃さは B で示され、5B は 2B よりも柔らかくなります）。これらは豊かで暗い色味を作り、混ざり合い、にじみ、消しゴムで簡単に消せます。硬い鉛筆の度合いは H で示されます（5H は 3H より硬いです）。硬い鉛筆は、細くて長い線でも薄い色のままですが、筆圧が強いと紙が傷む場合があります。HB 鉛筆はちょうど両者の真ん中にあたります。
私はほとんどの作業を 2B 鉛筆で行います。擦筆などでなじませながら使うには、ちょうどよい濃さなのです。時間が経つとにじむので、野外から戻ってきたら、スケッチに画用液をスプレーします。

5B　3B　HB　3H　5H

ペン

水性ペンと画筆：水性ペンでスケッチを作成する場合は、水を含ませた画筆でインクで描いた線を湿らせて、色調や影の領域を作ります。インクの線は完全には溶けず、はっきりと透けて見えます。様々なブランドのペンを試してみてください。同じ黒インクでも、茶色のにじみができるものもあれば、灰色または青灰色に薄まるタイプもあります。ブランドが異なれば、溶け具合も異なります。

筆ペン：両端に太筆と細筆がついている、濃い灰色または茶色の筆ペンは、暗い色味を素早く配置したり、黒を濃くしたり、水と混ぜてぼかしたり、微妙な影を作成したりできます。インクを重ねると、塗る部分をより暗くすることができます。

ボールペン：高品質の（替え芯のある）ボールペンの黒インクを使用して、微妙な陰影と表現力豊かな線画を生み出せます。

色鉛筆にプラスしたい便利ツール

カラーレス・ブレンダー：この鉛筆はワックス（蝋）のみでできており、顔料は含まれていません。色を明るくし、紙のくぼみによって生じる小さな白い斑点をすべて埋めます。ブレンダーを使用する場合は、それがスケッチの最後の仕上げになるはずです。この鉛筆で、水彩のにじみ防止もできます。

ブルタック（Blu-Tack）〔商品名。アメリカでよく使われる粘着パテのこと。日本でもアマゾン他で入手可〕：このパテは、ポスターを貼りつけるために使うものですが、練り消しゴムよりも黒鉛を吸い取り、色鉛筆の色を薄くするのに効果的です。

エンボスツール：両端に大小の丸い先端がついた金属製の尖筆（引っ掻いて線を書く道具）です。これは、色鉛筆で印をつけるには色が濃すぎる紙のとき、引っ掻いて線をつけるため、また、暗い背景に細くて薄い線を作るために使います。

水彩画材にプラスしたい便利ツール

ウォーターブラシ（**水筆**）：合成毛ブラシで、軸に水を溜める部分がついています。ぺんてるのアクアッシュの丸筆・大を使用しています。筆先で細かい点も描け、薄い色を広げるのにも十分な大きさです。ニジ（Niji）〔アメリカの日本画材メーカー・ヤストモのブランド〕の水筆も使っています。ニジ・ブラシのプラスチックでできたフェルール（筆毛と軸をつなぐ金具部分）を取り外すと、平筆から大きな丸い筆先に変わります〔日本では、「呉竹　フィス　水筆ぺん　平筆」（KG205-70）で同じことができる。取り外しできるのは、数ある水筆ぺんの中で平筆タイプのみなので注意〕。

色鉛筆の白：ハイライトを追加または強化するために、乾いた水彩画に重ねて使うとよいでしょう。水彩を塗る前に使用することもあります。こうすると、ワックスがバリアとなって、水彩絵具が紙に付着するのを防いでくれます。

白のジェルペン：乾燥した水彩画の上に白を追加します。例えば、植物の静脈、輪郭線や、目のハイライトなどです。乾いてしまった場合は、水彩絵具でさっと一塗りしてぼかすか、湿らせたブラシで取り去ってください。より高い不透明度と速乾性を求めるなら、ユニボール・シグノ（0.7mm）またはサクラクレパス・ジェリーロールを試してみてください。

白いクレヨンまたは無色のバースデー・キャンドル：水彩絵具はワックスに弾かれます。クレヨンまたはろうそくを使って、スケッチの一部を保護するためのざらざらした部分を作ります。雲、水面に輝く日光や波頭などにうってつけです。

使い古しの靴下：くたびれた綿の靴下のつま先を切り取り、野外で水彩の筆を拭うための、手首にはめるボロ切れバンドにします。

色鉛筆の選択と整理

色鉛筆は、野外でも自宅でも大活躍します。
直感的に使えて、画材としても扱いやすく、様々な使い方ができます。

上質な鉛筆を選ぶ

　アーティスト・グレードの高品質な水彩絵具を使用すると、描けるものに大きな違いが生じます。色鉛筆も同じです。安い鉛筆は調合剤の割合が多いため、色がほとんどなく、薄いです。あなたが濃くて鮮やかな色を描こうとしても、安い色鉛筆は紙の表面をつぶして、テカテカと光らせるだけです。以下のサンプルは、4本のオレンジ色の鉛筆で塗った結果です。左から順に、低品質の鉛筆と3つの高品質の鉛筆、プリズマカラー・ベリシン（Prismacolor Verithin）、プリズマカラー・プレミア（Prismacolor Premier）、ファーバー・カステル　ポリクロモス（Faber-Castell Polychromos）です。

　私はスタジオでは、高品質の鉛筆を3種使用しています。それぞれに利点と欠点があります。私のフィールド・キットには、通常、ベリシンの色鉛筆を数本入れています。

プリズマカラー・ベリシン：ベリシンはプリズマカラーの精密画用色鉛筆で、プレミアやポリクロモスに色の濃さでは劣りますが、精緻で繊細な線が描けて、芯が折れにくいです。鉛筆自体が細いので、キットのスペースをあまり取りません〔日本未発売だが、アマゾンでは、製品名をアルファベット表記で検索すると、並行輸入品が見つかる〕。

プリズマカラー・プレミア：色が濃く、色の種類の豊富さが素晴らしいです。マゼンタ（紅紫色、三原色の一つ）の鉛筆を並べて比較する場合、私はポリクロモスのフクシアよりも、こちらのシリーズのプロセスレッド（994番）のほうが好きです。濃い紫のブラックグレープ（996番）と、灰色がかったうす紫のグレードラベンダー（1026番）は、私が陰影をつけるときの基本道具です。これらの鉛筆の芯はもろく、ワックスを原料としているため、スケッチの濃い色の部分をうっすらと白い霜のように覆う膜、通称、ワックスブルーム〔ブルームとは、新鮮な果実の表面に出る白い物質のことをいう。例として、ブドウの実の皮に現れる白い部分

など〕を形成する可能性があります〔日本では、サンフォードのカリスマカラーとして発売されている。色番号は同じなので、参考にしてほしい〕。

ファーバー・カステル　ポリクロモス：私はこの色鉛筆を重ねて混色する手法が大好きです。削りたてでも、スケッチ中でも、芯が丸くな

りにくく、とがったままです。芯は木製の鉛筆本体になじんでいるため、内部で折れたり、鉛の長い部分が抜けたりすることはありません。鉛筆はオイルベースなので、ワックスブルームは発生しません〔ファーバー・カステルのポリクロモスは日本で発売されている〕。

色の選択

特に野外でスケッチする場合は、大きな箱に入ったすべての色が必要なわけではありません。24色のセットぐらいから始めるのがよいのではないでしょうか。原色は必ず含めてください。赤、トゥルーブルー、カナリアイエローを選んでから、くすんだグレー、緑、茶色をいくつか追加します。これらの落ち着いた色はおそらくあなたのお気に入りになるでしょう。また、効果的な影を作る二つの落ち着いた紫色、ブラックグレープとグレードラベンダーもお勧めします。

水彩鉛筆

一部の色鉛筆は水溶性の調合剤で作られています。顔料が水に溶けるので、水筆で濡らして、紙の上で色を混ぜたり、にじませたりできます。また、水を使わず通常の鉛筆のように使用して混色することもできます。ファーバー・カステルのアルブレヒト・デューラー水彩色鉛筆をお勧めします。24色セットを入手し、フクシア（色番号：A123。セットにはこの重要なマゼンタの色は含まれません）と、パープルバイオレット（色番号：A136）の二色を追加すると、使い勝手がいいはずです。

陰影用の色鉛筆

絵を描くとき、私は影から始めます。プリズマカラーのブラックグレープ（996番）と、グレードラベンダー（1026番）は、私が影を描くときの基本色です。各部分の色を追加する前に、補色（反対色）を各部分の下地に使うと、この影の部分をより濃くすることができます。

鉛筆のまとめ方

寒色系、暖色系、茶色や中間色系、緑系を別々にゴムバンドで束ねておけば、必要な色を簡単につかみ取ることができます。これは、どんどん短くなる鉛筆を元の箱に戻すよりもはるかに簡単です。

適切なスケッチブックを選ぶ

これは、個人の好みに尽きます。あなたが選んだことが、最高のジャーナルの証です。あなたの冒険に実際に携行できる大きさで、あなたが好きなものを選んでください。

どんなジャーナルが、あなたにぴったりなのか？

　画材店に行って、すべてのスケッチブックを手に取り、開いて、匂いをかいで、感じてください。あなたが好きなものを見つけて、あなたと一緒に持ち歩いてください。ただし、ジャーナルを新しく、きれいなままに保とうとしないこと。紙を無駄にしたり、きれいな状態を乱したくないあまりに、スケッチやメモを取ることをためらうようでは、ジャーナル自体を使わなくなる危険があります。

　紙を無駄にしたいと思う人はいませんが、スケッチ部分を少なくしたり、小さい絵にすることで、資源を節約して森林を救おうとはしないでくださいね。ここで、森林保護に一役買おうとするのは間違いです。実際、伐採された木に対してできる最も敬意のあることは、それをネイチャー・ジャーナルに変換し、観察でびっしり埋めることです。覚えておいてください、使うことで初めて道具が生きます。あなたの最善の行動とは、使い尽くしてから、次を買うことです。

大きさは大事

　例えば、あなたのシャツのポケットに収まる、かわいい小さなジャーナルがあるとしましょう。持ち運びは簡単ですが、アイディアを並べたり、花をスケッチしたり、詩を書いたりする余地はほとんどありません。小さい文字を書くので手が痺れるでしょうが、あなたの脳も同じです。真逆の例では、バックパックに収まらないほど大きなジャーナルもあります。あなたに必要なのは、あなたがいつも持ち歩ける程度の大きさのものです。ジャーナルのサイズと持ち運びの良さの兼ね合いは、人それぞれですので、自分に合ったものを選んでみてください。

紙の品質

　使用する紙の種類は、筆を走らせたり、塗り広げたりするときに、大きな違いをもたらします。最も重要な検討事項は、厚さ（重量）と質感です。多くのスケッチブックの紙は、かなり薄い紙（65ポンド）〔コピー用紙よりも薄い。日本では、特薄口か、薄葉紙、花紙と呼ばれる紙に類似〕で、水彩をすると紙がよれてしまうでしょう。ちょっとしたスケッチならそれでも構いませんが、イラストに時間をかける場合は問題です。使うのがたいてい水性絵具だという場合、より厚い紙のスケッチブックのほうがよいでしょう。紙がよれよれになりにくいですし、消しゴムで消したり、軽く叩いたり、溝をつけたりしても、耐えてくれますし、ペン画でもにじんだりしないでしょう。高品質なものを使ったことがないなら、絶対に気に入るはずです。水彩画の場合にはたいてい、少なくとも140ポンド〔しっかりしたコピー用

紙やノートの紙程度〕の紙を使ってみてください。たくさん塗り重ねる場合はさらに厚い紙がよいでしょう。

　紙の質感も重要です。滑らかな（ホットプレス）紙はペンに最適です。鉛筆、色鉛筆、水彩画には、ざらついた少し粗い手触りのものが必要です。水彩画で、特ににじみやぼかしを多くする場合は、粗い（コールドプレス）紙がよくマッチします。

糸綴じか、スパイラル綴じか？

　アメリカでは、スパイラル綴じが安価で便利です。ページが簡単にめくれて、裏側にすっきり収まるので、描く際の画板として使えます。しかし、スパイラル綴じにはいくつかの欠点もあります。最も深刻なのは、シートがずれて互いにこすれ合い、柔らかい鉛筆画などは、灰色の汚れまみれになってしまうことです。紙の片面だけに描いて、帰宅後すぐ鉛筆画に画用液をスプレーすると、にじみの問題を減らすことができます。いつも使う道具が、インク、色鉛筆、または水彩ならば、これはそれほど問題にはなりません。ただスパイラル綴じのジャーナルは、特に紙の表紙とボール紙の裏表紙の場合、野外でボロボロになってしまうことがあります。

　もう一つ欠点をお知らせしましょう。スパイラル・ジャーナルからはページを、特に見栄えの悪いページを簡単に切り離すことができますが、これは利点ではないのです。ページを引き裂くことは、記憶を引き裂くことです。ジャーナルのページはあなたの人生の一部と思って、これからは、是非すべてのページを大切にとっておいてください。

　一方、ハードカバーの製本は、フィールドワークで乱暴に扱っても大丈夫です。それに糸綴じならジャーナルの紙は、持ち歩いてもさほど揺れません。その結果、鉛筆画がすぐにじんだりしません。

検討すべきジャーナル

　ジャーナル選びは、非常に個人的な選択です。私は、ほとんどの場合、キャンソンのベーシック・スケッチブックを使用しています。安価であり、薄い紙の質感は、鉛筆や水彩

での手軽なスケッチに最適です。コムトラック・スパイラル・ノートブック（ルーズリーフ用紙）も使用しています。バインダーノートにすると、様々な種類の用紙をセットできます。メーカー製のすでに穴が開いた用紙を入手してもいいですし、どんな種類の紙でも、バインダーのサイズに合わせてカットし、コピーセンターに持っていき、「くし」綴じ用に穴を打ち抜いてもらうことができます。私は、スケッチ用、色付き紙、水彩用紙の組み合わせを追加しています。

　自宅に戻ったら、完成したページを取り出して、画用液を塗布して、保管します。これにより、ジャーナルの重さと汚れが軽減されます。完成したファイルが厚くなったら、プラスチック製のリングファイルにジャーナルページを綴じます。

　モレスキン、ファブリアーノ、スティルマン＆バーンは、高品質・最高級のジャーナルノートを生産しています。質の良い紙が使われており、よくできています。あなたにぴったりのものを見つけてください〔モレスキンは日本公式サイトがあり、伊東屋はじめ高級文具店で入手しやすい。ファブリアーノは三越伊勢丹などの高級文具店で取り扱っているほか、いずれもインターネット各種サイトでも販売されている〕。

水彩パレットをカスタマイズする

パレットは、スケッチ用品と同じように人それぞれ、千差万別です。パレットが自分にぴったりになるまで、絶えず工夫していきましょう。

緑のゾーンの黄色
緑を混色するパレットのエリアに、ハンザ・イエロー・ライトを一滴入れます。緑を明るくするときはこの黄色を使うと、黄色のエリアの絵具塗料を汚さずにおけます。

このエリアは、緑の混色用。マゼンタや赤を大量に使うことは避ける。

カラーグループごとに分けた
混色エリア
パレットの異なるエリアを使って、異なる色のグループを混合します。私のパレットには、黒、茶色、緑、シアンと紫、マゼンタとイエローのエリアがあります。ガッシュ（不透明水彩）の絵具用に、もう一つ別のエリアもあります。

ホルベイン折り畳み式
プラスチックパレット
No.1024-2000

灰色と黒の
混色エリア

茶とアースカラー
の混色エリア

このエリアは、シアン、青、紫の混色用。赤、黄、オレンジを大量に使うことは避ける。

何色でも混色
できるエリア

このエリアは、黄、オレンジ、赤にマゼンタの混色用。シアンや青を大量に使うことは避ける。

白を使用する場合……
パーマネント・ホワイト・ガッシュを使用して、色を着色したり、色を不透明にしたりする場合は、他の色をくすませないように、絵具と混色エリアを離してください。

黄色をきれいに保つ
黄色をきれいに保てるなら、他の部分がごちゃごちゃしても、まったく問題ありません。

スケッチャーズ・ポケット・ボックス

ウィンザー＆ニュートン（Winsor & Newton Cotman Sketcher）のコットマン・スケッチャーズ・ポケット・ボックスは、小さくて優秀な絵具シリーズです。安価で、頑丈で、バックパック旅行にちょうどよいサイズです。その姿形と同じく、既存の枠から飛び出すような革新性のある製品で、少しカスタマイズするだけでさらに効果的に性能を発揮します。小さな皿のついた基本色の固形絵具が12色セットされていますが、それらを使い切ったら、アーティスト・グレードの色と交換してください（色は以下に提案）。新しい小皿は、画材店で購入できます。小皿を捨てて、絵具をパレットのスペースにチューブから入れてもいいでしょう。

同系色の絵具が、折り畳み式の蓋の混色エリアと揃うように並べ替えます。暖色系の黄色、赤、マゼンタを左端の混色エリアの下に、青と紫を真ん中の下に、茶色と緑を右端の下に配置します。

新しい小皿を開封したとき、中身の固形絵具がぽろっと落ちてしまうかもしれません。この問題を解決するには、固形絵具の裏側を濡らし、その面を下にして小皿に戻し、しっかりと押しつけます。固形絵具の一部が溶けたら、乾いた後、絵具が小皿にくっつきます。また、小皿とパレットの間に接着剤を少し垂らしておくと、小皿が飛び出しません。小皿を全部捨てて、濡らしてから押しつける方法で、固形絵具をパレットに直接貼りつけてみることもできます。

基本色のチャイニーズ・ホワイトをニュートラル・ティントに、アリザリン・クリムゾンをキナクリドン・マゼンタに置き換えることで、パレットの内容が充実します。セット内の絵具を使い切ったら、基本色を、次のようなアーティスト・グレードの代替色に置き換えます。

・カドミウム・イエローペールヒュー→ウィンザーイエロー

・カドミウム・イエローヒュー→キナクリドンゴールド

・カドミウム・レッドペールヒュー→ウィンザーレッド

・ウルトラマリン→フタロ・ブルー（グリーンシェード）
〔日本ではフタロ・ブルーは入手困難〕

・ビリジアン→フーカスグリーンまたはペリレーングリーン

・バーント・シエナ→ウィンザーバイオレットジオキサジン

黄色の水彩絵具（ハンザ・イエロー・ライトまたはウィンザーイエロー）のチューブがある場合は、この色を一捻り、緑の混合エリアに置いて、緑を混ぜるときにこれとブレンドできるようにします。こうすることで、緑や茶色を混ぜるときに黄色い小皿をきれいに保てます。

チューブに切り替える場合は、パレットのくぼみをお気に入りの色で塗りつぶしましょう。私は、キットに付属した折り畳み式の筆よりも水筆をよく使います。付属の筆を取り除くと、筆を収納していた細長いスペースに、追加の色を置くことができます。

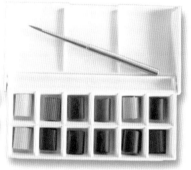

自分のパレットを作る

ミント缶と家庭にあるものを使って、持ち運びできる素晴らしいパレットを作ることができます。少しカスタマイズするだけで、特別な、お手製のトラベル・パレットになります。このキットは、水彩絵具やガッシュに使ってください。

基本バージョン

　これは、簡単で低コストで作れます。必要なのは、以下のものだけです。ミントタブレットの缶（アルトイズ、ミンツ、またはお好みのもの）〔日本なら、100円ショップにあるプラスチック製の小ぶりのケースや容器が入手しやすそう〕、一握りのボトルキャップ、または、くぼみが8個ついたプラスチックのチューインガムの包装容器〔例えば、明治「ヨーグレット」の内包装などが類似していると思われる〕、接着剤、そしてカッテージチーズまたはヨーグルトの容器のプラスチックの白い蓋。

1.　ミントが入っていた缶をきれいに洗って乾かす。

2.　ガムの包装容器（缶に合うよう少しカットして）、もしくはプラスチックのボトルキャップを缶の底に接着して、絵具用のくぼみを作る。E6000 パーマネントクラフト接着剤や、ビーコンガラス、メタル＆モア™ プレミアム・パーマネントグルーなどの頑丈な接着剤を使う。そして、ミントを口にほおばる。

3.　缶の底を型として使用して、カッテージチーズの容器の蓋を、缶に合う形に切る。

4.　蓋から切り取ったプラスチックシートを缶の蓋の内側に接着して、絵具を混ぜるための白い面を作成。ミントをもう一口。

5.　くぼみに好きな絵具を入れて、乾かす。

デラックスバージョン

　いくつかの変更を加えるだけで、基本パレットを、驚くほど素晴らしい、小さなポータブル・パレットにアップグレードできます。それには、次のアイテムが必要です。水彩絵具用のハーフパン〔プラスチック製の2cm角の小皿。インターネットで、「ハーフパン、絵具」で検索すると通信販売で入手可能〕を15個、マグネット・テープ1巻〔日本では、スリーエム製のものが入手しやすい。100円ショップの商品で代用可能〕、そしてラスト・オリウム（Rust-Oleum）のプロテクティブ・エナメル〔錆止め効果のある塗料。ラスト・オリウム製のものは、日本ではスプレータイプがインターネットで入手可能。他に日本で入手できるものとしては、各種有名メーカーがあるが大容量品なので、「ホルツ・サビ止めペイント」が少量かつ複数色展開で使いやすい〕、白の小缶〔菓子缶ほか、子

ども向けの缶ペンケースなどが活用できるかもしれない〕。

1. 鋭利なナイフを使用して、小皿の内側の底面を引っ掻く。こうしておくと、絵具が皿にしっかりつく。

2. マグネット・テープを小皿の底に合わせて切って、取りつける。ミントをほおばる。

3. 蓋の内側にエナメルを塗る。蓋を開いたまま平らにして乾かす。乾燥中はエナメルに触れないこと。表面が不均一になってしまう。

4. 小皿に好きな絵具を入れる。ミントをもう一つ、口へどうぞ。

5. エナメルが乾いたら、マグネット・テープがついたハーフパンを、使いやすい配置でパレットに並べる。

　右のパレットは、様々なサイズの缶と材料を使用した明るい色のガッシュのパレット（詳細は次のページを参照）の例です。

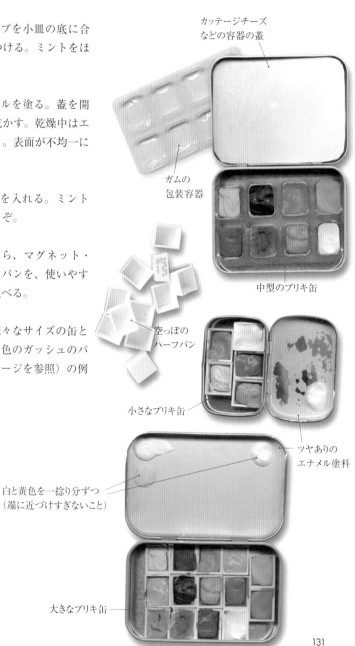

カッテージチーズ
などの容器の蓋

ガムの
包装容器

中型のブリキ缶

空っぽの
ハーフパン

小さなブリキ缶

ツヤありの
エナメル塗料

白と黄色を一捻り分ずつ
（端に近づけすぎないこと）

大きなブリキ缶

トラベル・ウォーター・カラーパレット

　パレットを14色に制限するなら、私はダニエル・スミスの次の水彩絵具を使用します。

　ニュートラル・ティント、シャドウ・バイオレット、ブラッドストーン・ジェニュイン、バーント・シエナ、バフ・チタニウム、ペリレーン・グリーン、サーペンティン・ジェニュイン、フタロ・ブルー、インダンスロン・ブルー、ジオキサジン・バイオレット、キナクリドン・ピンク、ピロール・レッド、パーマネント・オレンジ、ハンザ・イエロー・ライト。

明るい色のガッシュ・パレット

　私のガッシュ・パレット（不透明水彩のパレット）には、14の色を入れています。これはガッシュペインティングの完全なパレットではなく、あくまで水彩キットの補助として使います。透明な水彩絵具では暗部を塗り、ガッシュは明るい部分にしか使いません。私のキットには、次の絵具が入っています。

　ハンザ・イエロー（M. グラハム）、ジョーン・ブリヤンブリリアント No.1（ホルベイン）、ガンボージ（M. グラハム）、プライマリー・マゼンタ（ホルベイン）、ピロール・レッド（M. グラハム）、アクア・ブルー（ホルベイン）、チタニウム・ホワイトとキナクリドン・バイオレット（ともに M. グラハム）を混合したライトパープル、ヘリオ・グリーン（シュミンケ）、リーフ・グリーン（ホルベイン）、イエロー・オーカー（M. グラハム）、チタニウム・ゴールド・オーカー（シュミンケ）、ニュートラルグレイ No.1（ホルベイン）、ニュートラルグレイ No.2（ホルベイン）、チタニウム・ホワイト（M. グラハム）〔これらのガッシュのうち、M. グラハムとシュミンケのガッシュは日本では入手しにくいようだ。同社の水彩絵具は日本でも取り扱い豊富だが、ここで紹介されているのはガッシュのほうである〕。

小さな水彩パレットから、幅広い色味と色相を得ることができる。大きなパレットでは大袈裟すぎるので、手始めとしては最適だ。より軽い色味を出すには、紙を塗らなければよい。これには少し計画がいるが、練習すればできるようになる。

少しガッシュを加えると、あなたの絵が生き生きと動き出す。白を追加することは、それを塗らずに済ませる以上に楽しく、手早く効果を出せる。

ここで、もう一つ
ミントをほおばる。

水彩絵具の選択

太陽の下で色あせず（非常に重要）、適度ににじみを出せて、かつ透明感のある色を常に探しています。私はまた、出来合いの混色よりも、単色の絵具のほうを使います。あなたの好みとパレットも、時間とともに変化することでしょう。

　時を重ね新しい色を発見するたびに、パレットでどんな色を使いたいかは変化します。色を追加または削除するときは、絵具の品質、耐光性、染色、粒子、透明性、そして、単一の顔料か混合物かを考慮してください。

　すべての水彩画が同じように描かれるわけではありません。最初から高品質のアーティスト・グレードの絵具を使用すると、作業がはるかに簡単になります。低品質の絵具は、予測できない反応を示す上、その濃度や色味の幅もアーティスト・グレードのものの足元にも及びません。私が主に使っている絵具はダニエルスミス・エクストラファイン水彩絵具で、何色かは、アーティスト・グレードのウィンザー＆ニュートンです。色には英数字コード〔C.I. ネームのこと。右ページ訳者注も参照〕があり、様々なメーカーが製造した類似の色を追跡し、混合物の成分を理解するのに役立ちます。

　写真や布地が太陽の下で色あせていくように、水彩画も同じく色あせます。一部の色は、他の色よりも色あせするため、避ける必要があります。そのような「あせやすい」色をすべて排除することから、色の選択を始めます。このため、私はアリザリン・クリムゾン、ローズ・マダー・ジェニュイン、オペラ・ピンク、オーレオリン（コバルト・イエロー）を避けています。すべての色を一筋、紙に塗り、それを半分にカットして、独自の耐光性テストをします。片方を暗い引き出しに入れて、もう一方を太陽に照らされた窓に吊るし、3か月後の色を比較します。明るくなったり暗くなったりと色の変化を検出した場合は、新しい顔料を探してください。

　なかには、紙を汚し、吸い取ることができない色もあります。一方で、紙の表面に顆粒が留まって、湿った筆でなら取り去ることができる（リフトアウト）色もあり、これは間違いを修正したり、絵に白を追加したりすることができます。私は原則として、色が染み込まない、非染色系絵具のほうを好んで使っていますが、色選びの幅を広げるために、時には、染色系の絵具を組み合わせることもあります。

　絵具には重い粒子が含まれている場合があり、絵具が乾くと、粗い紙の目に沿って模様が出ます。これは造粒と呼ばれ、驚くほど美しい効果を生み出すことができます。あなたが（時に心地よい）驚きを好むなら、これも気に入るでしょう。

　私はできる限り透明水彩絵具を使用して、絵具の層を重ね、水彩画の輝きを維持できるようにしています。

　パレットにいくつかの原色だけを置き、他の色は混ぜて使うのを好む人もいます。そういう経験は、混色のとてもよいトレーニングではあります。私は、化学薬品や土由来の素材を絵具の原料にしたものを活用するほうが好きです。その単色の絵具を組み合わせて、

残りの色を作っています。これは「不正行為」やズルをしているのではなく、様々な絵具の特性を最大限に活用しているのです。絵具の販売会社は、複数の顔料を独自に調合した絵具も販売しています。これらは混ぜて使うのにはあまり役立ちませんが、便利です。パレットに制限がある場合は、出来合いの絵具ではなく、単色の絵具の色に注目してください。

〔訳者注〕
　ここに紹介する色の名前は、一般的に知られているものですが、様々な会社から同じ名前や、微妙に異なる名前の絵具が発売されています。名前の横の記号は、顔料のカラー・インデックス名（Color Index Name　通称 C.I. ネーム、使用顔料）です。ここに掲載したサンプル色に近い絵具を探す場合は、名前を参考にしながら、C.I. ネームも目安として、各社の絵具を選んでみてください。絵具は顔料に各種材料を混ぜたものですので、会社ごとに材料の組み合わせは異なり、同じ C.I. ネームでも、また、同じ名前でも、同じ色とは限りません。多種多様に広がる色彩の世界に迷い込むのも、楽しみの一つです。
　絵具の染色度合いも示しているのは、水彩画の代表的な技法であるウェット・イン・ウェット技法やリフトアウト技法を使うときに影響するためです。これらの技法については、ここでの記述のほか、後の章も参照のこと。

ニュートラル・ティント PBk6 PB15 PV19　この不透明な染色系の黒は、任意の色を落ち着かせたり、深い黒を塗るために使用できます。

ペインズ・グレー PB29 PBk9 PY42　低染色系、半透明、寒色系の青と黒のミックス。黄色に影をつけるために使用しないでください。緑色になってしまいます。

ブラック・トルマリン・ジェニュイン　汚れのない、透明な温かい灰色（デイビス・グレーに似ていますが、耐光性があります）。

シャドウ・バイオレット PO73 PB29 PG18　低染色系、透明な紫青黒のミックス。この造粒絵具は、驚くほど美しく乾きます。影をつける色として重宝しています。

ブラッド・ストーン・ジェニュイン　温かみのある灰色に希釈される、汚れのない透明な紫がかった茶色。濃いパープルブラックをより濃い色にします。

ロウ・アンバー PBr7　低染色系、半透明、深みのあるクールブラウン。

バーント・アンバー PBr7　低染色系、半透明、温かみのある茶色。

イタリアン・バーント・シエナ PBr7　非染色系、半透明の赤茶色。

モンテ・アミアータ・ナチュラル・シエナ PBr7　低染色系、透明、温かみのあるライトブラウン。

バフ・チタニウム PW6：1　非染色系、半透明の淡い黄褐色。茶色の鳥の明るい部分を塗るのに私のお気に入りの色の一つ。

ペリレーン・グリーン PBk31　濃い黒を混ぜるために使用できる中染色、半透明、濃い緑色（私の必携色）。

アンダーシー・グリーン PB29PO49　中染色、半透明、強烈な鈍い緑茶色のミックス。落ち着いたオリーブドラブ（緑色と茶色の中間の色）にあせていきます。

フッカーズ・グリーン PG36 PY3 PO49　低染色、半透明のグリーンの混色。他の緑色を混ぜるためのよい起点になります。

クロミウム・オキサイド PG17　低染色、不透明なオリーブグリーン、セージや緑がかったウグイスに適しています。

サーペンティン・ジェニュイン　非染色、半透明で、暖かく、にじみに適した造粒顔料の緑。

リッチ・グリーン・ゴールド PY129　非染色、透明な黄緑色で、他の緑色との混合に適しています。

フタロ・イエロー・グリーン PY3 PG36　中染色、透明、鮮やかな黄緑色のミックス。絵具が希釈されるにつれて、黄色がよりはっきりと見えます。

フタロ・ブルー（グリーン・シェード）PB15　高染色、透明な一次シアン。少量で足りるので注意してください（私の必携色）。

マンガン・ブルー・ヒュー PB15　低染色、透明度の低いフタロブルーの代替品で、色が濃くないので、きれいにリフトアウトできます。

コバルト・ブルー PB28　低染色、透明な青。

ウルトラマリン・ブルー PB29　中染色、透明で温かみのある青。

インダンスロン・ブルー PB60　中染色、透明で温かみのある濃い青で、筆に濃く乗せて使うと、ほとんど黒に見えます。

ジオキサジン・バイオレット PV23　中染色、半透明の紫色。

ナフタミド・マルーン PR171　低染色、半透明、鈍い茶色がかった紫色。明るい色相を中和するのに適しています。

キナクリドン・ピンク PV42　中染色、透明感のある原色のマゼンタ。原色のマゼンタとして使うとよいでしょう。透明感のあるピンクに発色し、混色すれば赤・紫になります。

ピロール・レッド PR254　中染色、半透明、強烈な消防車の赤。

キナクリドン・シエナ PO49PR209　低染色、透明なオレンジブラウン。

パーマネント・オレンジ PO62　低染色、透明な濃いオレンジ。

キナクリドン・ゴールド PO49　柔らかな金色に希釈される、低染色で透明な黄褐色の顔料。

ニュー・ガンボージ PY153　低染色の透明な黄色。水彩絵具を混色すれば、茶色がかった色から温かい黄色まで変化します。

ハンザ・イエロー・ミディアム PY97　低染色、透明な黄色。

ハンザ・イエロー・ライト PY3　低染色、透明なレモンイエロー。何か色を作るときの元になる原色のイエローとして使用します。

有毒な塗料

　顔料の中には、有毒な重金属またはカドミウム、クロム、銅、コバルト、ニッケルなどの有機化合物が含まれているものもあります。ブラシを洗ったり、筆先を口につけたりしないでください。同じ理由で、地面に水彩画の廃水を流さないでください。水筆ペンを使用し、ほろきれで余分な塗料の残留物を拭く（私は古い靴下を輪っか状に切って、手首に通して使用します）と、自然界で環境に優しい絵具の使い方ができます。

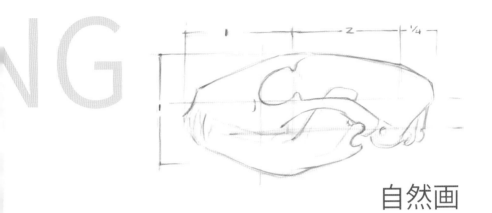

自然画

描くことは観察を深め、記憶を強化します。それは、あなたが観察する方法を根本的に変え、書くこと、マッピングすること、そして他のメモをとるスキルを、強力に補うのです。すべてのスキルと同様に、それは学べば身につくものであり、練習することで向上します。

願いから実践へのロードマップ

描くことは、ジャーナリングを補助する手段です。描くスキルを伸ばすには、自分はうまくなると信じ、意識的に時間をかけて練習し、仲間のサポートを受ける必要があります。

絵を描くことは、あなたが学ぶことのできるスキルである

ジャーナルをつくるとき、描画は、自然界での探究と経験を深めるためにたくさんある手段の一つにすぎないことを忘れないでください。きれいな絵を描くのではなく、理解するために描いてください。描く過程で何か新しい発見があれば、描画は成功していると言えます。再びジャーナルを手に取る前に、あなたの目的を見直してください。きれいな絵を描くという目標を手放してください。ジャーナルづくりを通して素晴らしいものを発見するためには、うまい絵を描く必要はありません。

絵を描く才能は神からの贈り物であり、生まれながらに絵の才能がある人もいれば、絵描きの遺伝子をもっていない人もいる、と広く信じられています。「もっとうまく絵が描けたらいいのに」と、多くの人が言うのをよく耳にします。もしかしたら、あなたも言ったことがあるかもしれません。多くの人は、描いていないだけなのに、絵が描けないと思い込んでいます。その考えとは対照的に、世界中の美術教室やスタジオで毎年繰り返される経験があります。自分は「直線を描く」ことすらできないと言う人々が、スキルとして描くことにアプローチし、それを繰り返し練習することで、気がついたときにはうまく描けるようになっているのです。絵を描くことはスキルであり、天賦によるものではありません[1]。もしあなたが描画を上達したければ、それは可能です。ただ、自分は描けると信じる必要があるだけです。

> ただの練習では完璧にはなれない。完璧な練習だけが完璧を可能にする。
> —— ヴィンス・ロンバルディ（アメリカン・フットボールの伝説的コーチ。1960年代のアメリカで活躍し、国民的な人気を得た。そのコーチング哲学から生まれた数々の名言がある）

まだ定期的に描いていない場合、スキルを磨き始めるのは怖いものです。多くの人が小学生のとき、だいたい3年生くらいで絵を描くのをやめます。一方、描き続ける人たちの能力は向上し続けます。数年後、絵を描き続けた人とやめた人の能力には、「絵を描く人」が特別な才能をもっているように見えるほどのギャップができます。実際、そうではありません。彼らはただ、たくさん描いたということです。

描く方法を学ぶには、たくさん描いてください

絵を描くクラスを受講したり、スケッチの本を購入して練習を始めたことがあっても、1か月後に絵を描いていない、なんてことはありませんか？　もしそうなら、あなたは一人ではないことを思い出してください。ほとんどの人は、上手になれば自然にたくさん描け

るようになるという仮定に基づいて、絵を描く方法を学び始めます。これは、逆です。定期的に絵を描く習慣を身につければ、上手になるのです。

私たちは習慣の生き物です。昨日ジムや散歩に行かなかったとしたら、今日も戸外に出るのは難しいでしょう。それは絵を描くことや、他の練習でも同じです。スケッチのクラスに申し込む前に描くことを習慣にしていない場合、クラスを受講し終えた後も、習慣になっていない可能性が高いです。

私が一緒に仕事をしたほとんどの大人は、定期的に（週に3～4回）絵を描くようになって1年以内に、自分のスキルがしっかりと伸びていることに気づきました。新しいスキルを学ぶ最初のステップでは、もどかしさを感じるかもしれません。絵を描くことに身を投じてから最初の数か月は、最も苦しい時期でしょう。すぐに改善が見られない場合でも、落胆したり、やめたりしないでください。やめると、うまくなりません。

上達する一歩手前にいるときこそ、不満を感じやすいものです。これは、次のレベルで何ができるかを思い描くことができるのに、まだ技術がその段階に到達していないために発生します。不満を感じるときは、充足感への手がかりなのだと、その不満を受け入れてください。その不満が告げているのは、あなたが新しいレベルのスキルを習得し始めているということなのです。

意識的に練習する

自分の能力が向上し始めたら、意識的に練習し始めましょう。「意識的な練習」とは、振り返りとフィードバックへの対応のための明確な手順をもって、スキルを練習することです。すべてのスケッチから学び、図やスケッチのどの部分が最も成功しているかに注意を払い始めましょう。「このイラストのどこがいいのか？　なぜ？」と自問してみてください。使い続けたいトリックやテクニックに集中し、自分の強みを活かしてください。次に、「この図やスケッチのどの部分を改善できるか？」と自問してください。さらに、「どうって？　どんなテクニックがあれば、私が見ているものをよりよく表現するのに役立つだろうか？」と。

絵を改善するために振り返ることは、内なる批評家の餌食になることとは異なります。「あなたはシカを描いているのですよね？」と、批評家は言います。「それはシカのようには見えません。頭が大きすぎます。優れたアーティストはそんな間違いを犯しません。あきらめなさい」。内なる批評家は、絵の肯定的な部分に焦点を当てるのではなく、改善が可能であることを否定しながら、理想的な成果物に達していないものとして、その絵の欠点ばかりに目を向けます。絵を眺めるときは、単に気に入らない点を注意する以上のことをしましょう。そのシカの頭を体に対して、大きく描きすぎましたか？　それなら、このように考えましょう。「今度は、早い段階で自分の絵の比率を確認することを忘れないぞ」。

　私自身の作品では、こうした意識的な練習の影響が徐々に大きくなっていることがはっきりとわかります。2003 年に、私はシエラネバダ山脈へのフィールドガイドのためにオオバンを描きました。その時点では、その作品が、私が描ける最高のものでした。その作品には、表現したい対象の特徴を描き切れていたので、私は満足していました。2011 年に、私は別のプロジェクトのためにオオバンを再度描きました。最初の絵を再利用することもできましたが、あれから 5 年以上練習してきたし、数千もの絵を描いた後でしたから、私はより優れた描き手になっており、前の作品に満足できませんでした。二つの絵を比べてみてください。あなたは、私のスケッチ能力にどのような変化を見ますか？　どちらの絵も完成までに同じくらいの時間をかけました。自分の練習を振り返り、スキルを向上させるためのテクニックを探し続けたからこそ、上達したのです。

好きなアーティストの技を盗む

　スケッチスキルを強化して向上させるには、この本の残りの部分で説明する方法を使ってみましょう。より多くのインスピレーションを得るために、他のアーティストの作品を見て、あなたが取り入れられる彼らのテクニックを見つけてください。他のアーティストの作品を見ているときは、彼らができて、あなたができないことに落胆しないように注意してください。

　その代わりに、あなたを興奮させたり刺激したりするアートに出会ったときは、畏敬の念を抱き、感動を引き起こすテクニックを盗んでください[2]。「なんと素晴らしい絵なんだ！」と言うのではなく、「さて、ビル・ベリー、この絵であなたはどんなことをしているのですか？　雄鹿の枝角には輪郭の陰影があり、それは私が形を認識するのを助けます。線の太さの変化も同様です。枝角の先端は幾何学的な形に単純化されており、目と鼻孔の周りの構造を示しています」と言ってください。具体的に、盗めるテクニックのリストを作成するのです。

　死んでいるか生きているかを問わず、アーティストを作業場に招待して、絵を描く方法を教えてもらうのです。好きな絵を模写してみましょう。一本一本の線に至るまで丁寧に。作業中、その作品を通してアーティストがどのように描いたのかを推測し、いま初めて描かれているかのように、それを再び作り上げてみましょう。たとえ、あなたが複製したものが元の作品のように見えなくても、あなたは新しいテクニックを学ぶことでしょう。これはあなたの創造性を低下させるものではありません。それどころか、他人の目を通して見ることは、あなたに新しい視点を与え、新しいアプローチを吸収すれば、すでにもって

いるスキルも向上するのです。

コミュニティーで仲間を得る

　自分の練習を一人で振り返り、他のアーティストの作品を見ることは、技術向上に役立ちます。しかし、私たち人間は社会的な生き物であり、他者と一緒に物事を行うのが大好きです。ダイエットを続けたり、運動したりするときは、他の人と一緒にやると続けやすくなります。教師、コーチ、または協力的な仲間たちと一緒に取り組めれば、なおのことでしょう。同じように、ワークショップやサークルなど、より広いコミュニティーの中でネイチャー・ジャーナリングをすることで、成長が加速します。

　ジャーナリングを家族で出かけるときの大切な活動にしたり、ホームスクーリング〔学校に通わず、家庭で保護者が教師役となり、学習を進める教育方法〕のカリキュラムにすることを検討してください。成長の勢いを維持するには、ネイチャー・ジャーナリングの愛好家の集まりなどに参加するのも手です。これらのグループはアメリカなら全国にありますが〔日本には、2018年から日本ネイチャー・ジャーナル・クラブがある〕、近くにグループがない場合は、独自のグループを立ち上げてもよいでしょう。定期的な集まりにすれば、メンバーは各自の予定に組み込みやすいです。集まるたびに場所を変更し、様々なテーマや探究の枠組みを決めて、その都度、変化させていきましょう。Meetup〔地域コミュニティーや趣味をきっかけにオンライン・オフラインで集うサ

イト。日本ではマイナーながら、オンラインイベントを中心に使われてもいるようだ〕やFacebookなどのソーシャルメディアを使用するか、地元の画材店、ネイチャーセンター、美術館に案内を出して新メンバーの勧誘をします。ランチを持ち寄ったり、交流会も設けましょう。

　それぞれの散策の途中と最後に、開いているジャーナルをテーブルで共有します。それから他の人が同じ場所で見た出来事や特徴を記録して説明した方法に注目するよう、参加者に促します。きれいな絵やイラストを鑑賞するだけでなく、お互いに観察や記録についてのアイディアを交換できる機会として利用してください。

ジャーナリングの一日を始める

　スケッチを始めるときは、どうしたら集中し続けられるか、気が散ってしまう原因は何か、を考えてから取り組みましょう。きれいな絵を描くのに夢中になって、その場から気持ちが離れ、しっかり観察することをやめてしまったら意味がありません。

　一日のうちで、最初の一枚を描き始めるまでが、一番大変かもしれません。多くの人（私

を含む）は、ジャーナルをハイキングに持っていきはするのですが、一度も手にとらないこともしばしばです。一日のある時点でジャーナルを開いていないと、こんなふうに言うのが関の山です。「ああ、ちゃんとジャーナリングをすればよかったのに、素晴らしいものをすっかり見逃してしまった上に、すぐに何もかも忘れてしまう」。私たちはある一日の途中であっても、習慣に導かれる生き物なのです。ジャーナルを取り出して探究を開始すれば、そのまま続けて、やがて発見に満ちたページを仕上げることでしょう。最初のページの最初の書き込みが、すべての違いを生みます。野外に出かけたら、何よりもまずジャーナルを取り出し、場所、日付、天気を書きます。これにより、描きたいことが思い浮かんでくるでしょう。

初日の、それも最初の一つか二つのスケッチは、大変かもしれませんが、その苦しさに負けないでください。パンケーキの試作品と同じだと考えてみましょう。最初に焼き上がったものは、作り方に関係なく、たいてい失敗作です。経験豊富な料理人は、パンケーキをこんなふうに無駄にすることが、より出来映えのよいパンケーキのための道だと知っています。これと同じことが、スケッチにもいえます。つまり、最初のスケッチが、思いどおりにできあがることを期待しないでください。

あなたはあなたの目、頭脳、そして手を連動させる必要があります。ウォーミングアップとして、思い切っていくつかの絵を描きます。きれいに描けると期待しないでください。意識を集中させて、観察するべき興味深い対象を選びます。その後に、説明書きと側面図を追加します。とにかく描いてしまえば、その後も描き続けることが約束されます。

> 発見という名の航海の本質は、新しい風景を探すことではない、新しい目でみることなのだ。
>
> —— マルセル・プルースト

フローに乗る

フローとは、集中力、創造性、パフォーマンスが向上した状態です。無料動画配信サービス TED トークの「フロー、幸福の秘訣」〔日本語の字幕付きで見られる〕の中で、ハンガリー出身のアメリカの心理学者ミハイ・チクセントミハイは、フローの状態を「自分が、いましていることに完全に身を委ね、意識を集中させている状態」と説明しています。アーティストやアスリートは、この精神状態を、時間の感覚が消え去り、自分の意識や感覚がすべて、課題や過程そのものに溶け合って集中できる状態だと言います。「ゾーンに入る」と呼ばれることもあります。

フローに入っている状態の脳は、目の前の課題により多くの注意を注ぐので、結果、最大の生産性につながります。チクセントミハイによると、人間の脳は1秒あたり約110ビットの情報しか追跡できません。一人の人が話すのを聞くと、約60ビットが使用されます。そのため、二人が同時に話していることを理解したり、一度に多くのタスクを効果的に完了したりすることは困難です。フローの中で、脳は前頭前野の一部、つまり自己調節を担っている脳の部分を一時的に遮断します。こうすることで、最大の集中力と創造性に

つながります。

　チクセントミハイは、「新しいものを創造する、とてつもなく魅力的な過程に本当に没入しているならば、身体の感覚や問題を心のどこかで監視する意識はもう残っていません」と述べています。フローは、ビデオゲーマー、レストランで一品目の注文だけを担当する料理人、超人的なアスリート、その他の生産性が高いパフォーマンスをもつ多くの集団で調査されてきました。フローの状態にある経営幹部について調査してみると、生産性が5倍に向上することがわかりました[3]。

　ジャーナリングの途中で、私はこの状態を定期的に経験します。集中力、好奇心、発見は、書くこと、描くこと、観察することの仕組みと融合しています。その結果、五感を駆使して、自然界をすべてそのまま見て、聴いて、感じ取ることができ、さらにはその体験を紙面に完全に表現することができます。フローの中で、内なる批評家の本拠地である脳の一部分は、一時的に遮断されます。「あなたにはできない」という声は沈黙し、創造性が解き放たれるのです[4]。

　ネイチャー・ジャーナリングを始めるときは、フローに入っていくために、私は自分の観察を言葉で表現することから始めます。ジャーナルの重さを手に感じ、シャープペンシルをノックして、日付と場所を書く準備をします。ブルーペンシルを持つと、私は、ゆっくりと深呼吸し、目の前にあるものの形に集中するように導かれます。きっかけとなる、こうした単純なアクション（フロー・トリガー）は、定番行動（ルーティン）となって、フロー・ジャーナリングをする状態へと、私をしっかりと導いてくれます。

　スティーブン・コトラーは、パフォーマンスの高いアスリートに関する研究で、フロー状態を促進する要因を特定しました。私のルーティンもその一例ですが、分野ごとにそれぞれ共通のフロー・トリガーがあります。ジャーナリングの過程で、確実にフロー状態に入る方法を学ぶことができます。どうすればジャーナリングが有意義なものになるか、何をすると集中が削がれるのか、じっくり考えてみましょう。あなたを集中させてくれるルーティンを決めましょう。次のフロー・トリガーのいくつかを試して、何が効果的かを確認してください。

自分に適したフロー・トリガーとは

・意識を集中させましょう。気を散らすものをあなたの心から一掃し、観察するプロセスに集中してください。集中力を高めるために、1分でもいいので、深く深呼吸しながら瞑想してみましょう。

・自分の目標を明確に思い描きます。ジャーナリングは、世界をより深く観察すること、あなたが見ているものを記憶しておくこと、そして世界に対するあなたの好奇心を高めるためにあります。この瞬間に豊かに生きることです。その一瞬は、二度と来ることはありません。上手な絵を描くという目標を捨て去れば、その一瞬は、おのずと生まれるでしょう。

・意識的な練習と振り返りに取り組みます。新しい発見をするときは注意を払い、メモ、スケッチ、疑問によって、祝福とともに迎え入れます。観察を手順通りに行い、有意義なものになっているか常に気をつけましょう。うまくいっていることは何ですか？　それをもっとやりましょう。邪魔になっていることは何ですか？　それを少なくしてください。

・自分自身に挑戦することと、自分の強みを発揮することのバランスを見つけます。無理をしすぎてはだめですし、努力せず、ふんぞりかえるのもだめです。少し汗をかく程度の、圧倒されないような挑戦に取り組むときが、最高の状態になるでしょう。やりすぎになりがちな場合は、少し後退して挑戦の一部に集中して、取り組んでください。逆に、楽をする傾向がある場合は、自分自身を快適ゾーンの端まで押し出してください。

・豊かな環境で探索します。自然は、多くの驚きを伴う複雑なシステムです。周囲の豊かさに気づけたとき、私たちは世界の目新しさ、複雑さ、そして美しさに畏敬の念を抱きます。不思議を見つけるために、タンザニアのセレンゲティ国立公園に行く必要はありません。草の茂みの複雑さに夢中になれば、それはあなたに秘密を見せてくれることでしょう。

・すべての感覚を使って観察します。何が見えますか？　何層の音が聞こえますか？　においを説明してください。石や葉っぱの端を指先で触るか、優しく頬ずりします。この環境でのこれらの経験をどのように感じますか？　すべてに注意を払ってください。

　常にクリエイティブでいてください。あなたの個性、独創性、そして創意工夫を全開にして、あなたのジャーナルのページの上で戯れてみましょう。芸術と科学の営為は、どちらも非常に創造的です。

大きな視点を忘れずに

　次のセクションのツールとテクニックは、スケッチのスキルを高め、自分が見ているものをより正確にページに記すのに役立ちます。しかし、描くためではなく、学ぶために描いていることを忘れないでください。そうしないと、野外で自分の周りで起こっていることを見逃してしまう可能性があります。スケッチへの不満に気づいた場合は、観察を記録することに戻ってください。深呼吸します。あなたの周りの美しいものを探して、観察を続けてください。

描き方

花、木、鳥を描くために、別々の方法を習得する必要はありません。スケッチの一般的な方法は、あらゆる題材に適用できます。

あなたが惹かれたものを示し、あなたが見ているものを描く

　絵を描くことで対象を深く考えるとき、ごくささやかな、美しい不思議な瞬間に気づいてください。あなたの心をドキドキさせたり、笑わせたり、ワクワクさせるものに注意を払ってください。動物の首筋ですか？　群れの動きですか？　花びらの色がマゼンタからバイオレットに変わる様子ですか？　こうした瞬間を大切にしながら、一瞬一瞬をあなたのジャーナルに記録してください。そのスケッチが、あなたの興味・関心を反映していればいるほど、より大切な宝物になるでしょう。

　完璧な視力をもつ必要も、羽の重なり方について百科事典レベルの情報を記憶する必要も、または、野外でのスケッチ作成のための高価なレンズ機材も必要ないのです。あなたが見たものを、描いて、記録すればいいのです。目、足、翼、または耳が見えない場合は、それを補って描いてはいけません。そのままにしておくことです。遠くの鳥や逆光の鳥を見ている場合は、市販のフィールドガイドのような描写をしようと思わないでください。代わりに、小さなシルエットを見えた通りに描きます。そこに「あるべき」と思うものを追加し始めると、あなたのスケッチは、経験の記録ではなく、ただのいたずら描きになってしまうでしょう。

　ある日の午後、私は地元の湖に行き、数人のナチュラリストの友人と、スケッチとジャーナリングをしました。仲間の一人が双眼鏡を忘れていたので、彼女に私のものを貸しました。丸太の上で鵜の群れが羽繕いしているのを見つけ、座り込んで観察とスケッチをし

P.C. Cormorants
ミミヒメウ

羽を乾かしにおでかけ

ました。友人は双眼鏡を通して、翼と頭の拡大図を描きました。レンズがなくても、私はまだやることがたくさんありました。私は鳥を見ながらスケッチしました。細部はなく、影になっている姿だけですが、丸太に沿って一定の間隔が空いています。彼らが羽をきれいにし終えたとき、私は彼らの姿勢、角度、そして、くねった曲線に魅了されました。観察用望遠鏡を持つ別の友人は、鵜の青緑色の目に心を奪われました。経験の中身は、人それぞれです。それぞれに、豊かな学びや発見があります。あなたに与えられたもので、行えばいいのです。

　次の節では、スケッチをする際の私のやり方について説明します。その後で、テクニックとデモンストレーションの説明を伴って、各ステップを詳しく紹介します。

作業の順序

　この「作業の順序」は、野外、または自宅で、様々な対象を描くときの私のやり方です。

1. 描く前に、よく見る。

2. 基本的な形を、薄く、大まかに描く。

3. 手を止めて、全体のバランスを確かめる。

4. 対象の輪郭を描く。だんだんと太く、しっかりした線にする。

5. 明暗と色味を追加する。

6. 中心となる部分と前景に、細部を追加する。

7. スケッチに描き込みすぎる前にやめる。

1．描く前によく見る

　スケッチの最初のステップは、深い観察です。正確に描くには、最初に目の前にあるものを確認する必要があります。どのように見えるべきかという先入観は捨てましょう。頭の中にある映像は、細部が不正確であることがよくあります。それは、あなた自身のせいではありませんが、おそらく、その日ならではの状況にある対象に、まだあなたが本当の意味で出会っていないから、頭の中の映像を優先してしまうのです。頭の中にあるものではなく、目の前にある対象を描くのを手助けするために、観察結果を声に出して、驚きを探してください。対象のどの部分が、予想と違っていますか？　それらの観察結果を言葉にすることによって、あなたの脳は新しい情報を受け入れ、あなたは、ページにその情報を描き込むことができるようになるのです。

2．基本的な形を、薄く、大まかに描く

　描き始めはまず、対象の基本的な形を、薄くゆるやかな鉛筆使いで、大まかに捉えます。この時点での線は、最終段階のスケッチの線ではありません。代わりに、まだ一つに定まっていない輪郭線の中には、その対象の様子が、対象の傾き具合、比率、角度や向き、および基本的な形によって示されています。薄くてゆるい線のおかげで、後から取捨選択ができます。準備ができたら、自分が見ているものを最も正確に表すように、はっきりと線を描いていきます。

　描こうとする対象の傾き具合、プロポーション、各パーツの角度を確認するために、私はやり方を二つ用意しています。一つ目は、対象の構造をよく調べること、つまり、その対象の造形や特徴といった解剖学的知識をすべて駆使して、目の前にあるものを理解することです。例えば、植物の場合なら、具体的には、葉の配置に意識を集中させたり、花びらを数えたりします。二つ目の方法とは、今度は逆に、対象の細かい構造は気にせず、対象を全体として捉え、いろいろな部分が組み合わさって一つになっている有り様を、紙にそのまま写しとることです。ほとんどのスケッチにおいて、この二つの方法を使い分けながら、パーツごとに基本的な形を大まかに描きます。

ブルーペンシルで大まかな輪郭をスケッチして、傾き具合、比率、角度を捉える。

補助線に重なるように描き込み、ボリューム感、質感、そのほか細部を加える。次に、各パーツが、ブルーペンシルの輪郭で浮かび上がっている全体の形と、バランスが釣り合うように意識しながら次々と描く。ここでは画面全体を見るのではなく、小さい部分だけに集中すること。

3．全体のバランスを確かめる

　次に、全体のバランスを確かめながら、スケッチの個々の部分が正確な大きさか確認します。この重要なステップは、とかく見過ごしがちです。スケッチを終えて、比率を変更するのに手遅れにならないように気をつけましょう。私は常に、このバランスと比率を何度も確認しつつ、いつでも修正できるように、細くゆるやかな線でしばらく描いていきます。その後、やっと、鉛筆線を太く引き始め、自分のスケッチを仕上げていきます。

この絵のどこが変でしょうか？

細部はいいけれど、比率が
おかしい……。

このトカゲは、細かい部分はきれいに描けているが、足が大きすぎるし、胴体も短すぎる。プロポーションをチェックしないとこうなる。特に、最も興味を引かれる部分を大きく描いてしまいがちだ。描き終わって、全体を見直して初めて、何かがおかしいことに気づくというわけである。

4．対象の輪郭を描く。だんだんと太く、しっかりした線にする

　このステップは、ほとんどの人が「絵を描く」こととして考える作業のことです。すなわち、対象の姿形を、鉛筆の線で、はっきりと描くことです。しかし、このステップの前に何を行ったのか振り返ってみましょう。基本的な形状をパーツごとに注意深く観察して作り出した、輪郭のラインがあるからこそ、やっと慎重にスケッチを始められます。太い鉛筆線を引くときは、最も正確な線を強調し、自分のスケッチが正しい比率で仕上がるという自信をもってください。

5〜7．明暗、色味、細部を追加する

　明度、つまり明暗（濃淡）の範囲によって、スケッチがはっきりと目に映り、色を塗る以上に、形が浮かび上がります。すべての色には明度がある（黄色は明るい、赤は暗い）ので、描くときには、明度と色味を一緒に考えてください。

　細部を描くことでスケッチは生き生きとしますが、作業が終了するまで描き込むべきではないし、やるとしても、ごく慎重にしてください。スケッチをリアルにするために、細部を隅から隅まで描く必要はありません。スケッチの前景や、注目してほしい他の部分の細部を描き込みます。やたらと細部を追加して、スケッチに描き込みすぎないでください。

　次の実演ページではこれらの手順を連続して示し、さらにその次は、各手順について詳しく説明します。

マウンテン・ライオン —— スケッチプロセスの概要
〔大型のネコ科の野生動物で、クーガーやピューマとも呼ばれる〕

ここでは、スケッチ作業の順序を示します。まず、基本的な形を大まかに、次に形状を細かく描き、色の明度調整、細部の追加をします。そして、水彩絵具で透明な陰影を加えてから、ガッシュで不透明なハイライトを入れます。

1 顔の中心線を含む頭蓋骨の形を、大まかに描きます。

2 目、鼻、口がすべて同じ向きになるように、平行線を使って顔の対称性を大まかに捉えます。

3 顔、額、鼻、歯、顎の中央線の対称性を考慮しつつパーツごとに分けて描きます。

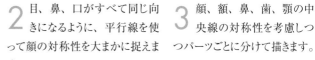

4 別の水平線を使って、眼窩を示す線を描きます。奥にある眼窩の線に遠近を加えます。

5 顎と頬骨の角度を、別の曲線で書き込みます。

6 ブルーペンシルで描いた輪郭の上に、細かい形を追加します。ここでは、鉛筆書きの線、ネガティブ・スペース（P.158 参照）の形状と顔のパーツに集中します。

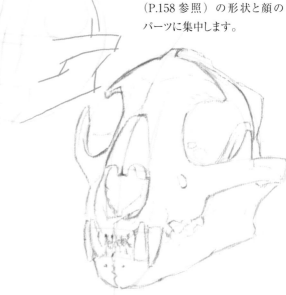

ブルーペンシルの線が見えていますが、コピーしたときはほとんど表示されません。ここに示された青い線はみなさんに見えやすいように強調したもので、実際の絵の線よりもはるかに濃いです。

7 線画を洗練し、殴り描きの線を消去します。主要な特徴を濃くして手前側の線をはっきり目立たせます。

8 輪郭に表れる影を、3〜4段階の濃淡で表します。

9 細部を追加して鉛筆画を完成させます。薄暗い部分と割れ目に質感を追加しましょう。

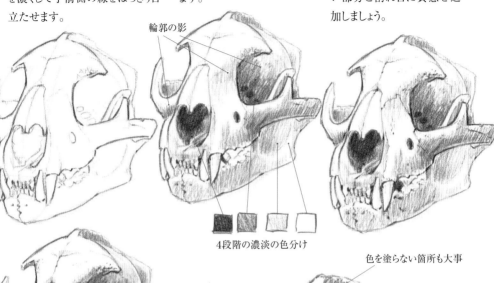

輪郭の影

4段階の濃淡の色分け

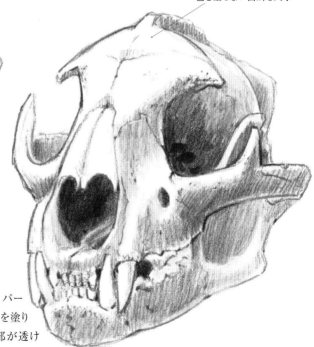

色を塗らない箇所も大事

10 絵を鉛筆画としてここで完成とみなすか、水彩で色を追加することで、影を濃くして統一感を出してもいいでしょう。水彩でつける影の部分は、鉛筆の線画が透けて見えます。

11 一番光を反射する面には、パーマネント・ホワイトのガッシュを塗ります。その際、元の紙の色の一部が透けて見えることを確認してください。表面全体を絵具で覆わないようにしましょう。紙自体の色合いは、あなたがつけた色の濃淡と調和していなければなりません！

153

描く前によく見る——構造と形

対象を見て単純化する二つの方法を考えてみましょう。一つ目は、体の解剖学的構造の理解を基礎とする方法です。二つ目は、体がどのように組み合わされているかに関係なく、体の角度と形状に焦点を当てていきます。

二つの見方

　私は対象を見る際、二つの連動するアプローチを使います。一つ目は、その構造を研究することです。植物に関していえば、葉の配置を観察したり、花びらを数えたり、花の構造の背後にある単純化された幾何学的な形状を見つけたりすることです。哺乳類では、関節の位置、脚の比率、または毛の模様を観察することも入るかもしれません。鳥の解剖図、キノコのカサの裏の構造や、シカの後肢の骨がどのようにつながっているかを理解すればするほど、見やすく、描きやすくなります。水鳥の解剖学と羽毛を研究したことがあるなら、カモを横から見るのは、スケッチの構造的アプローチへの入り口であるといえるでしょう。

カモの骨格を理解すると、それを見て紙に描くのに役立つ。この種の分析は、カモについて学ぶにつれてさらに向上し、カモがなじみのある体勢をとっていると、より容易になる。

頬（頂点部分に目が来る）

折り畳んだ首、S字にくねる

脇腹の羽毛

短く上向きの尾

胸部は水中にある（胴体の1/2が水に沈んでいる）

　二つ目のアプローチは、解剖学的構造を見るのは止めて、一連の連動する形状として対象に焦点を合わせる方法です。三次元の対象を見て、それを面として捉えてから、対象をいくつかの幾何学的形状に分割して、紙に描き写すのです。近くの立体対象を見るときは、片目を閉じるといいでしょう。一眼の望遠鏡であるスポッティング・スコープを使うと、対象の一つの角度しか見えない上に片手は自由になるため、双眼鏡よりも楽にスケッチできます。スケッチブックの上では、対象を一つずつ再構成して全体に戻します。このアプローチは、対象の構造を理解できない場合には、非常に重要です。例えば、睡眠中のカモは、頭を捻って胴体に埋もれさせていて、首も背も、どういう仕組みになっているのかを理解するのは難しく、見たままの形に分解するほうが簡単です。この方法は、丸まった葉

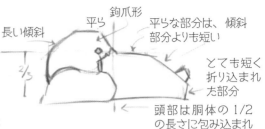

眠っているカモの解剖学的構造を理解すること
は、特に難しい。ここでは、体の形と角度、お
よび、ある形と別の形の比率の分析に焦点を当
てるとよいだろう。頭ではなく、鉤爪形の多角形
を見ていると考えるのである。

長い傾斜

平ら

鉤爪形

平らな部分は、傾斜
部分よりも短い

2/3

とても短く
折り込まれ
た部分

頭部は胴体の 1/2
の長さに包み込まれ
ている

や複雑に巻きついた花びらを描くときにもうまく機能します。どんな対象でも、パーツの
組み合わせとして考えることができるのです。

　アーティストは、このカモの茶色、黒、白の羽の部分を「ポジティブ・シェイプ」と呼
びます。カモの頭、胸、側面としてではなく、平面の多角形として抽象的に見る方法を学
びましょう。そうすることで、カモの頭はどのように見えるはずかという知識で圧倒して
しまうのではなく、実際の形状を確認できます。カモの背景である水面の形そのものを見
てください。水面部分を見ると、背の部分に角が飛び出していることに気がつきますね。
体の細部を省いて考えれば、これらの角度がよりわかりやすくなります。これが、アー
ティストが「ネガティブ・シェイプ」と呼んでいるものです。カモ以外を見ると、カモの形
がわかります。初心者と経験豊富なアーティストで、図形を見る方法の最大の違いの一つ
は、訓練を受けたアーティストは、ネガティブ・シェイプをより頻繁に探して活用してい
ることでしょう。

　ほとんどのスケッチでは、構造と形状の両方を使います。構造の一部がわからないとき
は、形を捉えることで乗り切れます。目立つ部分がほとんどなくて全体像を作れない場合
は、骨格を手がかりにしてみましょう。

分解して描く① アーティストのように考える方法

アーティストは、見たものを紙の上に収めるためには、形、角度、線、平面をどのように捉えればよいのかを心得ているものです。これらは個別の練習として便利ではありますが、もっと重要なのは、スケッチの方法自体に取り込めることです。

　アーティストは、自分が見たものを紙に表すためにあらゆる手段を使います。そうしたテクニックを学ぶと、スケッチがはるかに容易になります。すでに絵画を学んでいる人も、絵を処理するこれらの様々な方法を、最大限に活用しているかどうかを振り返ってみましょう。ここに紹介している中で何か新しいものを見つけたら、それを試して、自分のスケッチ作成に組み込むことができるかどうかを確認してください。

　スケッチ作成の際に使える五つのテクニックを探ります。一つ目は、**輪郭のスケッチ**です。これは、対象の角度や曲線をより注意深く見るのに役立ちます。

　ジェスチャースケッチ法は、最小限の線で全体像をさっと手早く把握する方法です。ネガティブ・シェイプを観察すると、形を描くのと、物体と物体の間のスペースを確認してスケッチするのに役立ちます。どちらも正確なスケッチを作成するために重要です。**自分のスケッチを計測し、比率を確認する**ことで、後で大きな問題を引き起こすかもしれない微妙な間違いを把握できます。最後に、**構造図を作成**すると、対象を三次元で視覚化し、見えていない部分の位置を合わせるのに役立ちます。

輪郭スケッチ

　何かを正確に描く際に最も大切なのは、注意深く観察することです。多くの場合、私たちは、自分が見ているものを受け入れるのではなく、それがどのように見えるべきかというイメージに依存してしまっています。輪郭のスケッチは、対象を見るように自分を訓練する最も効果的な方法です。

　ブラインド輪郭スケッチの重要な点はスケッチすることではなく、見ることです。それはあなたの目とあなたの鉛筆の関係を訓練する、楽しいエクササイズです。あなたの前のテーブルに、何か面白い物を置いて座ってください。対象をじっと見つめ、紙を見ずに、対象から目をそらさずに、ゆっくりとその形を描き始めます。対象の輪郭をなぞるように、ゆっくりと見つめていきます。そうして、あなたが見ている曲線と角度に従って、手を上へ下へと動かしながら、（目は対象からそらさずに）鉛筆を紙の上に滑らせます。角度が変わるたびに、鉛筆もそれに合わせて向きを変えます。鉛筆を持ち上げたり、紙を見下ろして鉛筆の位置を確認したりしないでください。ゆっくりと行いましょう。

　描き終わったら、紙を見てみましょう。結果は笑いを誘い、かつ魅力的なものになっているはずです。あなたの線の中で実際の対象の微妙な変化や特徴を示している箇所を探してください。次に、この方法を使って、異なる対象で20回、練習してみましょう。やがて、目が見るものに反応するように、あなたの手は訓練されていくでしょう。

ブラインド輪郭スケッチ

修正された輪郭

　輪郭スケッチの修正は、ブラインド輪郭の練習で養った観察力を活用して、描いている対象に、より近づけることができます。プロセスは同じですが、今回は、気になる所だけをよく見て、鉛筆で修正し、また別の所を修正するだけでいいです。ときどき、線の間隔とサイズを相互に関連づけるために、力を抜いて紙を眺めてもいいですが、輪郭スケッチのエネルギーを維持するために、線を描くときは対象から目を離さないでください。

ジェスチャースケッチ法

　完全な円を描きたいですか？　一枚の紙に、今すぐ一本のきれいな線で円を描いてみましょう。おそらく偏っているか、不均一になります。円を描くのは難しいものです。私もできません。もっと簡単な方法を試してみましょう。軽く、ゆるく円を描きます。少し偏っていても大丈夫です。次に、消さずに、軽く、重ね描きをしながら、欠点をいくつか修正します。5つまたは10の円を重ね、丸みをゆっくりと修正します。正しい線を描く感覚が徐々に生まれてきま

　一本のくっきりとした線で円を描くと、偏った形になりやすい。

　代わりに、細い線から始めて、その上に描き続け、線や曲線を追加して、間違いを修正する。あなたが一番好きな線を補強しよう。

157

す。その感覚に合わせて、少し線を太く描き始め、円の形を補強します。やがて、ページに完全な円が現れます。

　重要なのは、軽く描き始めて、たくさんの線を描き、より適切な線を見つけて補強することです。曲線を描いたり、他の線に重ねたりを薄い線で続けることによって、あなたの脳に線の可能性を選ばせましょう。大胆で硬い線から始めると、たとえ間違っていても、その線を描き続けなければと感じてしまうでしょう。描く対象がなんであれ、まずは、このアプローチを試してみてください。

ジェスチャースケッチ法

全体的な形を囲むように、薄くざっくりとした線から始める。最初からそれを正しく描く必要はない。パテのようにスケッチを成形するときは、薄い線を追加し続ける。

濃く描くのは最後だけにして、適切だと思う線を補強する。

ネガティブ・シェイプ

　ネガティブ・シェイプは、スケッチしている対象の間に浮かび上がっている形のことです。例えば、頭蓋骨のような対象を描く際には、普通は上顎と下顎の形状に焦点を当てる

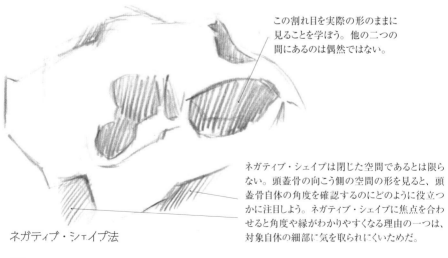

この割れ目を実際の形のままに見ることを学ぼう。他の二つの間にあるのは偶然ではない。

ネガティブ・シェイプは閉じた空間であるとは限らない。頭蓋骨の向こう側の空間の形を見ると、頭蓋骨自体の角度を確認するのにどのように役立つかに注目しよう。ネガティブ・シェイプに焦点を合わせると角度や縁がわかりやすくなる理由の一つは、対象自体の細部に気を取られにくいためだ。

ネガティブ・シェイプ法

でしょう。ではネガティブ・シェイプとは何かといえば、上顎と下顎の間の空きスペースの形状です（空間を指す場合はネガティブ・スペースとも呼びます）。顎には、高さ、幅、角度がありますが、それはネガティブ・シェイプも同じです。ネガティブ・シェイプを実際の形として描くと、顎が近すぎたり、離れすぎたりしていることに気づくかもしれません。ネガティブ・シェイプの収まりが悪い場合は、無視して先に進まないでください。それは何かがプロポーションから外れているという、重要なサインなのです。スケッチを続ける前に、何が問題かを見つけて修正してください。ネガティブ・シェイプは、アーティストの技巧において最も強力なツールの一つですが、十分に活用されていません。定期的に使えば、絵が飛躍的によくなります。

測定しながら描く

フリーハンドで模写した場合、右側の最初の形状を誤ってゆがませてしまう可能性があります。等間隔に引いた格子状の線をスケッチの上に重ねると、部分の比率が明確になります。定規や標準の測定単位ではなく、対象自体の目立つ特徴を測定単位として使用します。左の頭蓋骨では、歯から鼻の付け根までの距離を測定単位の１としました。このヤマアラシの頭蓋骨は、長さが「鼻と歯の間の長さ」三つ分で、高さが二つ分でした。

ある目立つ特徴から別の特徴に線を延ばすと、それらが交差する要素に気づくことができます。鼻の前からの垂直線は、下の臼歯の始点と交差します。下顎の後ろから頬骨の先端を越えた斜めの線が、歯の根元のすぐ上に突き出ています。片方の目を閉じて、鉛筆を直定規として対象に近づけ、直線と角度が見えるようにします。

これらの分析は、絵を書き始めるにあたり、細部を追加したり、絵の線を調整したりする前に取り入れてください。

準備ができていない場合は、一旦

測定法

159

立ち止まって修正してください。スケッチの後半で比率の問題を発見した場合、修正するには相当消さなくてはなりません。

組み合わさった図形

　対象を、相互に組み合わさっている立体的な幾何学的物体として、単純化して絵にします。対象の中も外もよく見回してみましょう。私は対象がガラスか氷でできていると想像してみます。幾何学的物体を描くときに、対象パーツが整列していることを確認するために、対象の反対側まで透かして見ます。これらの形は、影が対象全体にどのようにできるかを確認して理解するのにも役立ちます。平面の端は、影と光の境界を作ります。対象の部分のいくつかは、この方法が適しています（例えば、ここではゴツッとした鼻部分）。あ

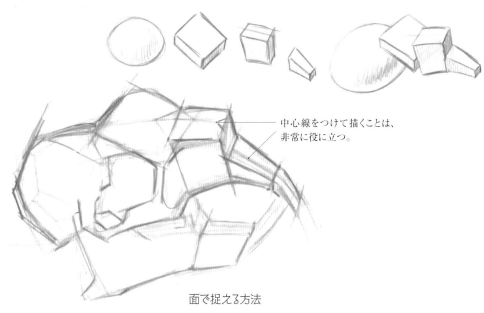

中心線をつけて描くことは、非常に役に立つ。

面で捉える方法

分解して描く② 統合された技術

ネガティブ・スペースの使用や比率の測定など、描画という視覚化の手法は、単独で用いる方法や練習ではありません。それらは、統合された描画プロセスの一部です。一緒に使うことで、それぞれの長所を組み合わせられます。

次ページの絵とともに見ていきましょう。

ジェスチャースケッチ法で基本的な形を捉える

あなたが見る形のまま、軽くざっくりした線で囲みます。細部まで明確な線で描いてしまうと、たちまち、あなたは一部分が気になり始め、全体を捉えることを忘れてしまいます。ここでは、最初の線のいずれかに従う必要はなく、スケッチの中で寸法を直し、洗練させながら、随時修正するつもりでいましょう。

測定値と位置を合わせ、線で比率を確認

測定単位として、対象の測定可能な部分（ここでは、鼻の付け根と歯の先端の間の距離）を選択します。この部分を使って、対象の各部分の高さと幅を確認してください。間違いを見つけようと思って探すと、間違いは見つかります。この頭蓋骨は、高さが鼻と歯の間の長さ二つ分で、幅が三つ分です。また、頭蓋骨の下部と歯の先端などの目立つ部分の間に参照線を引き、これらが頭蓋骨の他の特徴と交差する場所を確認することもできます。このとき、片方の目を閉じて、鉛筆を持ち上げて、対象物に向けてかざします（画家が筆で行う定番のポーズのように）。鉛筆の側面を使って、上下の特徴がどのように並んでいるかを確認します。この方法で視覚化がうまくいくことがわかったら、紙に測定線または位置合わせ線を描く必要はありませんが、この手順を省かないでください。

ネガティブ・シェイプを使って大きさを調整

上顎と下顎の間のスペースの形を捉え、大まかに描きます。この空間の形は、各顎自体の形と同じくらい重要であり、偶然に任せるべきではありません。同様に、額の隆起と頬骨を別々に描く場合、それらを近づけすぎたり、離しすぎたりするのは簡単です。それらの間の空間を形として見ると、正確な比率を確保するのに役立ちます。下顎と後頭部によって形成される角度の部分で見られるように、ネガティブ・スペースは完全に囲まれている必要はありません。ネガティブ・スペースの周りに細い線を引き、他の部分と組み合わせます。

組み合わさった図形で立体的に部分ごとに描く

ヤマアラシのがっしりした鼻は、三次元で図示するのが一番よいでしょう。いろいろな角度をもつ四角形や三角形を組み合わせて、見たままの形態を描き出してください。対象が透けて見え、四角形が透明であるかのように描くことができると想像してみてくださ

い。それぞれの部分はどこでどのように交差します
か？　対象の裏側から見えるものを視覚化できます
か？　すべての対象が簡単に作図できるわけではあ
りませんが、こうしておくと、スケッチの中にある
要素を並べていくのが、よりやりやすくなります。

修正された輪郭のスケッチで
正確な線画を作成する

　対象の輪郭がどのように「見えるべきか」を思い出
すだけではいけません。部分輪郭技法を使って、対
象の小さな浮き沈み、隆起、くぼみを綿密に調べて
複製します。練習すれば、紙をいっさい見ずに、対
象を見ながら絵を描くことができます。部分輪郭技
法を使わない場合は、対象を定期的に見直して、自
分の描いている線が、想像ではなく、目に見えるも
のに基づいていることを確認してください。

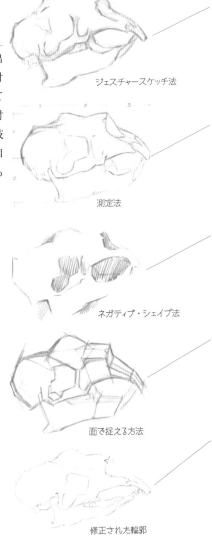

ジェスチャースケッチ法

測定法

ネガティブ・シェイプ法

面で捉える方法

修正された輪郭

陰影と細部で輪郭を描く

余分な線を消去し、陰影で輪郭を浮かび
上がらせ、対象の面を成形します。シェーディ
ングに満足したら、手前側に最も近い表面部分
のいくつかに細部描写を少し追加します。

分解して描く③ 構造的アプローチ

動物の解剖学を理解していれば、それを単純化することができます。ここでは、この鳥が単純な横向きポーズをとっているので、身体的な仕組みに注目する、立体的かつ構造的なアプローチを使って、スケッチしました。

1 姿勢から始めます。これは鳥の中心軸を通る線です。鳥の胴体の角度であり、尾の角度ではありません。

2 胴体の楕円形を作ります。楕円ではなく、上部が大きく膨れた卵形の場合もあります。

3 胴体の上に頭を追加します。その際、大きさ、体からの距離や向きに注意してください。頭の位置と比率を、何度も確かめましょう。ほとんどの鳥は、頭が胸の位置より背中側にあります。私は頭を大きく描きがちなのですが、あなたはどうですか？自分で納得がいくまで時間をかけて、比率の間違いを見つけて修正してください。

4 目と、くちばしの下を通るように横線を追加し、尻から尾の位置に二本目の線を引きます。

5 頭と胴体の円は鳥の輪郭そのものではありません。それらは、プロポーションを把握しやすくするために、添えてあるだけです。輪郭線に角度をつけます。輪郭線が折れる場所、つまり曲線の向きが変わるポイント（この場合、カーブの頂点）を探します。
円だけに集中してはいけません。喉の前、頭の後ろ、尾の下の空間から浮かび上がってくる形を見てください。頭と尾が体につながる部分には、よく見ると面白い角度があるはずです。

164

7 翼の付け根（頭に近い）から翼の先端まで、前側の端の位置を線で示します。次列風切羽（胴体に近い羽の部分）の端を示す目印として、小さな十字の印を加えておいてもよいでしょう。

8 羽毛の広い部分の形に注意を払いながら、鳥の主要な特徴を追加します。すべての羽の輪郭を描かないでください。枝を描く前に脚を描きます。

6 腹、脚、枝の間にネガティブ・スペースを描きます。

最初に脚と足指を描き、次に枝を描く。

9 鉛筆で色味を付けましょう。鉛筆の跡が色を塗った部分に透けて見え、体の平坦な部分を強調して、触感を加えてくれます。

10 最初に、紫がかったグレー（灰色に近い）の水彩で、影を塗ります。これを最後に追加すると、細部がぼやけて構図が崩れる可能性があります。

11 太陽光の下
での実物に近
い色を、乾かした影の部
分に、直接塗ります。頭部
には青を使用していますが、
翼と尾の後ろにはシアンを使
用していることに注目してくだ
さい。青とシアンは同じもの
ではありません。

12 胴体にグレーと
ソフトブラウンを
追加します。胸には、わ
ずかに筋肉を思わせる隆
起があります。くちばしと
目に暗い色を使い、コント
ラストを加えます。

WESTERN SCRUB JAY

アメリカカケス

13 鳥の後ろに色付きの角
形を描くことで、細部
がなくても生息地の雰囲気を生
み出すことができます。この日
は曇りで空は灰色でした。
手書きでメモを追加します。
これはアートプロジェクトで
はなく、フィールドノートで
す。言葉で表現しやすいもの
もあれば、絵で表現しやすい
ものもあります。場所、日付、
天気を必ず入れてください。

静かに、頭部の動き
だけをじっと見る

Coyote Pt.
Nov 18, 2013

コヨーテ・ポイント
2013年11月18日

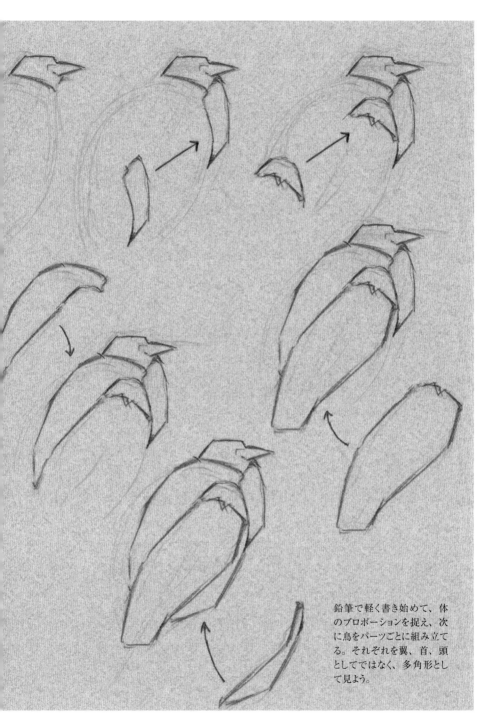

鉛筆で軽く書き始めて、体
のプロポーションを捉え、次
に鳥をパーツごとに組み立て
る。それぞれを翼、首、頭
としてではなく、多角形とし
て見よう。

分解して描く④ 表面に見える形を意識したスケッチ

休息中のサギの体は、解剖学的に理解するには、複雑すぎます。そこで頭、首、肩、翼、胸の代わりに、体のパーツを抽象的な形として取り出して、組み立てます。各パーツの特徴のある形（面）に焦点を当てるのです。

全体的な形から始める

　頭と胴体の向き、各部分の比率や角度を観察します。頭と胴体を、大きさのバランスを意識しながら、大まかに描くために、薄い線を引きます。

パーツを観察する

　全体の形の目安として補助線を引いたら、幾何学的な図形を組み合わせるように、胴体を描き込みます。これらの各形状の比率と角度を正確に観察することで、スケッチの精度が高まります。「首の部分が前に膨らんでいる」と言うだけで、あなたの脳は簡単な道をたどり、実物を見なくても頭の下に膨らみを描けるでしょう。ただし、細部を観察して説明すると、「くちばしの付け根のすぐ下の部分から、首が少し出て、そこからまっすぐ下がり、鋭角に曲がって、肩のすぐ上まで行ってから、くちばしの付け根に戻る」というように、形のニュアンスを捉えることができます。スケッチを一つひとつ組み立てていくのは、構造的に見て混乱するときに、私がよく使う方法です。

　このアプローチは、対象の解剖学的な理解と組み合わせると、さらに強力になります。首がどこで曲がって、どこでつながっているか知っていれば、基礎となる構造を決定づける重要なアングルを見つけて、紙面に描くことができます。

分解して描く⑤ 構造と形の組み合わせ

ほとんどのスケッチでは、構造的アプローチと、形からのアプローチの両方を組み合わせます。スケッチが進むにつれて、この二つの視点をどのように切り替えているかに注目してください。

1　薄めの鉛筆で、姿勢と体の比率を描きます。ブルーペンシルだと、色のついた紙では見えにくいためです。

2　比率を整えた状態で、頭部の白い部分を平らな形に描きます。

3　構造的スケッチ法に切り替えて、くちばしが頭部に、どのように差し込まれているかに注目しながら、目とくちばしを追加します。

4　形やパーツのスケッチに戻ります。白い頭頂部につながるような形で、黒い眉斑を追加します。

5　胸部は箱形の角のある形で、左側にはっきりしたジグザグがあります。

6　翼の前端を、胴体の両側にあるパーツとして描きます。これらの形はどちらも、「翼」はこうあるべきだという雰囲気で描いてはだめです。目に見える形を信じてください。

7　胸、脚、枝の間にネガティブ・シェイプを描きます。この形状を正確に観察すると、脚はしかるべき位置にくるでしょう。

8　構造的スケッチ法に戻ります。作成したパーツの周りに足指を描きます。

9　角度のせいで実際より短く見える尾も、描き方を間違えやすい箇所です。ここでも、パーツの形を信頼することで、スケッチの難しさが解決されるでしょう。

10　構造的スケッチ法に戻ります。比率と角度を再確認してください。ここでは額の形を変えて、後頭部を大きくしました。

11　透明水彩で、黒っぽい部分を追加します。水は少なくして、濃い色を作ります。

12　胴体にグレーとソフトブラウンを追加します。胸には、わずかに筋肉を思わせる隆起があります。くちばしと目に暗い色を使い、コントラストを加えます。

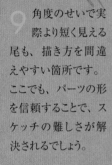

13　胸部と頭頂部を、白いガッシュで塗りつぶします。湿った筆でガッシュの一部を除去して、紙がより透けて見えるようにすることで、影を深めることができます。それが乾いたら、ハイライトの部分に、もう一度ガッシュを塗ります。

湿った筆で絵具を取り除くと、陰影がついた。

描くときは、ポジティブ・シェイプ、ネガティブ・シェイプ、構造的スケッチを、絶えず意識しましょう。時には、鳥を解剖学的に、横向きの頭部、胸、そして短く見える翼と尾として考えてください。その次は、鳥を角張った幾何学的形状の集合体として見てください。それぞれの見方が、異なる情報を提供してくれます。形を強調することが上手な人もいれば、構造的アプローチを通じてものを見ることが好きな人もいます。アプローチによって好き好きがあるかもしれませんが、両方の使い方を学びましょう。そして自分に合ったバランスを見つけてください。

線画① 肘、手首、指を使って弧を描く

なめらかな線が引けませんか？　それならこれをお試しあれ。肘、手首、または手を
固定して、回転軸として使用します。練習すれば、植物の茎や平行な複数の線を素早
く描くことができます。

肘で
肘をテーブルにしっかりと置き、前
腕と鉛筆を回転させて滑らかな弧を
描きます。肘の位置を動かさずに、
鉛筆を最初の地点に戻し、数 mm
ずらして、動きを繰り返します。

手首で
手首を紙の上に置いて動かして、
短い弧を描きます。様々な速度と圧
力で動かしてみてください。ちょっと
した曲線の平行線を何本か作成し
てみましょう。

指で
手を紙の上に置いた状態で、指を引いて
平行線をいくつか描いてみてください。鉛
筆を押すよりも引くほうが簡単だと思います。
どれが一番上手くいきますか？
10 枚の練習用紙に、肘、手首、指で
弧を描いてみましょう。そうすれば、必
要なときに、いつでも滑らかな線を描ける
ようになります。

線画② 肩で描く

手首と指の動きをつなぎ合わせて作られた長い線は、短く途切れがちです。腕を肩から動かすと、直線やなだらかな曲線を、自信をもって描くことができます。これらすべてのスケッチ動作に慣れてください。

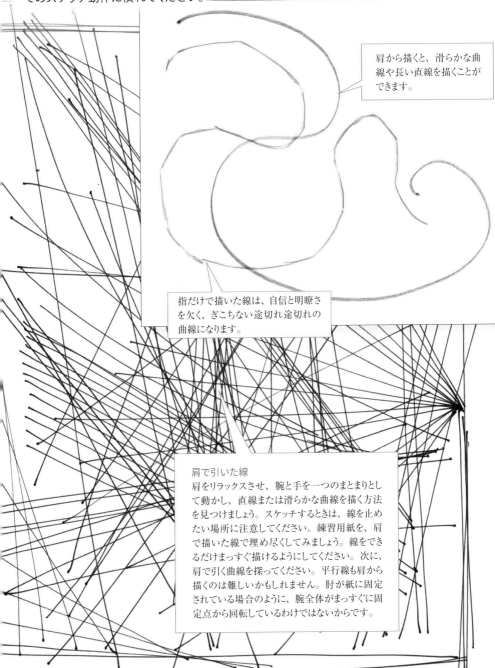

肩から描くと、滑らかな曲線や長い直線を描くことができます。

指だけで描いた線は、自信と明瞭さを欠く、ぎこちない途切れ途切れの曲線になります。

肩で引いた線
肩をリラックスさせ、腕と手を一つのまとまりとして動かし、直線または滑らかな曲線を描く方法を見つけましょう。スケッチするときは、線を止めたい場所に注意してください。練習用紙を、肩で描いた線で埋め尽くしてみましょう。線をできるだけまっすぐ描けるようにしてください。次に、肩で引く曲線を探ってください。平行線も肩から描くのは難しいかもしれません。肘が紙に固定されている場合のように、腕全体がまっすぐに固定点から回転しているわけではないからです。

線画③ ダイナミックに鉛筆で線を引く

自信をもって鉛筆で描くと、スケッチに味わいとエネルギーが加わります。影をぼかしたり塗りつぶしたりするのではなく、鉛筆の筆跡が透けて見えるようにしてください。

1 ブルーペンシルを使い、対象全体を一本のゆるい線で捉えます。

2 対象の主要部分、ここでは顔の平面と頭蓋骨を大まかに分割して描きます。

3 中心線は、左右対称の対象を描くには常に役立ちます。

4 平行線を使って、目、鼻、その他の特徴の位置関係を整えます。

5 垂直方向に線を引き、各特徴部分を中心線に合わせて並べます。

6 眼窩を配置します。奥側の円は湾曲がきつく、平たい楕円のようになっていることに注意します。

7 他の主だった部分の角度を追加して、細かく描き込まずに、全体の形状を示します。

8 先に進む前に、長さや大きさ、角度、比率を対象と比較します。この段階で変更を加えるのはまだ簡単です。

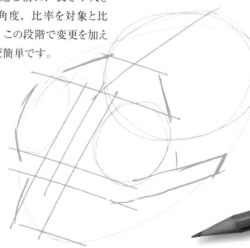

9 2Bの鉛筆で、ブルーペンシルの補助線の上に重ね描きをします。そのままなぞるわけではありません。対象をチェックし続け、輪郭の微妙な変化をつかむように、線を調整していきます。

10 深さを表すために、対象の主要な構造のうち、最も手前にある部分の輪郭線を濃く描きます。

11 陰影をつけていきます。色の濃淡を三段階で区別します。濃い影の部分、光の当たる白い部分、その中間の色合いです。鉛筆使いによって、陰影のついた表面の変化を示してください。

12 陰影の端の質感や、多少の細部を描き加えます。スケッチの周りに消しゴムをかけて、線をシャープにしたり、薄くしたりします。描き込みすぎる前に、止めます。

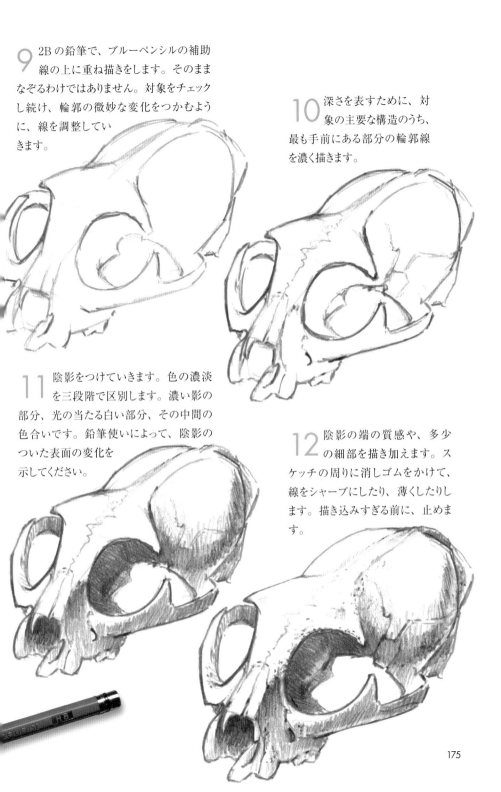

明度① 色の濃淡の確認と単純化

明度（もしくは色値、色の濃淡：value）は、私たちの周りの対象や絵に見られる明暗の範囲（色の濃淡）のことです。明度を観察および記録すると、スケッチと観察の両方のスキルが向上します。

色の明るさの観察

　明度を確認することは、思うほど簡単ではありません。私たちは色彩と細部に気を取られています。あなたの目が明度を見るのを助ける方法の一つは、目を細めることです。こうすると、視界がぼやけ、気を散らす細部が取り払われます。今すぐ試してみてください。目を大きく見開いて部屋を見回し、目を細めます。目を細めると、明暗の違いがより顕著になります。私は、被写体の明るい部分と暗い部分をスケッチするときは、常に目を細めています。

　明度を確認するもう一つの方法は、赤いフィルターを使用して、色味の紛らわしさを取り除くことです。私は赤いステージ照明用フィルターをスライドに入れて持ち歩いています。フィルターを覗くと、赤と黒の世界が見えて、明度の差を簡単に観察できます。ただし、赤いフィルターは青をかなり暗くすることに注意してください。このゆがみさえ気をつければ、フィルターは素晴らしいツールです。黒と白でスケッチしている場合は、フィルターで明度を確認し、紙に書き

写します。色をつけるスケッチの場合は、フィルターを通して対象とスケッチの両方を見て、明度を比較できます。

明度の範囲

　明度の差は、優れた絵画にとって重要な要素です。最も暗い闇と、最も明るい光が互いに近すぎる場合、その画は鮮やかさに欠けて、貧血のように見えるかもしれません。弱々しい色使いのスケッチは、より強い暗さを追加することで改善できます。あなたは、まだこのルールの逆を選んでいるかもしれませんが、ぜひこの方法を採用してみてください。

　アーティストが白い紙に描いた多くの鉛筆画の明度の幅が小さいのは、彼らが HB（または #2）鉛筆だけを使ってきたためです。私がスケッチを手早く仕上げる場合は、たいてい、鉛筆の切り替えに煩わされたくないので、2B を好んで使います。これによって、より豊かな暗闇を描き足すことができます。シャープペンシルにもやはり 2B の柔らかい芯を使っています。濃い芯の鉛筆でスケッチすることは、作品に濃い色を加える、もう一つの方法です。色鉛筆は消しにくいですが、柔らかい鉛筆よりもにじみにくいです。

P.178 のように色付きの紙に描く場合は、紙の一部に何も描かないでおきます。何も描かれていない紙の色も、自分のスケッチの中の色味の一つだと考えるべきでしょう。このスケッチでは、背景には、鉛筆を使っていないことに注目してください。

色付きの紙に白鉛筆を追加すると、色味の範囲が広がります。鳥の白い胸は完全に白で塗りつぶされてはいません。紙の色は、ここで下腹部に影を作るために、再び使用されます。背景に白鉛筆で色をつけることで、青白い空と背中が際立っています。同じ紙の色を使用して、日光に当たった鳥のグレーの背中と、影に覆われた白い腹を表している方法に注目してください。

明度のステップを制限する

私たちの脳は、何百万通りものグレーの色合いを判別することはできません。暗い色から明るい色へのグラデーションばかりに注目していると、その物体から生じる影部分と、ハイライトの形状を見逃してしまいます。自然界の多くの対象の表面は、完全に丸みを帯びているのではなく、平たい部分もあります。影は、新しい平面が現れる場所で突然、変化します。

影は明るい色から暗い色へ、連続して一続きになっていると考えるのではなく、三つまたは四つの段階に分割します。これらの各段階（明るい部分、一番暗い部分、およびそれらの間の部分）には、形があります。わずか三段階に満たない形と明度を組み合わせるだけで、暗い色から明るい色へと色をグラデーションにして描かなくても、対象の輪郭をはっきりと正確に表現できるようになり、格段によい仕上がりになります。重要なのは、明度の段階の数の多さではなく、明度の段階ごとに、その部分がどんな形状をしているか、なのだと覚えておきましょう。岩を描くところ（P.232）では、このアイディアを別の観点から検討します。

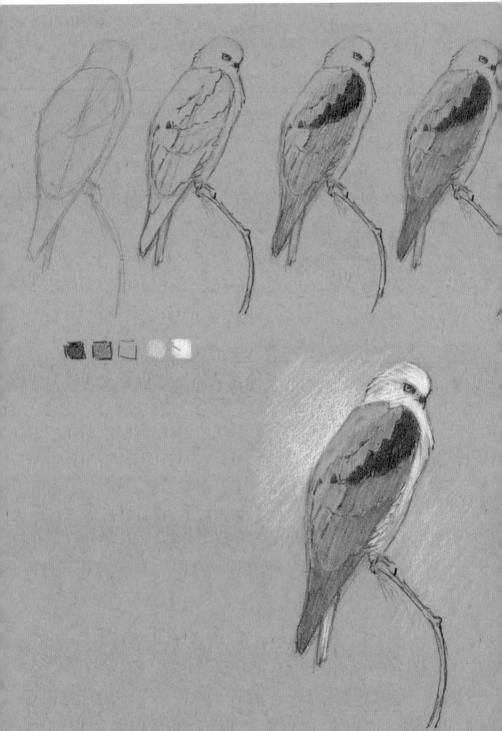

オジロトビの色使い解説

1 ブルーペンシルは薄すぎて、色付きの紙の上では、補助線として効果的に形を図示することができません。代わりに、鉛筆で軽く線を当てます。姿勢、比率、角度の形をラフに描いておきます。

2 この大まかな線の上に細部を上書きします。かといって、すべての羽を描かないでください。主な羽毛群の細部と位置を示しておくとよいでしょう。

3 鉛筆で暗部と中間の色味を追加します。鳥全体を塗りつぶすのではなく、紙の色をいくつかの領域に残しておきます。

4 擦筆またはペーパーブレンダーでこすり、鳥の背中部分を滑らかにして、色味を暗くします。ブレンダーで、鳥の絵の中の鉛筆が塗られていない部分を塗ると、その部分の色味が落ち着いて、元の紙色とは対照的になります。背中全体をぼかしてしまうのではなく、上のほうを紙の明るい色味のまま残してください。

5 さあ、ここからが本当に楽しいところです。プリズマカラー色鉛筆の白を使用して、ハイライトと白い羽を表現します。胸の「白い」部分の一部を、紙の色のままにして、陰影を出します。

明度② 影を描く

影は、あなたが描く対象に形を与えます。一番暗い部分（コアシャドウ）、反射光、センターライト、ハイライト、および、物体から出ている影（キャストシャドウ、投影）の見え方と描き方について学びましょう。

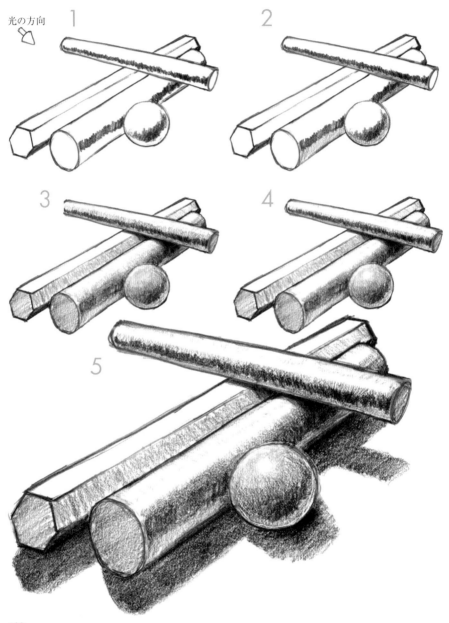

1 対象の表面のうち、光源から最も遠い部分、光源から完全に隠れてしまう部分（コアシャドウ）を描きます。

2 コアシャドウと、対象の端にある影との中間色調として、反射光の部分（地面から反射した光が対象に当たる部分の影や色味）を追加します。

3 センターライトを、中間の明度の色で影をつけます。ここは、光源のほうに移動するにつれて明るくなります。

4 センターライトのエリアの一部を、消しゴムで消して、鮮明なハイライトを作ります。光沢のある対象は、暗いものよりも、一番明るいハイライト部分がより明るくなります。観察者が移動すると、ハイライトも移動します。光があなたの後ろにある場合は、ハイライトも、センターライトの真ん中近くにあります。光を覗き込んで遮ると、ハイライト部分もコアシャドウに向かって移動します。

5 その対象の影をスケッチします。ある物体から出ている影（キャストシャドウ）は、通常、その物体の側面の陰影よりも暗くなります。それらはまた、その物体の最下端に隠れている部分が一番暗くなります。キャストシャドウは、平面的な物体の場合、影は角張って細くなり、丸い物体の場合は湾曲します。

明度③ 白い物体の影

卵、キノコ、玉ねぎ、ニンニクなどの白い物を、鉛筆で表現します。消しゴムと擦筆をスケッチの道具として使います。

1 中心軸を見つけ、基本的な形を、比率に気をつけながら描きます。高さと幅を比較しましょう。これらは、この段階であれば変更しやすいです。ブルーペンシルではなく、鉛筆を使用してください。ブルーペンシルはワックス成分が入っているので、後で陰影をつけるときに邪魔になります。

2 HB鉛筆でニンニクの本体、皮、根など主たるパーツを描きます。

3 コアシャドウの部分を作ります。2B鉛筆で影を描きます。コアシャドウを暗くしすぎないでください。ニンニクの白さを保ちましょう。ニンニクの軸に対して垂直な等高線に沿って、鉛筆でささっと描きます。

4 影を明るい部分に溶け込ませます。ドーナツを思い浮かべながら、ニンニクの等高線に沿って、擦筆を使います。擦筆を水平にすべらせて、ニンニクから出る影（キャストシャドウ）をなじませます。なじませると、影がより暗くなることも計算して描きましょう。

5 練り消しゴムを使ってハイライトを作り、ペン型消しゴムでニンニクの縦の筋と根を作ります。繰り返しますが、消しゴムを使うときはニンニクの等高線を意識します。

6 破れた紙のような薄皮を描き、根の間の影の部分を暗くします。ペン型消しゴムを使用して、薄皮の端に沿ってハイライトを入れていきます。

色① 原色の混乱

色を混ぜるのは、迷いやすく、悩みの種になることもあります。場合によっては、組み合わせると、くすんだ、濁った色になり、混ぜたらひどいことになりそうな調合もあります。ここではっきりと理解しましょう。

原色とは何か?

　原色には、二つの特徴があります。まず一つ目に、他の色を組み合わせても、原色を作ることはできません。例えば、どれほど色を組み合わせようとも、黄色が生じることはありません。二つ目の特徴は、原色を組み合わせることで、他の様々な色を作ることができるということです。

　オレンジやグリーンなど、二つの原色を混ぜ合わせて作れる色を二次色と呼びます。一つの原色の比率を変更することにより、混色の色味を正確に調整できます。二次色同士を混ぜると、一度に二つ以上の色を同時に追加することになるため、結果を制御するのは困難です。

赤、黄、青ではだめな理由

　長年にわたり、赤、黄、青が、原色としてアーティストに知られています。これらの色を円環状に混ぜてみると、このシステムの問題が少しわかります。赤と黄色を組み合わせることで、きれいなオレンジを作ることができますが、紫と緑は、くすんでいて鮮やかさがありません。

　明るい緑や紫の他にも、赤、黄、青で作れない色があります。マゼンタ、ピンク、そしてシアンは、三原色を混色しても作ることができません。

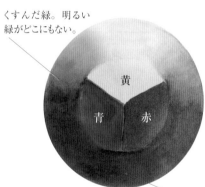

くすんだ緑。明るい緑がどこにもない。

くすんだ赤紫。明るい紫が見つからない。

　赤を薄めてもマゼンタやピンクにはならないので注意してください。明るい赤は薄めても赤のままです。

　また、原色の定義とは矛盾しますが、他の色を混色して、赤と青は作れるのです。マゼンタとシアンが組み合わさって青になり、マゼンタと黄色が組み合わさって赤になります。混色して作れるのなら、赤、青、黄は原色とはいえないですね。

スプリット・プライマリ・パレットが気に入らない理由

　この問題の一つの解決策は、スプリット・プライマリ・パレット〔赤・黄・青の三原色をさらに暖色系と寒色系に分割した色見本。転じて、この六つの原色を基本とした混色の方式のこと〕であるとされてきました。この混色法では、原色の数を三色から六色に拡大し、従来の赤、黄、青にマゼンタ、レモンイエロー、シアンを追加します。色は、各主要色相の「暖色系」と「寒色系」に分けられています。オレンジを作るには、暖色系の黄色と赤を組み合わせます。緑を混色して作るには、寒色系のレモンイエローとシアンを組み合わせます。スミレ色を混色で作るには、暖色系の青と寒色系のマゼンタを組み合わせます。この混色法では、赤－黄－青の色相環にすでにある色に加えて、明るく彩度のあるピンク、緑、およびスミレ色を作れるようになります。

　では、何が問題だというのでしょう？　まず始めに、私の失読症の頭脳は、何が寒色で何が暖色なのか、そしていつ暖色と暖色同士を、寒色と寒色同士を、または暖色と寒色を混ぜるべきなのかを記憶することができません。仮にあなたは丸暗記できるとしても、やたらと複雑なシステムです。また、右側に示した三つの「暖色系の原色」は、原色に見えても、実際には、二次色です（ここに示した色は、実際に混色してできたものです）。「寒色系の原色」を組み合わせても、できあがるのは、混色版原色でしかありません。

　ですから、何事もシンプルにしましょう。原色には、シアン、イエロー、マゼンタの三色がよいです。赤－黄－青ではなく、シアン・イエロー・マゼンタを使って、混色をして、他の色味を作りましょう。

色② シアン、イエロー、マゼンタ

原色としてのシアン、イエロー、マゼンタを使用して、彩度の高い、鮮やかな二次色を混色で作ります。三つすべてを混ぜ合わせると、くすんで彩度の低い色になります。

混色を間違わないために

　　シアン、イエロー、マゼンタを、混色して作った色のように表現しないでください。シアンは「緑がかった青」ではありません。シアンは、真の原色であり、そこには、緑や青は関係ありません。イエローを「緑がかったオレンジ」と表現するようなものです。代わりに、ここに載せてある色相環を、よく理解してください。どこでもシアンが見え始めます。青をマゼンタ色のシアンと考え始めます。同様に、マゼンタを見ることを学びます。「紫がかった赤」ではありません。むしろ、赤は黄色がかったマゼンタです。

　これらの原色を一回に一つずつ使用して、様々な範囲の色を混色・調合します。前のページで紹介したように、赤は原色ではなくマゼンタとイエローが混ざった二次色なので、その赤を使って、ある色を別の色に変えようとした場合、その赤に含まれるマゼンタとイエローが、どの程度の量で追加されるのかわからなくなり、その混色の結果は、手に負えなくなります。

　すべての色を最初から混色で作ろうとする必要はありません。多くの顔料は、地球の鉱物を粉砕することによって製造されており、その他の顔料は、元素を化学的プロセスにかけることによって製造されています。それぞれに、染色、耐久性、透明性といった点について、個別の特徴があります。顔料は同じでも、濃縮すると、濃くて深い色になるものも

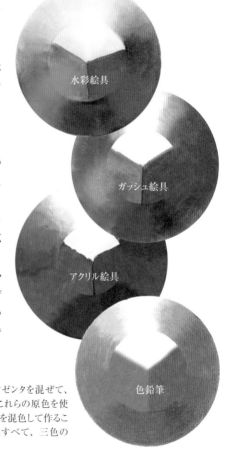

水彩絵具

ガッシュ絵具

アクリル絵具

色鉛筆

どの画材でも、シアン、イエロー、マゼンタを混ぜて、鮮やかで、明るい色を作成できる。これらの原色を使用すると、赤、オレンジ、緑、青、紫を混色して作ることができる。ここに掲載した色相環はすべて、三色の絵具、または色鉛筆だけで作られた。

あります。そんな特性を利用して、様々な塗料や顔料を楽しんでみてください。これらの色のいずれかを基本として使用して、他の原色と混ぜ合わせたり、変更したりできます。

　四色印刷でも使用されるシアン、イエロー、マゼンタは、あらゆる媒体で、彩度のある二次色を作成します。絵具や色鉛筆に、これらの色は必須です。ただ、絵具と色鉛筆の色の名前は、紛らわしいものが多いです。同じ色でも、別のブランドだと、違う名前である可能性があります。そしてほとんどのブランドにおいて、「シアン」または「マゼンタ」の名前がついた色がありません。プリズマカラーの色鉛筆には「マゼンタ」と呼ばれる鉛筆がありますが、原色としてのマゼンタに比べると、明るい色ではなく、むしろ同社の「プロセスレッド」のほうが近いでしょう。同様に、ダニエル・スミスの水彩絵具のシリーズでは、「キナクリドン・ピンク」のほうが、「キナクリドン・マゼンタ」よりも、原色としてのマゼンタにふさわしいと思います。

原色として使うのにおすすめの絵具と色鉛筆

画材	シアン	レモンイエロー	マゼンタ
水彩 （ダニエル・スミス）	フタロ・ブルー （Green Shade） PB15:4	ハンザ・イエロー Light PY3	キナクリドン・ピンク PV24
ガッシュ （ホルベイン）	プライマリー・シアン PB15	ハンザ・イエロー Light PY3	プライマリー・マゼンタ PR122
アクリル （ゴールデン）	フタロ・ブルー （Green Shade） PB15:4	ハンザ・イエロー Light PY3	プライマリー・マゼンタ PR122
色鉛筆 （プリズマカラー ファーバー・カステル）	トゥルーブルー フタロ・ブルー	レモンイエロー ライト　クロームイエロー	プロセスレッド フクシア

色③ 混色

色相、純度、明度の観点から、色を説明する方法を学びます。色がどのように混ざり合うかを探り、二次色を使用して、色味をくすませる方法を見てみましょう。

色相

色相とは、様々な色の幅や範囲であり、私たちが子どもの頃に知った色の名前の集合です。赤、オレンジ、黄色……シアンとマゼンタもリストに追加します。暖色系の色相には、マゼンタ、赤、オレンジ、黄色など、様々な名前があります。寒色系では、私たちのいつもの語彙では不十分です。「青」と「緑」という語は、幅広い色相を表しています。そこで青緑や黄緑などの複合語を使い始めます。青と緑に関する色の名前が少ないので、これらの色合いを区別するのが難しいかもしれません。

彩度（純度）

色の彩度は、その明度が一定に保たれているときの色の鮮やかさや濃さの尺度です。彩度が下がると、色はグレーに近づきます。色が明るく鮮やかであるほど、彩度は高くなります。黒ま

高彩度　　　　　　　　　低彩度

たはグレーを追加するか、その混色の中に存在しないか潜んでいる程度の原色を少しだけ追加することで、色の彩度を下げることができます。

明度（濃淡）

明度は、色の明るさ、または暗さを表します。赤などの彩度がある色を、ゆっくりと白に近づけていくと起こる色の変化がすなわち、明度の変化になります。水彩では、水を追加して色を明るくします。色鉛筆では筆圧を弱くし、ガッシュでは白い絵具を加えます。

低い明度　　　　　　　　高い明度

混色

あなたはおそらく、青、黄、赤を混ぜて色を作ることに慣れ親しんでいることでしょう。シアン、イエロー、マゼンタを使ったほうが、混色の仕方は同じである上に、混合可能な色の範囲がより広く、より明るくなります。

マゼンタとイエローは赤くなります。イエローを追加すると、オレンジ色に変わります。

マゼンタとシアンは青になります。マゼンタを追加すると、紫に変わります。

シアンとイエローは緑になります。イエローを追加すると、黄緑色になります。

シアン、マゼンタ、イエローは、各原色の比率に応じて、
グレーまたは茶色の色合いを作り出します。

補色

三つの原色すべてにおいて、中間色としての茶色とグレーをどのように作成するかに注目してください。色の彩度を下げたり、色付きの対象に影を作成したりする場合は、この組み合わせが便利です。黒を追加する代わりに、補色を少し追加すればよいのです。補色とは、色相環において反対側に位置する色です。これにより、三つの原色すべてが混合され、より暗い中間色が作成されます。

右の三つの補色の組み合わせは覚えておきましょう。色から連想をすると覚えやすくなります。例えば、赤と緑でクリスマス・リースというように、他の組み合わせも考えてみてください。

色④ 色を探す

紙の上に小さく色を塗ってみて、対象と色相、彩度、明度が一致する色を探してみましょう。単なる「黄色」で片付けないでください。「この黄色だ」と言えるまで探しましょう。ぴったりな色になるまで、調整しましょう。

色の研究

　スケッチした横に小さな四角形をいくつか描いて、それらを使用して、被写体の色をできるだけ正確に探してください。色の正確さを確認するために、対象そのものを紙の上に直接置いてもよいでしょう。色相、明度、彩度がこれでよいか、じっくり考えてください。もっと黄色くする必要はないか？　より暗く、それともより鮮やかにするべきか？　ちょうどよい色になるまで調整してから、その作った色をスケッチに直接塗るか、その色はどこに塗るべきかを引き出し線で示しておきます。

おしべの跡?

花びらの跡?

色見本

シンプルな影

落葉

　紅葉の色探しは、素晴らしい練習になるでしょう。紙の上に葉を平らに置き、その周りをなぞります。これにより、手早く鮮明なアウトラインができるため、色に集中できます。葉をページに置いたまま、それに一部重なるように、色見本を作ります。細部が見えなくなるように目を細め、色に集中します。対象に近い色がうまく見つかったら、葉の右側に少し影をつけて、ページから浮き上がって見えるようにします。落葉樹林の散歩は、歩くたびに景色の色が変わります。

・レース刺繍
・ステンドグラス

自然の緑の色

　緑色の絵具の多くは、単体では、風景の中で「不自然」に感じます。少しマゼンタを加えて混色を作ると、これらの色をくすませることができます。追加すればするほど、緑はオリーブ色になります。

細部——細部と質感

きちんと描かれた細部と質感によって、スケッチは完全なものとなり、そこに活気が生まれます。逆に間違った描き方をすると、そのせいで、あなたのスケッチはすっかり台無しになります。スケッチを細部や質感の描き込みで埋め尽くさないように気をつけましょう。細部を加えるときは、控えめに、特定の場所だけに、最後の仕上げとして行いましょう。

薄明かりのなかでの質感

　三日月の写真をよく見てください。クレーターは、どこで最もはっきりと見えますか？　月の右端部分では、太陽光がクレーターに直接当たるので、影はできていません。月の暗い部分では、光もクレーターもありません。次に、光と影との境界線付近について考えてみましょう。この写真では、太陽の光が斜めの角度で照らし、月の表面をかすめ、影を作りながら、クレーターの隆起した輪郭を照らしています。光と闇を分ける境界線は、ターミネーター（明暗境界線）と呼ばれます。陰影部分は明るい側の質感を示し、ハイライトは暗い側の質感を示します。

　この観察結果を、自分のスケッチに応用します。スケッチを質感の描き込みでいっぱいにしてしまうと、形状が不明瞭になります。光と影との境界線付近に向けて、月の表面の質感を追加します。真ん中の部分は明るいままにしておき、影の領域をすっきりさせて、目の休憩場所にします。これにより、スケッチに味わい、変化、深みが加わります。

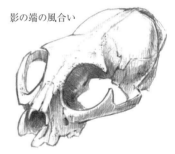

影の端の風合い

悪魔は細部に宿る

〔「細部は重要である」という意味の「神は細部に宿る」ということわざの、「神」を「悪魔」に換えて、「あらゆる細部に落とし穴が潜む」いう意味で用いられる〕

　細部を描くことで、スケッチに味わいと表情が加わります。また、遠くにある対象よりも、近くにあるもののほうが詳細に見えるため、直近にあるような雰囲気も加わります。経験則としてコツをご紹介すると、細部を描き込むのは、画面の焦点となるところ、または、前面に見えている要素のうち最も重要な部分だけに限定することです。

　至るところに細部描写をちりばめても、アクセントにならないし、前景から背景まで細部を均等に使ってしまうと、画が平坦になります。また、細部まで仕上げられているのが一部分だけになっていると、仕上がっていない部分がスケッチの作成順序に関するヒント

にもなって、見ていて面白いものです。

　細部を追加するのは楽しいです。スケッチがあなたの眼前で生命感を得るにつれ、あなたの脳は細かな部分にまで反応して、ドーパミンが噴出し小躍りするでしょう。重要なのは、止め時を知ることです。鉛筆を止めるように指示する信号はありません。描きすぎているかもと思ったときには、手遅れです。あなたができる最善のことは、あなたが終わったと思う前に、描くのをやめることです。

細部なし、焦点なし

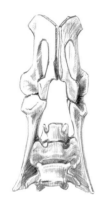

細部を少し加えて、
強調と焦点を追加

少しなら、大いに役立つ。暗闇のいくつかのくぼみは、焦点を追加している。

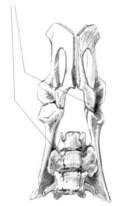

詳細が多すぎて、
焦点もない

美点も多すぎると……
最も遠くにある骨盤部分の詳細は、画像を平坦にしてしまう。

至るところに詳細
が追加されている
ため、焦点がない。
まるで絵全体にコ
ショウを振ったよう
に見える。

奥行きを表現する方法

ここで画面に奥行きを加える方法を紹介します。すべてのスケッチで、すべての技法を駆使する必要はありませんが、イラストが平坦に見える場合は、広がりを出すために、次の項目をチェックしてみてください。

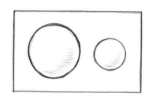

サイズ：あなたの近くにある対象は、遠くにある同じサイズの対象よりも大きく見えます。スケッチの前景に小さな木々を描くと、視覚的に混乱する可能性があるため、他のいくつかの手法で補正してください。

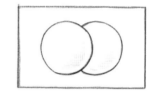

重なり合う対象：遠くにある対象は、その前にある対象によって部分的に隠されます。画像内の対象を意図的に重ねると、奥行きが増します。

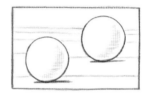

画面内の高さ：対象が両方とも同じ地面にあると認識される場合、画面内でより高い位置にある対象は、低いほうの対象よりも遠くにあるように見えます。

地平線の平坦化：地面に平らに置かれた円は、地平線に近づくにつれて、楕円形に平たくつぶされます。空にある円盤についても同じことが言えます。これが、湖の対岸が曲がらず、まっすぐに見える理由です。他にこの効果が見られるのは、雲の底部分、雲の穴（P.267 参照）、さらには近くのカモと遠くのカモが対比されるときの水面の線です。

画面の枠を壊す：主題の一部がイラストの縁と重なる場合、「画面の四角い枠を壊す」と、その主題が、すべての対象の前に浮かび上がってきます。

線：暗い線、または太い線が前方に飛び出し、細い線または薄い線は後方に下がって見えます。前景線が背景の対象と重なる位置では、前景線を強調するとよいでしょう。

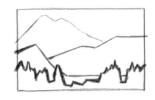

細部：あなたの近くにある対象は、遠くにある対象よりも、細部がよくわかります。もし、背景要素に細部を追加しすぎると、画像が平坦になります。

明度：対象は、遠くに後退するにつれてますます青白くなり、大気中の散乱光によって隠されます。

コントラスト：手前にある対象は、遠くにある対象よりも、色の濃淡が幅広いです。前景要素では、暗闇がより暗く、光はより明るくなります。背景にある対象は、光を散乱させ、かすんでいる空気のフィルターを通して見えるので全体的に淡くなり、明るい領域を少し暗くします。

色の彩度：観察者に近い対象は、本来の色にします。遠くの色味は、鮮やかさを失い、中間色やグレーまたはブルーグレーに変化します（次の「色温度」を参照）。

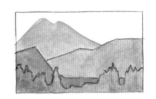

色温度：青色光は他の波長の光よりも散乱しやすく、遠くまで届くので、遠くの物体の色を微妙に青色に変えます。つまり、黄色、オレンジ、および赤の色は、背景の奥に移動するにつれて色あせます。

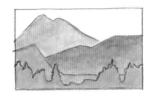

構図

構図のガイドラインは、見る喜びをもたらす画面づくりに役立ちます。構図の原則は、ページ全体のレイアウトだけでなく、単独のイラストにも応用できます。

多様さは人生のスパイス

 作品において、多種多様な間隔、サイズ、形、濃淡、色があればあるほど、絵はより魅力的になる。この図は、シンプルで動きがなく、面白くない。構図を変更してみよう。

 形：対象の形に変化をつけると、さらによい。

 間隔：円同士の間隔、または円とフレームの側面との間隔を変えると、画像はよりダイナミックになる。

 明度：画面内の対象に、様々な濃淡で、明るい部分と暗い部分を作るのも、よい方法だ。

 サイズ：対象のサイズや、背景そのものに変化をつけると、さらによくなる。

 色：間隔、サイズ、形状、色の濃淡とともに、バリエーション豊かな色使いをすると、味わい深いデザインになる。

統一とアクセント

　多様さといっても、色とりどりの寄せ集めがいいわけではありません。右の上図のようにランダムな色使いでは、混沌としているように感じ、ポイントがぼやけます。一方、下のように、色の大部分がオレンジ色の場合、ある程度の範囲に赤を、そして、少しばかり紫色を加えると、より調和のとれた画像になります。この絵はほとんどは単色なので、全体的に統一感があります。少しだけ赤を追加すると、色の幅が広がります。さらに紫色の一刷毛が目を引きます。この原則を、絵画やスケッチイラストにおける色の濃淡、色使い、その他の要素にぜひ応用してみてください。

バランスvs.対称

　バランスのとれた絵は、見るポイントがうまく分散されているために、視線は絵の上を順番に回り、構図のどこか一部だけが他を圧倒してしまう心配がありません。バランスは、構図にとって効果のある一手ではあるのですが、左右対称の一辺倒だと退屈になりがちです。

絵に描いた要素には、重さがあるものと考えるとよいでしょう。大きな対象は、小さな対象よりも重さがあります。暗い色の対象は、明るい色の対象よりも重く見えます。細部まで描き込まれた対象は、描き込みの少ないシンプルな対象よりも重さが出ます。これらを活用して、対称性に頼らずにバランスをとりましょう。

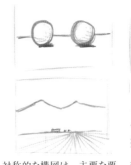
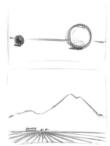

対称的な構図は、主要な要素を繰り返すことによってバランスをとる。ふぁあ……眠くなりますね。

非対称の構図も、バランスをとることができる。

三分割法

　これは、ページの真ん中に目を引く対象を置いたり、水平線を引いたりといった、ありがちな失敗を避けるためのヒントといってよいでしょう（ここで言う構図は、魔法のように万能なわけでなはく、厳密に従う必要はありません）。あなたの描いている画に、三分割のマス目を重ねたところを想像してみてください。垂直線と水平線を補助線として、大まかなレイアウトを決めます。例えば、画面の上のほうに水平な線を引けば、それは地平線として機能し、その線から下は地面の部分になります。反対に、下側に水平な線を引くと、地上から上のエリアが大きくなるので、その絵は雲や空の観察図といった趣になるでしょう。同

これはだめ。

じようにして、目立たせたいものは三等分した線の交点に置くとよいでしょう（赤い×印のところ）。

線の接するところ

　線の隣接に注意してください。線の隣接とは、後ろ側にある対象の輪郭線や角が、手前にある対象の輪郭線や角と重なる場合に発生します。これにより、その対象は、一つの連続した形状として考えられます。

　手前側の対象の角では、後ろの対象の輪郭線が手前にある対象の線のどれかと交差しないようにしましょう。また、後ろの対象の輪郭線が手前のものと同じ方向に続いてしまうのも避けましょう。画面の中の三つ以上の要素を同じ位置で交差させないでください。画面内の対象の輪郭線や角が枠線上で終了する場合も、混乱を招きます。前景と背景の関係を理解できるように少しずらすだけで、見る人はかなりわかりやすくなります。

ありゃ？

あ、わかった……。

焦点

　あなたのスケッチの中のある一部分を選び、注意をそこに向けましょう。その部分は、他の部分より細部までしっかり描き込んで、色を使ったり枠線を引いたり、他の要素がその中心に向くようにして強調します。見る人がどこに視線を向けるべきか、決める作業です。

応急処置

　構図の中に同じ割合で地面と空がある場合は、もう少し空を追加することで、簡単に仕上がりがよくなります。ただしページの端まで描いてしまっていたら、こうはいきません。こういうことがあるからこそ、風景画には予めフレームを決めておくのがいいのです。そうすれば、余白を当てにする必要はありません。

問題あり……。　　　　　　解決。

ページレイアウト

　単独のスケッチに対する原則は、ページ全体にも応用できます。ページに様々な間隔、サイズ、および形の要素が含まれている場合、対象のサイズと間隔が均等であるページよりも、ずっと魅力的な画面になります。タイトル、フレーム、重なり合っている要素や、縦や横に長い一続きのエリアなどがあると想像してください。ページ上部の文章部分も構成要素です。イラストの後に追加すると、ページのバランスを取れます。

　ページレイアウトは、計画的に作ってもいいし、思うに任せて作るのもいいでしょう。事前に計画する場合は、ページに何を表示し、どこに配置するかをまず考えます。ブルーペンシルを使用して、主だった内容について、どこに何が来るか、線で示すのもいいでしょう。また、気の向くまま即興的に描くときも、構図の原則を頭の片隅に置きながら、内容を順に足していきましょう。似たような種を比較する場合などは、意図的に均等なサイズと間隔で対象をページに配置することもあるでしょう。対称的なレイアウトであれば、スケッチ内の類似したパーツ同士の様子がわかります。

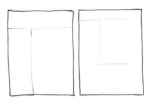

　もしも、ページの構図が散漫だと思ったり、きれいなページ作りに夢中になりすぎていたり、あるいはその反対に、メモをとる手順が滞ったりしては、問題です。今はそのことは忘れて、観察に集中してください。

継ぎ足しの構図 ── 猛禽類の場合

事前に構図を計画していなかった場合でも、スケッチやメモで埋めることで、魅力的なページを作成できます。内容の形式を統一したりつなげたり、そして文章部分を構図に組み込むことで、ページを読みやすくすることができます。

　私はスケッチをするのに忙しくて、ページの構成を見失ってしまうことがよくあります。観察に没頭し、ページを見下ろして、「うーん、これで何ができるの？」とふと我に返るのです。そういうときは、タイトル、文章が入った四角い枠、色味を追加します。生息環境の様子でスケッチを膨らませたり、それを風景画の一部に組み込んだりするのもいいでしょう。そうすることで、スケッチのコレクションを興味深い構成にまとめられます。

　フィールドノートをとる目的は、きれいなページを作ることではないことを忘れないでください。ページのレイアウト構成をもう一捻りしたくても、真剣に取り組む準備が整うまでは、その気持ちは無視しましょう。待つこと自体が、楽しくて遊び心に溢れているはずです。そう考えると、ジャーナルをつける経験値が上がり、ジャーナリングを続ける前向きな動機となるでしょう。

鳥が近づき、餌を食べ、飛び去ったときに作成されたスケッチ。

一部のスケッチに背景や状況を追加すると、何が起こったのかがわかる。ただし、すべてのスケッチに背景や状況を加えたくなる誘惑には要注意。いくつかのスケッチを単体の画像として入れると、視覚的な面白さが高まる。

ページ要素をモザイク状にする。重ねたり、自由自在に。

1 アカオノスリは近くのオークの木に飛び込み、捕まえた小さな哺乳類動物を食べ始めます。鳥が視界の中にある間は、あなたはその姿勢をいくつかスケッチできます。同じページに複数のスケッチを組み合わせたり拡大図を追加したりすることで、後で構成するときの素材になります。

2 鳥が飛び去った後は、描いた鳥のいくつかに、生息地の様子や風景を背景として加えます。スケッチごとに構成を検討してください。

3 観察した後、できるだけ早く、記憶に基づいて色を追加します。曇天を表す場合、上の鳥の背景に灰色の四角を追加します。他の画像のいくつかを重ねると画面内に統一感が出て、面白みのある構成要素になります。

鳥を前景にすることで、風景画の「枠を壊す」ことができる。

ページを様々な形で埋める。四角い枠または色の試し塗りを使用して、別々の絵を一つの形に組み合わせる。これらの形のいくつかを重ねたり、つなげたりすることも考えてみよう。

4 文章の段落部分は、ページの構図を調整しうる、形のあるものとして工夫しましょう。硬い色鉛筆（プリズマカラー・ベリシンなど）でメモを書いてみましょう。スケッチの中の他の要素と関連する色を選びます。四角い枠線、色をつけたエリア、輪郭線、矢印、タイトル、および日付、天候その他の情報も追加できます。正方形の枠と輪郭線によって似た内容の情報のつながりがわかり、ページをさっと一読しやすくしています。

枠線の内側でも外側でも、色鉛筆を粗く塗った部分を加えると、これを基準に色を追加したり、構図を修正したりできる。

クロウタドリは、猛禽類が獲物を持っているときに、群がることが多いのか？

ムクドリモドキに群がられる

満腹でご満悦

よだれ掛けのような白い羽

頭部は、黒というより鉄錆のような茶色

頬骨部分は暗い色

カリフォルニアジリス

アカオノスリ

タイトルを追加するときはひと工夫を。白抜き文字にレタリングして、思うがまま遊び心を表現するのもよいだろう。

獲物を、鉤爪でしっかりつかみ、くちばしでグイっと上へ下へと引き裂いてバラバラに。胴体は反り返るばかりに垂直にして、飲み込むときは頭を反らしながら胴体にうずめる

青白い肩羽

引き裂く！

飲み込む

飲み込むときの姿勢

水彩絵具の試し塗りの列も、それ自体が興味深い要素になる。

自分の体重を使って、獲物を引き上げる

WILDCAT CANYON

餌を食べた後、満腹なので、低く飛んでいる

ワイルドキャットキャニオン
2014年11月2日　寒い　午前10:30

このメタデータの部分も、構図の中の重要な形状になっている。

フィールドノートの記述部分は、構図の決め手。この部分の大きさや形はいろいろ考えられる。イラストと手書きメモの間のネガティブ・スペースを観察しよう。

枠線は、ハイライト（タイトル）の色と一致している。

手間を省くための知恵

スケッチをせずとも、視覚情報を自分のページに取り込む方法はたくさんあります。描くことに不安を感じる場合は、ここに挙げた工夫を手始めに、視覚的にメモをとることがどれほど楽しいか、味わってください。

写し取る

　机や板など硬い面に、葉などの平らな対象を置いて、上から薄い紙を被せます。葉脈を写し取りたいときは、葉の裏側に形状がくっきり出ているので、裏返しておきます。葉をしっかりと固定し、芯が柔らかい濃いめの色鉛筆で、紙の上からこすります（色鉛筆がクレヨンよりも効果的です）。一色で葉を写し終えたら葉を取り除き、写し取った部分に直接描き込みを加え、輪郭をはっきりさせます。それから他の鉛筆で色を追加します。この方法を使って、樹皮にキクイムシがつけた溝状の模様など、いろいろな面白い質感や感触を記録に残しましょう。

点で印をつけて、つなげる

　　葉の中には、軽くて柔らかすぎたり、細かく分割されて複雑すぎるため、なぞって形を写し取るのに適していないものもあります。これらの葉を描きやすくするために、葉（または描きたい対象）を紙の上に直接置き、その輪郭の周りに細かい点で印をつけます。葉を取り除くと、その点によって、全体のバランスと形を捉える作業が飛躍的にはかどります。

1 小枝の横の点々

2 小枝が取り除かれた跡

3 点がスケッチの目安になっている

灰色の鱗片
@ 付け根

葉がとがっている

葉
赤茶色

葉の幅が広い

灰色の輪っか

なぞる

葉（または他の小さな物体）を直接
紙の上に置き、その周りをなぞります。
葉の端に鉛筆がかすっても、葉が動か
ないように、指でしっかりと押さえま
す。その結果、手早く正確な葉の形が
できあがります。

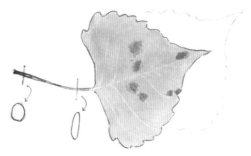

穴

繊維状で
筋が多い茎

一つの株から3つ

胞子紋

キノコのカサを、ジャーナルの
ページの上にそのまま一晩置いて
ください。翌朝、ページに写った
胞子紋に、固定液をスプレーする
か、透明な幅広の粘着テープで覆
います。

ネイチャー・コラージュ

平らな物体を探してきて、ジャーナルにのり付けしたり、テープで貼り付けます。他に
も、落ちてきたハチの巣から取った破片、カエデの種、押し花、葉などでもよいでしょう。
コラージュの禁止事項：州立公園や国立公園での収集は避けてください。鳥の羽を集めな
いでください。なぜなら羽毛は、商業目的の狩猟を防ぐために制定された1918年のアメ
リカ渡り鳥保護条約によって保護されています。代わりに、見つけた羽をトレースしてス
ケッチします。どの鳥のものかわからない羽毛から、その主である鳥を当ててみるのも楽
しいでしょう。

天然の絵具で染める

紙を、ベリー類の果汁で染めたり、落ちた花びらで染みをつけたりします。植物の色は
時間とともに変化するので、色合いが絵具の色と一致するようにしてください。他にも、
自然界には天然の絵具やスケッチ道具があるかもしれません。右ページのスケッチは、ア
メフラシから分泌された紫色の染料で部分的に着色されています。

また、色のある土壌や堆積岩を使って、原始的な絵具を作ることもできます。砂岩から
色を作るには、岩の表面を濡らし、同程度か、より硬い岩にこすりつけます。すると色粘

土のような塊ができます。これを水筆で溶いて絵を描くか、紙の端に沿って塗抹標本を作成して、岩の色の記録を残すこともできます。

　デナリ国立公園への旅行で、私はバスの前をハイイロオオカミが通り過ぎて排尿するのを見ました。オオカミが立ち去った後、私は飛び出して、スケッチブックの角をそのオオカミがいた場所の泥に浸しました。私のジャーナルは約1か月間、オオカミの尿のようなにおいがしました。最高にクールだと思ったのですが、さすがにやりすぎだったかな？

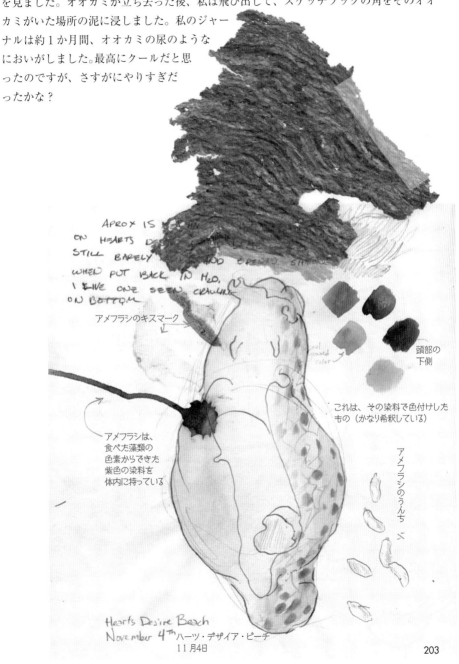

APROX 15
ON HEARTS
STILL BARELY
WHEN PUT BACK IN H2O.
1 HAVE ONE SEEN CRAWLING
ON BOTTOM

アメフラシのキスマーク

頭部の下側

これは、その染料で色付けしたもの（かなり希釈している）

アメフラシは、食べた藻類の色素からできた紫色の染料を体内に持っている

アメフラシのうんち

Hearts Desire Beach
November 4th ハーツ・デザイア・ビーチ
11月4日

203

TREES

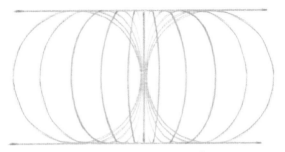

樹木を描く――近くから、遠くから

樹木は、風景画には必ず登場するといっても過言ではない存在です。遠くから見ると、その形は多様で壮大です。木々のてっぺんの連なりの下には、個性豊かな幹と枝葉が広がっています。木は、たくさんの動物の棲みかでもあります。あらゆる距離から、木を描くことを学び、植物の精緻なまでの造形に驚き、楽しんでください。

円柱と等高線

木の幹は2本の平行線ではなく、立体的な円柱として捉えましょう。さらに、等高線によって、分岐角度の微妙な変化が表現できます。

幹は円柱

　木の幹と枝は、先細りの円柱と円錐の組み合わせとして考えます。円柱を考察するようにして、枝の造形を考えてみてください。こうすることで、枝の丸みと角度に注意が向けられます。木を立体的に感じたら、輪郭等高線を描き、垂直方向に割ったり、陰影をつけたりして表現できます。

等高線

　円柱が自分から遠くに離れて傾くほど、円柱の胴回り（円周線）はより湾曲していきます。言い換えると、観察者の視線が円柱の軸に垂直でないときは、円柱の円周線は湾曲します。視線と円柱の軸が斜めに交差しているほど、円周線の湾曲はより大きくなります。

　この効果は、傾斜した円柱だけでなく、柱を上下に見たときにも起こります。目の高さの円周線はまっすぐに見えます。柱を見上げると、円周線は真ん中を頂点にして、両端は下に向いています。見下ろすと、円周線の中心は下側で曲がり、両側で上向きになります。

　等高線は、あなたに向かって傾いている幹または枝の部分では、両端が上がって「微笑んで」いるように見えます。あなたから離れて傾いた幹や枝の輪郭角は、両端が下がって「がっかり」しています。枝分かれの部分が、自分のほうを向いているのか、離れているのかわからない場合は、その枝の軸に対して直角に切断されている断面を想像してください。切断面が見える場合、枝はあなたのほうを向いています。

こちらに向いている：枝は「微笑んで」いる。

奥に離れていく：枝は「がっかり」している。

ドーナツ状の物体の等高線

等高線を考えるときは、枝の曲がり方に合わせて、その向きを変えていくことに特に注目してください。曲線がこちらに向かっているか離れているかに応じて、等高線の形は、括弧が内向きだったり、外向きだったりします。

ドーナツの穴の周りを、いくつもの線で囲むところを想像してください。上から見ると、これらの線は中心から放射状に広がります。そうすると、ドーナツの内側は線の間隔が狭く、外側は広く、間隔が空いています。

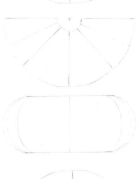

ドーナツの外側を横から見ると、ドーナツはこちらに背を向けて湾曲しているため、等高線は括弧状に外へと広がっていきます。つまり、（　）のような形。

ドーナツの内側からの断面図を見ると、ドーナツの表面は、奥に向かって湾曲しているので、線は反対向きの括弧が密に連なっていきます。つまり、）（　のような形。

手前と奥に蛇行して曲がっている枝の場合、その等高線の曲がる向きは、最初とその次とでは反対です。手前に背を向けた湾曲を示す線は、やがて、奥に向かってへこんでいる曲線と重なっていきます。つまり、（　）（　のような感じ。

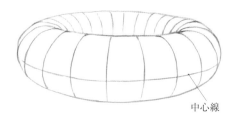

ドーナツに引いた等高線は、ドーナツの中央に近いところだと密になり——つまり、）（ のように——、外側になるほど間隔が広くなる——つまり、（ ）のように——のを観察します。

中心線

等高線は、外面の中央に到達するまで曲線を描き、その後再び収束し始めることに注意してください。ドーナツを斜めから見ると、曲線の中心線と、（ドーナツの両側にある）等高線の湾曲の向きが変わるポイントは、真横から見たときより下側に近くなっています。

手前側に湾曲している部分（ ）

二つのカーブが重なっていく部分（ ）（

奥にカーブがへこんでいる部分）（

バネ状のおもちゃ（スリンキー）をお持ちなら、それを輪っか状とカーブ状にねじって、ワイヤーがここで説明したのと同じパターンを、どのように形成するかを観察してみてください。

うねる枝ぶり

ドーナツの輪郭（内向きと外向きの括弧）を使用して、枝の形と角度を描きます。曲線の中心を見つけて、どちらか片方に適切な印をつけます。

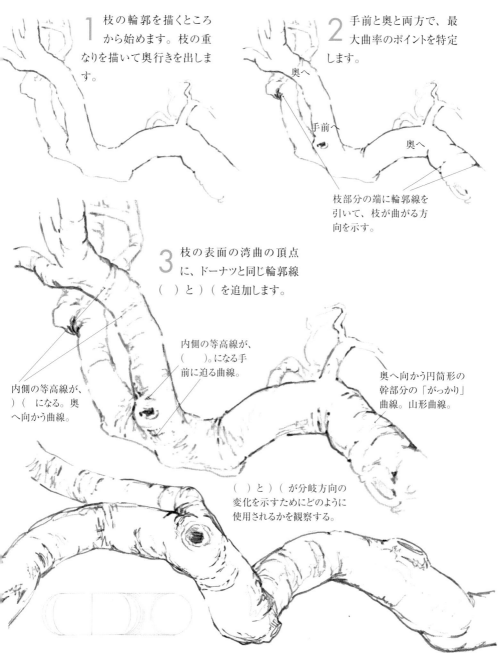

1 枝の輪郭を描くところから始めます。枝の重なりを描いて奥行きを出します。

2 手前と奥と両方で、最大曲率のポイントを特定します。

奥へ

手前へ

奥へ

枝部分の端に輪郭線を引いて、枝が曲がる方向を示す。

3 枝の表面の湾曲の頂点に、ドーナツと同じ輪郭線（ ）と ）（ を追加します。

内側の等高線が、（ ）。になる手前に迫る曲線。

内側の等高線が、）（ になる。奥へ向かう曲線。

奥へ向かう円筒形の幹部分の「がっかり」曲線。山形曲線。

（ ）と ）（ が分岐方向の変化を示すためにどのように使用されるかを観察する。

枝の影

円柱に映る影は、思いもよらない形になります。影を注意深く観察すると、枝ぶりや広がりを描くのに役立ちます。

　円柱の影は、曲面に沿って方向を変えます。枝の上部にまっすぐな影があり、急勾配の側面になると、突然下に伸びることがよくあります。この変化は、枝の上面と真横から見たときにそれぞれ一番顕著に現れます。

　影がどんな形になるはずなのかを計算する公式を覚える必要はありません。予期しない形になることをきちんとふまえて、実際の影のありのままを見つめましょう。それは、野外の生物に基づいて描くことの大きな強みです。

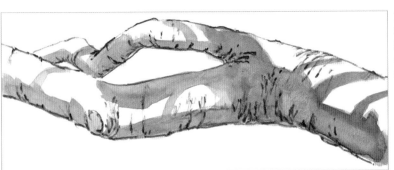

ドーナツ方式の輪郭と曲線の影を一緒に使用して、枝の平面と角度をより完全に描く。

平行に走る縦の割れ目

樹木には、幹の軸に平行に、深い縦の割れ目が走っているものがあります。これらの割れ目は、幹の両端の近くで、お互いに接近しているように見えます。このことを利用すれば、幹の丸みを伝えやすくなります。

奥行きを示すには、重なりと高さを利用する。

細く、不規則な間隔の垂直な割れ目が、端に沿ってびっしり詰まっている。

円柱上の等間隔の垂直線は、端にいくにつれ間隔が詰まって接近しているように見えます。木の中央では、割れ目は深く見え、その幅もしっかりとわかります。これらの割れ目は、木の端に近づくにつれて細く見えます。

1 アウトラインから始めます。左側の根の部分など、目立つ要素の重なり方に注意してください。あなたに最も近い木の部分も、絵の中では低い位置になります。

2 木の側面に、薄く重なり合う垂直の割れ目を示す線を、まとめて描きます。様々な長さと形が入るように。

3 木の真ん中、自分から見える面に、幅の広い大きな割れ目をいくつか描きます。大きな割れ目から小さな割れ目まで、緻密に計算して描く必要はありません。

4 木の後ろに森を加えましょう。線は薄く、色は暗めに、ざっくりと、大きな木と小さな木を描き加えていくと、きちんと奥行きが出ます。絵を枠線で囲むと、大きな幹の存在感が増して、背景が非常に素早く仕上げられます。

鉛筆は、その筆跡の流れ方で、丘の傾斜を示すのに役立つ。

樹皮と枝の形

樹皮の質感や肌触りは非常に多様です。枝の角度と曲線も種によって異なります。記憶に頼って一般的な枝を描くのではなく、本物の木をじっくり観察してください。

樹皮

　木の種類が違えば、樹皮の質感も異なります。樹皮の質感について、サンプル・スケッチをたくさん作ります。樹皮の模様を左右対象で均一なものにしすぎないこと。魚の鱗に見えてしまいます。

　アクセントになっている影を探してください。枝全体に模様を描き込むことはやめましょう。目を休める場所を残します。等高線と平行な割れ目をうまく使いましょう。

枝ぶり

　枝は、考えている以上に、多様な姿形をしています。誰もが、木の節や枝分かれについて頭の中にイメージをもっています。それは、あなたがこれまで空想したり、観察しないままに描いたりしてきたもので固定されているのです。実際の枝の有り様は、はるかに多様で興味深いものです。

　勘で枝を描くのはやめて、見たままに描きましょう。興味深い枝分かれの部分を探すことから始めて、小さなサンプル・スケッチとして記録します。時間の経過とともに、枝の先割れのイメージを、微妙で変化に富んだものに置き換えます。まっさらな目で見れば、定番イメージを無意識に当てはめるのではなく、枝分かれのパターンに改めて気がつくでしょう。枝に葉をつけたり、細部を加えたりする必要がある場合は、もっと変化をつけて、生き生きと描きましょう。

　木の枝の角度が変わると、枝の一部が影になることがあります。光を、枝の角度の変化を示すために、どう使えるか考察しましょう。

ジグザグ

　かつて剪定されたことがあったり、自然に折れたことがある枝は、鋭いジグザグになります。

J字フック形

　枝の先端が枝の付け根方向を指している場合、正面から見たときにJの字状か輪っか状になります。

ウェーブ形

　枝が枯れてしまったり、小枝が落ちてしまったりしたところは、枝が波状になっています。

前から後ろへの分岐

樹木は、複雑に重なり合う形の組み合わせで成り立っています。重なり合う枝を何層か描くと、スケッチの奥行きが増します。自分に最も近い木の部分から描き始めて、徐々に後ろに移動します。実際の風景は空間であり奥行きがあります。それを紙という平面に描くときは、手前側から続く奥行きの深さを、層（レイヤー）の重なりとして考えます。奥へ行くにつれてより薄い線や色でスケッチし、詳細を少なくします。

1 一番近くにある幹の部分から始めます。枝の形や先細る様子など、ありのままを見ます。枝の姿はこうあるはずだという、思い込みに頼らないでください。濃くて太い線を使って、それらの枝が手前にあることを示します。

2 次に、最初に描いた枝の後ろに二番目の枝を追加します。これらの枝が最初の枝々の後ろにあるという感覚を高めるために、より軽い筆圧で描いてください。

枝の間に、ネガティブ・シェイプ（P.158参照）を使用する。最初にネガティブ・シェイプをスケッチし、次に、その枝の反対側をスケッチする。

3 2で描いた枝の後ろに、一番奥の枝を追加します。後ろにある枝が、前の枝に比べて、どの程度明るいかにも注意してください。

多様な木の異なる分岐パターンと角度を研究する。広がるオークの木陰に近づき、その個体の角度とネガティブ・スペースに焦点を合わせる。次に、別のオークを試してみる。次に、ハコヤナギを試してみる。

4 枠線でスケッチを際立たせます。幹の端で枠線を止めると、枝の間がネガティブ・スペースとなり、スケッチに味が出ます。

針葉樹のスケッチ

次の四つの工夫が、針葉樹のスケッチを劇的に改善します。それは、枝が視線に対して斜めになっていて実際より短く見えるとき、枝の角度はどうなっているのかを考察すること。針葉樹の枝は筆や鉛筆をささっと素早く走らせて描くこと。中央の枝の「爪」の形を探すこと。そして、木のてっぺんのシルエットに注意することです。

枝の角度

視線に対して斜めになった枝は、実際より短く見え、幹と枝の間の角度はより狭く見えます。枝を横に引くだけでなく、幹に近い急な角度で短い枝を探します。

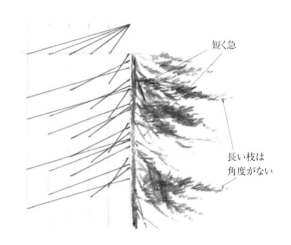

短く急

長い枝は
角度がない

針葉樹は走り描きで

針葉樹の細い葉を描くとき、枝を描いてからその上に葉を足していくのはおすすめできません。それでは永遠に作業が終わらないですし、遠くから見たときの姿でもありません。枝とその針のような葉の茂みを表現するためには、ゲジゲジ眉毛を落書きするときのように鉛筆を上下に細かく動かし密な線を走らせながら、枝葉の感じが出るように練習します。線はさっと描いていいですが、先端部分はより丁寧に観察して仕上げましょう。

ギザギザ

　手前に向かって上を向いた
枝は、こちらから見ると「爪
のように分岐した（ヒトデ形
の）ギザギザ」の形をしてい
ます。幹の近くの枝で、こう
した形を探してください。

てっぺんの描き方

　枝の質感を知るには、まず木のて
っぺんの際の部分をじっくり見つめ
ましょう。木を描くときは全体をざ
っくり描いて構いませんが、木のて
っぺん部分はもっとゆっくり丁寧
に、特に先端を細かく描きましょう。

ベイマツの描き方〔ダグラス・ファーやオレゴン・パインとも呼ばれる。北米大陸の西部に広く分布し、ログハウスの材料として知られる〕

針葉樹を描く秘訣は、あなたのほうを向いている枝の扱い方にあります。先の「ヒトデ形のギザギザ」をよく見つけられるようになれば描けます。

1　枝葉の茂みの基本的な形を大まかに描くことから始めます。どれくらいの高さと幅なのか？　枝がだんだんと細くなる様子は？
この作業により、後で細部を追加していっても、木のシルエットが正確なまま保たれます。

2　手前側の枝の茂みの形を描きます。こちらに向かって反り返った枝が重なっている様子は、ありのままの形としては「ヒトデ形のギザギザ」だと考えることにしています。

3　手前の茂みを描いて、その奥に、幹と主だった枝々を描きます。

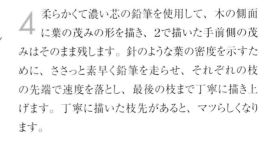

4　柔らかくて濃い芯の鉛筆を使用して、木の側面に葉の茂みの形を描き、2で描いた手前側の茂みはそのまま残します。針のような葉の密度を示すために、ささっと素早く鉛筆を走らせ、それぞれの枝の先端で速度を落とし、最後の枝まで丁寧に描き上げます。丁寧に描いた枝先があると、マツらしくなります。

5 茂みの周囲に影を入れていきます。2で描いたヒトデ形のギザギザ部分の根本に影を加えます。ギザギザの先端あたりとその周辺にある暗がり（コアシャドウ）の間を白く残します。こうすると、日光が葉の端まで届いているように見えます。

6 濃淡を調整し、影の部分を所々濃くして統一感を出します。幹の一部を暗く、他の部分を薄くして、日光を当てます。

　ここで紹介したのは、手前から奥へ描いていく方法の具体例です。一番手前の葉の茂みから始めて、次に幹と主要な枝を奥に描き、次に針のような葉と枝の茂みを、その後ろ側に足します。こうすると、さらに奥行きが生まれます。

　あなたに向かって突き出ている枝に、特に注意を払ってください。枝先のわずかな上向き加減によって、ヒトデ形のギザギザになります。そのギザギザは、葉と枝の重なった部分で、外側の縁に光が当たり、内側に向かってより濃い影を落とします。ここに挙げた形に注意して観察し、その表現方法をよく知ることで、針葉樹を描く能力が劇的に向上します。

　これらの手順と事例をしっかり学んでから、外に出て、身近にあるマツやもみの木、そして他の針葉樹を描いてください。まずは10種類の木を描いて、この手法が様々な木の形に、どのように応用できるかを確認しましょう。木を描く方法を学ぶための最良の方法は、とにかく、たくさんの木を描くことです。

7 鉛筆画に水彩を追加したいとき
は、鉛筆スケッチの上に、グレ
ーの水彩絵具を塗ります。

9 木を青みがかった黒で塗り、暗くしま
す。緑の樹木だからといって、木がす
べて緑色である必要はありません。

8 手前側の枝に
暖色系の緑を
置きます。

10 手前側に少し温かい茶色があると奥行きが
増します。暖色系の鮮やかな色は近くに感じ
る傾向があり、寒色系で彩度のない色は、遠くに後
退しているように感じます。

219

オークの描き方

手前から奥への描き方を使って、奥行きのある木を描きましょう。あなたに一番近い葉から描き始めて、幹と枝を奥に、最後に一番後ろ側の茂みへと進みます。

　　木は至るところにあります。近くの木、少し離れた木、そして遠くにある木、どれも気楽に描けるようにしておきましょう。このページで紹介する例は、少し離れた木を描くのに役立ちます。これくらいの距離になると、個々の葉がはっきりと見えません。むしろ、私たちの目に映るのは、葉の大きな塊の形です。こうした葉の茂みの感触をつかむことが、木を描くためのコツです。一番手前の葉の茂みから始めて、次に枝と幹を追加し、さらに次に木の後ろにある葉の茂みの形を追加します。

　　このように、重なり合ういくつもの層を体系的に描き出すことで、奥行きを表現しやすくなります。この手引きで、役に立ちそうな工夫とテクニックを探して、自分のものにしてください。このページの例を描き写してみてから、近所の木を描くときにいいと思った方法を使ってください。実際に、本物の木に何本か取り組んでみると、紹介している方法を様々な生物に応用できることに気づけるでしょう。

個々の葉を描くことなく、葉の質感を示すための不規則な波線を作る練習をする。練習すれば、すぐに描けるようになる。

1 ブルーペンシルで基本的な形の見取り図を描くことから始めます。木の全体的な比率、幹の基部の高さ、および木のてっぺん部分の幅と高さを確認するのに役立ちます。次に、手前の葉の茂みを描きます。葉の茂みのサイズを変えるだけの、機械的で規則的な間隔で描くのはやめましょう。そうしないと、木が人工的に見えてしまいます。

2 幹を上から下に描き、枝をつなぎ合わせて広げます。実際の木を常に何度も見直してください。枝はこう見えるはずだという思い込みは捨てましょう。私たちの頭に染みついた木の枝はこうある「はずだ」という形は、単純すぎて使えません。

3 枝と幹の後ろに葉を追加します。葉の茂みと枝の重なりは、奥行きを示しています。より大きな葉の茂みに、穴がないか探します。こうして見つけた穴は、いわば「木という家についた葉の窓」ですが、人間の家とは違って、同じサイズと形状にはしないほうがよいでしょう。

4 葉の茂みの下側部分に影をつけ、てっぺんの葉の茂みの上側部分に光の筋を白く残します。葉の窓は、上側が暗く（影になる）、下側が明るくなる傾向があります。これらの影の部分の形状は、太陽に対する角度と時刻によって変化します。影がこうあるはずだ、ではなく、実際に見えるものを描きます。次に、幹と枝に影を追加します。場所によっては、葉は暗いのに幹部分に光が当たっている場合もあります。また別の場所では、明るい背景に対して幹が暗くなっているときもあります。

5 必要に応じて影の濃淡を調整します。ここでは、枝が葉に対して暗すぎるように見えると思ったので、影の部分を暗くしました。

6 このスケッチは鉛筆画のままでもよいし、水彩絵具で色付けしてもいいでしょう。影はすでに鉛筆で示されているので、葉の茂みに必要なのは、水彩絵具で緑色を軽く添える程度でしょう。

背景要素を追加します。奥行きを表すには、背景に寒色系で、鮮やかさが少し抑えめな色を使用し、色のメリハリや細かい描き込みは少なくします。暗い森を背景にして、幹がどのように明るく見えているのかに注目してください。

冬の木々

　葉が落ちると、落葉樹の独特の構造が明らかになります。小さい枝を大きい枝につなげながら、上から下にスケッチしていきます。次に枝の角度を観察します。小さい枝が互いにつながっている場合や、小さな枝が幹につながる場合などです。枝先は扇状に広げて描いて、必ず幹はより太く、大きくしましょう。

　木の中で目立つ枝ぶりに目をつけたら、その枝々の構造を描きます。それぞれの枝振りの上に細いアーチを描いて、そこからどんどん下へと続けます。これにより、樹冠〔樹木の上部の枝や葉の層〕の形がわかるようになります。ここが、木の個々の種類を表現するための重要な細部です。

　どのようにしたら、精緻なほどに細かいあの枝々を、すっかり描き切れるでしょうか？ そんなことは、しないでください！ 代わりに、最も密度の高い小枝を部分として描き、そこに明るい色を加えます。ここには、薄めた水彩絵具か、鉛筆画用の紙擦筆を使うとよいでしょう。

1 一番大きな枝のまとまりを表すために、アーチをいくつか描きます。次に、アーチの端から下へ線を引き、小川の支流のように線をつなげていきます。複数の枝がすべて同じ場所に集まらないようにしましょう。

2 アーチから下向きの線が出ている形を一組として、次々に繰り返します。枝の分岐パターンは、四方にばらばらに広がるようにしましょう。対称的な線は人工的に感じられます。

3 2の枝の一組を中央の幹へとつなげ、幹は下にいくにつれ太くします。何本か、妙な方向に伸びる枝や、折れた枝を加えます。

4 垂直線を複数描いて、遠くの木を示します（この手法はペンでもうまくいきます）。擦筆を使ってぼかした色を乗せて、枝の先端の一番細かい枝の部分を表現します。ぼかしが濃くなりすぎないように気をつけましょう。

「木を描く」ことの再考

木のポートレートを描こうとするのではなく、木の存在そのものを探究してください。様々な距離や縮尺で、木を再発見し、どんぐりや葉の形に改めて気づきましょう。それは、すなわち、木という空間に棲んでいる様々な生物を知ることでもあります。

　　木の中や周りに、どんな動物の痕跡がありますか？　特定の木に関連する鳥や昆虫には、どんなものがいますか？　枯れ木の樹皮の下を見て、カブトムシがつけた穴や溝を見つけてください。濃い鉛筆またはクレヨン（汚れないので好ましい）で薄い紙にこすって写し取り、ジャーナルに貼りつけましょう。

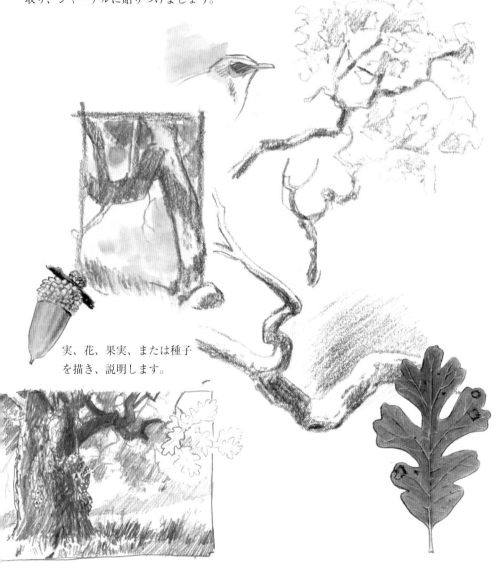

実、花、果実、または種子を描き、説明します。

一枚の葉を実寸大で描いてみてください。私はよく落ち葉をスケッチブックに置いて、その周りをなぞり、それを使って絵を描き始めます。柔らかい葉や針でいっぱいの枝であれば、完全な線を描くのではなく、端に沿って小さな点を描いてみてください。点またはトレースされた線のおかげで、完璧な比率で描けます。葉に色をつける前に、紙の端に試し塗りをして、できる限り正確な色を探しましょう。

　木の下からの眺めは圧倒的です。でも、実際にする作業はシンプルにしましょう。描く画面を小さくしたり、木の小さな部分をスケッチするのです。焦点を絞った領域を扱うので、木全体を描くよりもずっと、細かくニュアンスを描き込むことができます。

多くの木は、それぞれ枝に独特の反り返りや角度があります。特徴のある枝のスケッチを集めてみましょう。

球果植物の樹木では、種子のある大きな球果に加え、花粉のついた小さな鱗片も探してみましょう。

枝が落ちた跡

樹皮の質感を調べます。
ある樹種と別の樹種で
は、どのように異なりま
すか？ 枝が古くなるに
つれて樹皮の質感はどの
ように変化しますか？

風景の描き方

風景を描くことは、単に絵を描く以上の豊かな経験です。自然の中で、静かで集中した時間を過ごすことによって、自分の記憶にその瞬間を刻み込むことができます。自然界のペースに合わせて自分自身にゆっくりと時間を与え、その瞬間を味わい、自分を振り返ることで、あなたの心に感謝する気持ちが湧いてくるでしょう。

風景を描くことで、氷河に覆われた谷の構造から、植物群落の境界線や分布に至るまで、自然界ならではのスケールの大きい営みにも目を向けることができます。全体像を捉え、地平線を見つめることは、ナチュラリストとしても、一人の人間として地を足につけて生きるためにも、大切なことです。

小さな風景画

大きな風景をスケッチする代わりに、少しばかり工夫して、興味のあることに焦点を当ててみましょう。ここで紹介するミニ風景画の手法は、場所を記憶に残すための、手早くできて、楽しく、かつ頼りになる方法です。

小さいものは美しい（そして速い）

　19世紀のアメリカを代表する風景画家たち、アルバート・ビアスタットに、トマス・モラン、ウィリアム・キースらの大型作品をたくさん見てきた人は、大きいことはいいことだと思われるでしょう。たしかに、絵画においてはたいていの場合、大きいほうが優れているところはあります。手指を駆使した技巧が画面に映えるでしょうし、アイディアを自由に流し込んで活かすことも大画面があればこそできます。私たちの目の前の風景もまた広大なので、その広大さを自分たちの手元にあるジャーナルに収めようとすると、紙がなくなるまで描くことになります。結果、次のような出来事が起きるでしょう。

・ページ全体を埋めるには、たくさんの時間が必要です。友人とハイキングに出かけたら、岩の上に座ってお尻が痛くなるでしょう。
・木を描くのにうんざりします。
・ページの形状によって構図が決まることになります。ページの隅まで全部描き切ってから全体を見るようでは、構図を意識するどころの話ではなくなります。

　解決策は、ランドスケピトス〔Landscapitos は造語。-ito はイタリア語で「小さい」を意味する接尾辞で、最後の s は複数形を表す〕と呼ばれる「ミニ風景画」を作成することです。これは、大きな作品を描くための準備としてではなく、それを描くことだけを目的にしても十分に価値があります。ミニ風景画には、たくさんの利点があります。

・大きなスケッチ一つにかかる時間で、四つのミニ風景画を作成できます。
・風景の印象的な特徴を捉えたミニ風景画が何枚かあれば、多くの場合、一つの大きな風景画よりも、豊かな記憶を呼び起こしてくれます。
・ミニ風景画は、楽しく、大きな風景画よりもリスクが少ないです。あなたが研究熱心なら、いつでもミニ風景画に基づいてより大きな作品づくりができます（私は、ミニ風景

画で十分だと思うに至りましたが）。もし仕上がりが気に
食わなくても、それはたった5分でできるので、もう一つ
描けばいいだけです。

手順

1. 指を空中で組んでフレームを作り、構図を決めます。
2. 紙にフレームの形を描きます（小さくします）。
3. ブルーペンシルで、主要な要素を配置します。
4. あなたのミニ風景を描きます。描き込みすぎる前に止め
   て、もう一つ描いてみましょう。

大きくしたら仕事量は激増する

　絵のサイズを2倍にすると、必要な作業量は2倍ではなく、4倍になります。絵のサイ
ズを3倍にすると、描く紙の量は9倍になります。描く面積が、増加量の2乗で増えてい
くからです。

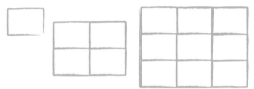

ミニ風景画のバリエーション

ミニ風景画には、遊び心のあるバリエーションがあります。

ズームインで細部を示す

　ミニ風景画だと、本当に興味深い細部を表示するには小さすぎると思いますか？　いいえ、表現できなかった細部に焦点を当てて、もう一つスケッチを作成すればいいだけです。ここに挙げた例では、沿岸の霧の上に山頂が見えている、遠くの山々にズームインしました。

自分にとって面白いものを選ぶ

　より大きなスケッチを作成する場合は、スケッチの一部分をフレームに入れて、これをミニ風景画として発展させるのもよいでしょう。

　大きなスケッチの中で、ミニ風景画ならではの構図を探ってください。

念のために……

　あなたのミニ風景画を気に入りましたか？　より大きな作品として、このスケッチをさらに発展させることができます。大きいほうでも、最初のミニ風景画のよさを保てるようにします。

　どちらが好きですか？　私は小さいほうに、より満足していることが多いです。

岩とは、縁と平面でできている

幾何学的な形を、線と色の明暗だけで表現する方法を探ります。テクニックの幅を広げることで、自分が見ているものをよりよく解釈し、正確な形を与えることができるようになります。

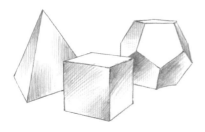

立体面を、色の濃淡の変化で表現しましょう。ここでは、陰影をつけているわけではありません。平面の輪郭を、色の対比で示しているだけです。

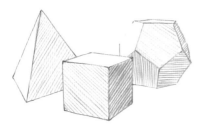

立体面を、線の向きの変化で示すことができます。ここでも、線の方向はランダムであり、陰影をつけているのではありません。描く対象のそれぞれの面ごとに線の向きが変わります。

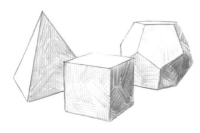

今度は、細かい斜線を組み合わせて、面に模様をつけています。面ごとに異なる模様です。

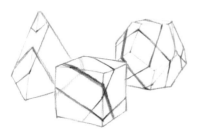

対象に走る亀裂は、面をまたぐときに方向が変わります。どういう角度になるかは、それぞれの面によって異なります。

対象の重量感を正確に描写するのに必要なのは、その対象を覆う各面、つまり表面部分を理解することで描けます。さらに、平面に挟まれた輪郭線を識別することで正確に描けます。まずは、単純な幾何学的形状から始めましょう。平面を視覚化して理解することは、簡単にできるからです。これに慣れたら、より微妙で複雑な形状の平面と輪郭線を探します。平面をきちんと描くことができれば、あなたの描く作品には重さや存在感を感じさせる立体的な構造が備わるでしょう。

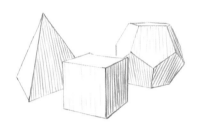

まっすぐな線を描けるなら、作品づくりに役立てることができます。ここでは、線の方向は下向き（その表面に水滴があった場合、その水滴が移動する方向）です。この「輪郭線」が次ページの岩にどのように応用されているかに注目してください。

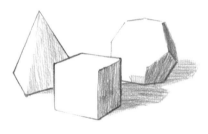

陰影は重要です。対象自体の表面にある影と、地面に投影された影の両方が、立体面と、対象同士の位置関係を理解するのに役立ちます。

丸みのある岩

岩の構造を示すために、輪郭と平面を示す手法を使いましょう。表面の角度の変化を描写することに集中してください。

本物の岩（小さなものでも）を直接観察するか、写真あるいは自分の想像の岩を観察してください。直線で（線の向きによって）面を示して、岩の表面の平面の角度を表現します。

光と影の境界をよく見ると、光と影の部分が、くっきりまっすぐ二分されているのではなく、互いに侵食し合っているかのように、その境界の部分は折れ線状に近いことがわかります。このギザギザや影の色合いの違いまで加えると、作品の質が劇的に向上します。

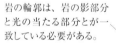

陰影をつけるための線の形や角度を変えることで、様々な岩の形を浮かび上がらせることができます。角張った突起やせり出した部分など、より複雑な岩の形をどのように表せますか？　いろいろ試してみてください。しかし常に、岩に光が当たっている、ありのままの姿を観察することに立ち戻りましょう。

岩の輪郭は、岩の影部分と光の当たる部分とが一致している必要がある。

背景にある暗い対象は、岩の明るい部分を際立たせる。

暗い部分を描いて、濃さを示唆する。

岩の根元に、暗い影をつけて、どっしりとした印象を出す。

影によって、それが映る表面の質感を表現できる。この影は草があることを示している。

細い走り書きの線や、鉛筆でささっと描いた短い線は、ざらざらした質感を出すのに使える。少しだけで十分。使いすぎないよう注意。

それぞれの部分の色の濃さをイメージできるように、色の濃淡は単純な三段階ぐらいにする。

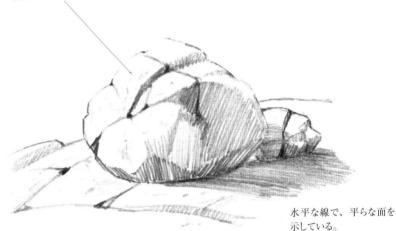

水平な線で、平らな面を示している。

鉛筆の芯を刻み込むように、真っ黒い点をいくつか描き込む。スケッチの周りにも、こうした暗いくぼみをちりばめる。ただ、たくさん作りすぎると印象が薄れる。

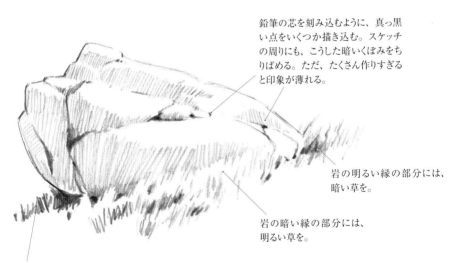

岩の明るい縁の部分には、暗い草を。

岩の暗い縁の部分には、明るい草を。

影によって、それが映る表面の質感を表現できる。この影は草があることを示している。

235

地面から突き出た岩の描き方

線と色の濃淡を使って、岩の構造の細部を描き、表面の変化に注意を向けます。

1 ブルーペンシルで、基本的な形と立体面を大まかに捉えます。この線は、スケッチをしている間に見えればいい程度で、かつ、後で消す必要がないくらいの薄さにしてください。岩の形と主要な平面の輪郭を示します。

2 主要な岩の輪郭を描きます。輪郭が重なっている箇所に注意しましょう。

岩が丸くなりすぎないように、輪郭に沿って角度をつけていく。そう、実際に丸い岩というのもあるのだが、よく見ると、曲線の曲がり方が一番強い箇所が、とがって見えるものなのだ。

岩の面の変化に沿って、鉛筆を走らせる角度を変える。

3 目を細めて岩を眺め、光と影のコントラストを確認します。岩の面に一致するように、直線で影をつけていきます。ここでは例を挙げるために、明確な濃い線で強調しておきました。イラストとして丁寧に仕上げる場合は、いま線が目立っている部分も、線の向きがほんのりわかる程度で、より滑らかな一つの面になっているほうがよいでしょう。ただし、慎重に陰影をつけるといっても、明暗が溶け合うのを描くのではなく、光と影によって生じる鮮明な形状を探して描くようにしています。

陰影の下部分の線はあまり描かずにおいて、後で短い草に溶け込ませる。

4 陰影をより精密にしていきます。隆起に沿って影に忍び寄る光が、四方に割れて伸びる様子に注目します。同様に、岩のへこみや傾斜に沿って、光の照らす部分に切り込む影が、楔（くさび）のように割れているのを観察します。この段階は、岩肌の形を捉え、浮かび上がらせるのに大いに効果を発揮します。

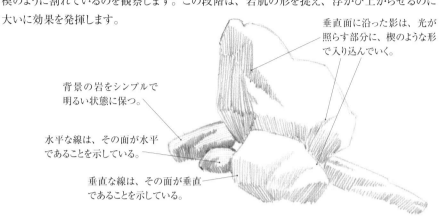

背景の岩をシンプルで明るい状態に保つ。

水平な線は、その面が水平であることを示している。

垂直な線は、その面が垂直であることを示している。

垂直面に沿った影は、光が照らす部分に、楔のような形で入り込んでいく。

5 さあ、岩の亀裂部分にとりかかりましょう。表面に走る亀裂の向きが、ある平面から別の平面にまたがるところで変わる様子を観察します。この様子を正確に描くことで、表に出ている平面の変化をしっかり描くことができます。二つの亀裂が出会う場所では、風化が進む可能性があるので、岩がより大きく侵食されているかもしれません。侵食で岩石がより早く削られるため、特に大きく深い空間が存在する可能性があります。鋭い角を丸めて、少し暗い三角形を描いて、このくぼみを表現します。この黒く塗りつぶした箇所をアクセント・ポイントといい、岩に深みを与えるのに大いに役立ちます。ただ、見栄えはしますが、あまり多く使うのは避け、ポイントごとにサイズと間隔を変えてください。

背景の岩には、細かい描き込みはしないでおく。

二つの亀裂が出会う、暗い箇所を塗りつぶす。これにより、亀裂の間のとがった箇所、侵食でもろくなっているところに丸みを与えられる。

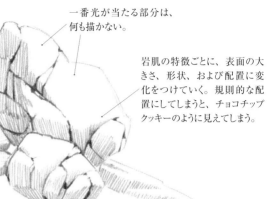

一番光が当たる部分は、
何も描かない。

岩肌の特徴ごとに、表面の大
きさ、形状、および配置に変
化をつけていく。規則的な配
置にしてしまうと、チョコチップ
クッキーのように見えてしまう。

6 太陽に照らされた岩肌に質感を加えます。マス目状の不規則な線と点を使って工夫します。少しで効果がありますので、やりすぎないでください。部分的な（照りつけるような）光が当たる面と、光と影の境界に沿った部分の質感をできる限り再現します。一番光が当たる部分は、空白のままにします。

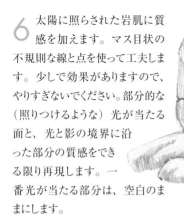

7 岩石の底部に暗い影を加えて、岩石が地面にあることを表します。これにより、岩と地面がつながり、重量感が出ます。影の部分の草の質感を表現するといいでしょう。地面を向いていた面のうち、一番大きな岩石の左側の影を強調しました。また、一番大きな岩の下で影になっている、小さな岩の色味を暗くしました。

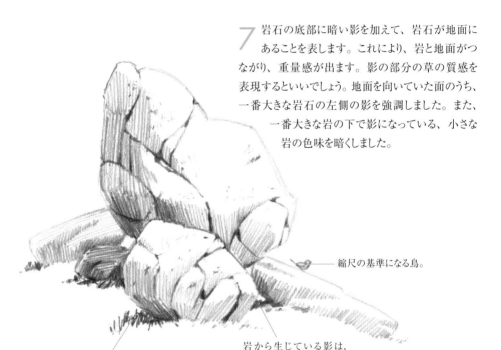

縮尺の基準になる鳥。

岩から生じている影は、
一番暗い部分。

この影の上端は、日陰に草が生えていることを示している。下端は、手前にある太陽に照らされた草の形を表している。

8 さあ、最も肝心なところをお伝えします。スケッチする手を止めてください。暗い亀裂を塗りつぶしたり、質感を追加したりするのはとても楽しいので、すぐにやりすぎてしまいます。まだやり残した部分が少しあるうちに、終了します。

山々をスケッチする

無駄のない筆使いで、山々の壮大さを捉える工夫してみましょう。山々の眺望に圧倒されるようなら、まずは範囲を絞って、ミニ風景画を描きましょう。

山を表す線

　私は次の3種類の線を使って、山々の輪郭だけでなく、山の斜面の形を表現します。崖錐斜面（ガレ場）の線、山の輪郭線、こちら側を向いた稜線です。

崖錐斜面：ガレ場と呼ばれる巨礫の山が断崖のふもとに形成されます。これらの斜面の上端は、崖の面の小さなクレバスに収まるときにVの字を形成します。

山の輪郭線：空や他の山頂と区別する山際の線です。輪郭スケッチ（P.156 参照）で、稜線の豊かな変化とニュアンスを捉えます。

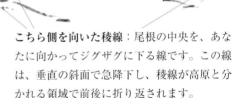

こちら側を向いた稜線：尾根の中央を、あなたに向かってジグザグに下る線です。この線は、垂直の斜面で急降下し、稜線が高原と分かれる領域で前後に折り返されます。

雪原

　山の表面に雪が積もると、雪原や露出した岩の形によって、山の形状が決まります。山の大部分に雪がある場合は、雪原のネガティブ・シェイプ（P.155 参照）の間に、露出した岩の形状を描きます。山がほとんど岩である場合は、雪原はポジティブ・シェイプとして浮かび上がって見え、周りの部分が岩です。雪原の境界線が剥き出しの岩に切り替わってきたら、雪と岩を交互にポジティブ・シェイプとして捉えて、描画を仕上げましょう。

こういう岩だらけの斜面では、雪原の形に注目する。

ネガティブ・シェイプを使用して、岩の露頭の間の雪のサイズと形状を捉える。

雪に覆われた低い斜面では、岩場の形に注目する。

筆のかすれを使う

　筆の先端を扇形に広げ、山の面全体に質感を与えて、新しい平面になったら筆先の角度を変更します。陰影によって輪郭を浮かび上がらせ、一番手前に模様のように影を加えます。

ざらざらしたドライブラシの質感。

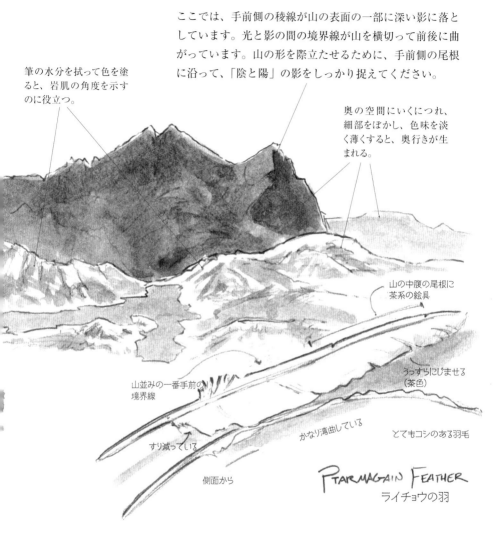

ここでは、手前側の稜線が山の表面の一部に深い影に落としています。光と影の間の境界線が山を横切って前後に曲がっています。山の形を際立たせるために、手前側の尾根に沿って、「陰と陽」の影をしっかり捉えてください。

筆の水分を拭って色を塗ると、岩肌の角度を示すのに役立つ。

奥の空間にいくにつれ、細部をぼかし、色味を淡く薄くすると、奥行きが生まれる。

山の中腹の尾根に茶系の絵具

うっすらにじませる（茶色）

山並みの一番手前の境界線

すり減っている

かなり湾曲している

とてもコシのある羽毛

側面から

PTARMAGAIN FEATHER
ライチョウの羽

山の風景の描き方①

明るい色味のガッシュを使うと、暗い背景に対して目立ちます。透明な水彩絵具で暗い色を置き、くすんだガッシュで光と明るい雪原を追加します。

1 白地に1色で横長のスケッチを描き、山の頂上と全体の形を示します。

2 水彩で着色する部分全体に水彩絵具の青を、たっぷり水分を含ませた筆で塗ります。これが乾いたら、水彩で山の部分全体を暗くします。

3 2で塗った暗い水彩絵具に、さらに絵具を混ぜて濃くして、山の影の部分を塗ります。

4 水彩絵具を乾かしてから、ライトグレーのガッシュで低地部分の輪郭をたどります。空の下側に白いガッシュを塗り、水を使って空の上方向の色となじませます。

5 白いガッシュを厚めに筆に取り、
  丁寧に筆を使って、雲と雪原
  部分を描きます。

6 暗い色の水彩絵具で、山肌と小さな木を表現します。
  木を描くからといって、明るい緑を使わないように。

線画が、絵具で塗った部分
の外まで広がっているのが
私は気に入っている。

草原の輝き

何気ない草は風景の至るところにあるので、当たり前のものとして、つい、その構成や描き方を軽んじてしまうものです。草を照らす光を注意深く研究しておけば、スケッチを始めるときに重宝します。

一般的な傾向と避けるべきこと

ゴルフ場の芝生を描いている場合を除き、草は不規則に生えて、丈もいろいろです。その土地特有の風向きなどがあれば、草が一方向に傾くかもしれませんが、たいてい、葉や茎の硬い種などが、流れに逆らっているものです。ちょっとした変化（混沌ではない）が草原を描くための鍵です。

緑色の水彩絵具の中には、草の色としては鮮やかすぎるものがあります。フッカーズ・グリーンまたはサップグリーンで草原を描くと、漫画っぽく感じるかもしれません。マゼンタや他の色で、落ち着いた色味に変化させましょう。

草の下部分を浮かび上らせる

水彩画家は通常、草の茂みの上端の形状と輪郭に注目します。ただ、下の部分も同様に重要です。草のパーツを上下同じように描くにしても、次のような方法もあります。

描いている草の手前側に、より明るい色の草の茂みがあると想像

してみてください。この明るい手前の草の上部と、先に描いた（奥の）草の下端の見え方は、一致しているはずです。つまり、一番手前に草があるかのように、想像の草の上部（葉先）の輪郭だけを描き込めば、おのずと先に描いた（奥にある）草の下部の線になります。ネガティブ・シェイプの応用です。

浮き彫りで草を描く

草を描き始める前に、エンボスツールを使用して紙に溝をつけます。ここに、暗い色で茂みを描くと、溝が草の形として白く浮かび上がります。

反り返った草

　草の茂みを水彩で描く前に、白の色鉛筆またはカラーレス・ブレンダーで、草の茎を何本か描きます。この鉛筆描きの上に水彩を塗ると、ワックスやオイルの鉛筆跡が水彩を弾いて、草の重なりを表現できます。

手前側に草の細部を加えると、奥部分に描いた暗い色の筆跡は、奥まった草の茂みとして認識される。

カラーレス・ブレンダーで水彩を弾いている部分は、暗い茂みの中で、草の光の当たっている上端部分を表している。

草の茂み。上下の部分を、まだらに粗くしたにじみによって表現している。

マゼンタやブラウンを少しばかり混ぜ合わせて、色合いの幅を広げる。

オークの森の描き方

森を描く秘訣は、個々の木の集まりとしてではなく、森として描くことです。個別の木を1、2本くらい判別できることもありますが、森とは、木の形状がつなぎ合わさっているはずです。

　遠くのオークの森を描く秘訣は、木を描くことではなく、森そのものの形を描くことです。森の端の形に注意を払い、試行錯誤しながら、葉の群生を表現し、対称的で単調な起伏にならないように、緻密な線を描いていきます。その森の茂みに明るい部分を作ることで、個々の木の存在感を示します。森の前に、一本の木だけ目立つように描きます。人々はその木を見て、それから、森を木の集合体として見るでしょう。そうすれば、森の中のすべての木を細部まで描くという労をとることなく、やり過ごすことができます。順を追って描き方を見てみましょう。

1 奥にある山のざっくりと描いた稜線と、手前側の丘の傾斜を対比させながら、森の形を大まかに描いていきます。手前に一本だけ森から離れた木を描きます。これにより、このスケッチを見る人は、背景の形を木の塊として解釈するようになります。太陽の方向と角度に注意してください。直射日光が当たる森の部分の輪郭を描きます。これらのハイライトの形状によって、森の中の個々の木や、木の集まりの形が推測できます。

光の方向

2 ランダムに交差させた短い線で、森の影の部分に陰影をつけます。波線も使って、線が機械的な仕上がりにならないようにします。こうすることで、本来はそこにもっと細部があるのに、あえてこだわらずに手早く仕上げたのだという印象になります。
細部は、少しあれば十分です。何本かの木には幹を描いたり、光の方向と連動した影を加えたりしましょう。日も暮れた頃なので、丘の中腹に影が長く広がっています。

3 平筆を使い、水彩で色をつけます。手始めに、一番手前の草地を塗ります。その奥の草の茂みに移ると、筆先に絵具がなくなって、奥の丘のほうが明るい色になります。空はいつも青いとは限りません。この夕方の空は、金色に輝いています。太陽の方向である右に向かって、水彩の色がだんだんと薄くなります。

4 鈍い紫がかったグレーで影を濃くします。葉の影の部分にも同じ色を入れます。夕日が直接当たる丘の頂上に沿って、太陽に照らされた部分はそれ以上色を重ねず、鮮やかな色のまま残しておきます。

家で作業するためのポイント
木ではなく森を描きます。スケッチ全体で、一貫した光の当たり方になるよう調整しておきます。スケッチの中の異なるところにあっても、同じ種類のパーツなら色使いを統一します。細部の描き込みは、少しで十分です。

針葉樹林の描き方

針葉樹の形は、オークの形とはまったく異なりますが、針葉樹林を描くプロセス自体は同じです。木の集合体の形に注目します。

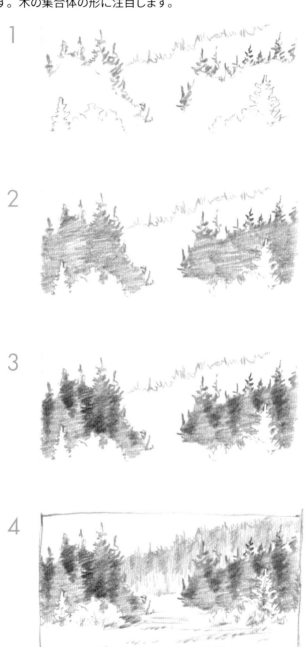

1 画面の中層と奥にある木の上端部分の形を線で表して、森のスケッチを始めます。仕上がったときにもこの形が残るので、この作業にしっかり時間をかけてください。手前部分には、暗い部分を背景に、明るい色の木を描きます。木自体を描く代わりに、木の形の輪郭を描き、内部を白のままにします。すべての木の形に言えることですが、左右対称の木を描くことは避けてください。木のてっぺん部分の間隔、大きさ、葉の量も変化をつけます。おまけとして、立ち枯れの木を1、2本添えましょう。

2 滑らかな横線で、中層の木々を暗く、均一な色合いになるように塗りつぶします。鉛筆の線が残っていると、最終的には、横に広がっている葉として見えます。手前にある木の形は注意深く扱い、あまり描き込まず白いままにします。芯が濃くて太い鉛筆を使用すると、素早く塗ることができ、鋭い線を作りすぎないようにもできます。

3 さあ、びっくりさせますよ。芯の太い鉛筆で、画面の中層にある木々の上端から下方向に、横線でざっくりと、逆三角形になるように重ねて塗ります。こうした暗い色の楔形を、長さを変えながら不規則な間隔で描いていくと、木の姿が薄く浮かび上がります。あなたは木を描いているのではなく、木の間の影を描いているのです。この方法で、リアルな針葉樹林を素早く描くことができます。これらの形の長さと幅に変化をつけることを忘れないでください。そうしないと、ノコギリの歯になってしまいます。影の部分があまり目立ちすぎず、でも全体の中で別々の部分として判別できるように、木と影の色の濃さを近づけておきます。

4 奥の木は、真ん中部分のものと似ています。真ん中の暗い木のてっぺんが失われないように、奥の部分は明るい色のままにしておきましょう。縦方向の線で、奥の背景部分に色をつけます。このとき、陰影の暗さを、2で塗った部分の色の濃さと一致させて、線が残りの部分となじむようにします。次に、横方向に線を重ねた下向きの三角形を奥の背景部分に加えます。真ん中部分ほどには、黒く塗りつぶしたりしないでおきましょう。手前には、太陽に照らされたマツやヤナギがいくつかあります。これらのほとんどを白いままにし、根元の部分に影と枝を少しだけ加えます。

滝

滝を描くことはできません。あなたにできることは、滝の周りの岩を描くことです。

　滝は、どんな風景画においても、目を釘付けにします。滝を描くときは、鉛筆の筆跡で勢いよく流れる水を描こうとする誘惑から逃れましょう。滝は岩肌に対して真っ白のはずです。滝に鉛筆の線を加えると、滝を灰色にしてしまいます。代わりに、滝の端にある濡れた岩をスケッチします。水しぶきは岩の色を暗くし、水の白とのコントラストを高めます。ここでも、滝自体の影やテクスチャを抑制して、水を白く保ちます。

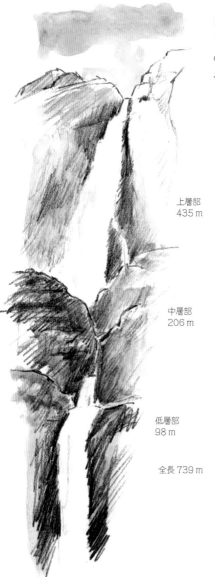

上層部
435 m

中層部
206 m

低層部
98 m

全長 739 m

1 手始めに鉛筆で、はっきりと濃くスケッチ
します。滝はその周りの岩の形によって
表現されます。

2 紙の余白に、使いそうな色の試し塗りで
縦に細長いグラデーションを作って、実
際の色使いをあれこれと探します。滝壺に生
じる白い水泡部分は水平方向（真横）に広
がることに注意してください。

3 シャドウ・バイオレット（暗い紫色）で岩
を塗り、太陽が当たる場所の上面を白
いままにします。

251

4 空の青は不規則な斑点で塗り、下の方で明るいシアンに変えます。雲の形は定まることを知りませんが、描き方はあくまで手順に忠実に、青の間のネガティブ・スペースとして描きましょう。地平線に近づくにつれて、雲とその間のスペースは、さらに水平に近づきます。

画面下部にある岸辺は、水分を少なくした筆先を水平方向に動かしながら、淡い褐色に色付けします。離れたところにある樹木の細部は描きません。

5 遠くの丘、木々、手前にある岩が画面の中でバラバラに思えるときは、これらのパーツに薄いグレーを水分を多めにして塗ることで、統一感が出ます。奥、真ん中、手前のどの領域でも、同じ色を使います。同じ色のいくつかを滝の部分に塗ってもいいですが、白いハイライト部分をある程度残しておきます。白いジェルペンで、白い水泡の余韻を表す線を、2、3本描き足します。

山の風景の描き方②

太い線の鉛筆画は、それだけでも成立しますし、水彩画の下絵として使用することもできます。

1 山の中腹にある木の形に時間をかけます。これらは、森の中の木の種類を表しています。

背景部分はより明るくし、細部はあまり描かない。

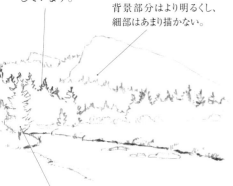

手前に立っている木の形に沿って輪郭を描く。木の輪郭に沿って、線で一周するようにして、線に目が行くのではなく、内側の白い領域が浮かび上がって木の形に見えるようにする。

2 中腹の森を、水平方向に鉛筆を使って陰影をつけ、枝の層を表現します。

奥の森林部分には、薄い縦の線で影をつけて、木の様子を表現する。

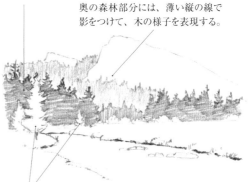

手前の木の輪郭の内側の白い領域は、木の形として読み取られる。これが、直接木々を描くのではなく、木立の輪郭を描いた理由だ。

3 粗い線を左右に往復させて逆三角形を作りながら森の深部に影をつけていきます。この作業によって、手前に明るい色の木の形が浮かび上がります。

細部は、これくらいで止めておく。

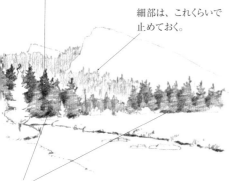

森の根元部分は、所々影を濃くする。

4 垂直の崖に、垂直な縦の線で影を表現します。背景に細部を描き加えたくなる誘惑に負けないでください。

253

5 水平方向に鉛筆を走らせて川に陰影をつけ、水面が平らであることを示します。奥にある川の曲がる箇所は、陰影を濃くします。

川の縁の緑の草の茂みを表現するため、根元部分の不規則な影を描く。さらに濃い部分をいくつか描いて、奥行きを出す。

岩の所々の影を塗りつぶす。

空は、コバルトブルーとマンガンブルーの水彩絵具を、水をたっぷり含ませた筆で段階的に塗ります。

草原は、背景に向かって色あせたサーペンティン・ジェニュイン（青味がかった黄緑）で薄くぼんやりと重ね塗りして、奥にいくほど霞ませていきます。

茶色と緑の水平な筋

浅瀬の暖色系の黄土色はウェット・イン・ウェットで（P.272 参照）。

最初にウルトラマリンブルーで塗り、左側を水で薄くする。

シャドウ・バイオレットで細かく描き込まれた影と草むら。

森はすでに日陰になっているので、木々の上に、くすんだ緑を乗せて一度水ですすいだ筆先で、色を足します。背景部分も同じ手順で、シャドウ・バイオレットを使い薄くなじませます。

シャドウ・バイオレットは、まだ一部分に入っているだけです。山、奥の木々、および画面真ん中にある木々が、まだ個別に目立ちすぎて、統一感がないことに注目してください。山肌の白い花崗岩部分が目立ちすぎています。

黄土色を薄く一塗りして、草の部分を落ち着かせる。

手前の木々には、暖色系の緑を。

奥の背景部分、真ん中部分、手前の前景と画面内にある区画のうち、二つ以上にまたがって薄く水彩絵具を塗ると、まとまりが生まれる。スケッチがバラバラに感じられる場合に有効な工夫だ。ここでは、背景と真ん中部分の山と森林に、薄くシャドウ・バイオレットを塗り足した。

シャドウ・バイオレットを使って、手前の木の真ん中と下に影を追加した。スケッチ全体で同じ色を使用すると、統一感が出る。

水を描く

水の色、質感、透明度、反射、光、それぞれの移ろいや変化を理解することは、私たちが生きている間ずっと続く大仕事といえるでしょう。海や小川のほとりに座り、見つめ、疑問を発することは、何よりもよい手立てではないでしょうか。

色

　水はどんな色にもなります。とりわけ、空の色を反映します。沈泥や藻類の色に染まることもあれば、透明になって、水没した物体や水面の色を明らかにすることもできます。

　画面内の水の部分に色を追加する前に、縦に細長い色見本を作成します。両手を上げて、手を上下に固定し狭い隙間を作り、手の間に収まっている範囲の色を区切って、よく観察するのです。遠くにある水平線から、眼前の海岸までの水域の色の変化を見つけます。色鉛筆または水彩で、色の変化をジャーナルに描き写します。ペンまたは鉛筆しか持っていない場合は、文章で、何色を見たのか、それらがどんな場所で別の色へと変化するのかを記録しておきます。このように水を見れば見るほど、その多様さと雰囲気の変化に喜びが増していくでしょう。

質感

　水面の質感に関する調査結果をメモに記録し、水のいろいろな動きを楽しんでください。そよ風で見られる波紋のパターンはどんなものですか？強風は？

手前の波紋は大きくて、間隔が空いている。

遠くの波紋は小さく、間隔が狭い。

反射

　数年前、とある鳥関連のイベントのために、Ｔシャツとロゴデザインを依頼されました。私は喜んで引き受け、岩にたたずむムナジロカワガラスを描きました。水面に映った姿を描くために、その画像を反転しました。これが当時の私の精一杯でしたが、いま見ると、いくつもの問題に気がつきます。これは何が間違っていますか？　読み進める前に、自分でその答えを考えてみてください。

　水は鏡のように反射します。私たちが「鏡像」という用語を頻繁に使用するのとは矛盾

していますが、鏡に見えるものは、同じ姿を逆さまにしただけでは
ありません。鳥が鏡の上に立っている場合、反射は真横の部分では
なく、その下側の部分をより多く映し出すはずなのです。

　当時の私は、岩が水面に映った図像が、実際の岩ほど高くないこ
とは正しく観察できていましたが、岩の側面の斑点は一部しか見え
なくなっているはずなのです。つまり、上面にあるものは、反射した
像には映りません。また、水面に反射した鳥の像は、実際の鳥より
も短いはずはないのですが、その一部は岩の影によって遮られます。

　下のトウゾクカモメの図では、観察者は鳥の背のほうから、見下ろしています。すると、
反射した影は、体の下側を映しています。鳥の視線の角度は、反射像の視線の角度とも異な
ります。私たちに最も近い翼は、縮んで見えますが（翼はわずかに手前に傾いています）、

反射像では、縮んでいないことに注意してください。奥の翼の影は、
私たちの目に映る鳥の翼よりも、短くなっています。これは別の間違
いでしょうか、それともそれで正しいですか？

　反射は、影とは異なります。影は、太陽に対して映し出されるもの
です。どこに立っていても、日時計の影は同じ場所にできます。対照
的に、反射は観察者の位置によって決まるので、対象から観察者に向
かってまっすぐに投影されます。水中に立つ支柱の反射は、岸のどの
地点からでもまっすぐあなたのほうを向いています。山頂の反射図像
は、常に実際の山頂と、垂直な位置関係にあります。

　反射図像の長さは、反射している対象の角度によって異なります。
垂直の支柱は、（観察者の高さに応じて、増減はありますが）水面から支
柱の上端までの高さとほぼ同じ長さで、水面に映ります。支柱があなた側
に傾いている場合、支柱は実際より縮んで見えますが、水面に映っているの
は、それより長くなります。向こう側へと傾いている支
柱なら、トウゾクカモメの反射した翼に見られるように、縮んで見
える支柱よりも、さらに短い反射を映し出します。

　暗い対象の反射は、実際の対象よりも明るくなる傾向があります。
明るい対象の反射は、実際の対象よりも暗くなる傾向があります。

垂直の支柱は、水面上に
見える支柱の部分と同じ
高さの反射を投影する。

向こう側に傾いてい
る支柱は、水面に映
る像がさらに短くなっ
ている。

手前側に傾いている支柱
は、水面に映っている像よ
りも、縮んで見える。

実際の対象とその反射を観察してみましょう。岩、草、木、山の反射について考察して、ノートをメモでいっぱいにしてください。

透明性

　手前にある水面は、透明です。水平線に向かって遠くを見れば見るほど、水は空をより多く反射し、水の中が透けて見えることはなくなります。このため晴れた日には、あなたから遠く離れたところにある水は、ますます青くなります。

1　ワックスクレヨンまたは白いバースデー・キャンドルを使って、水域の上部近くに、水平な線や印をいくつかちりばめます。ここに色をつけると、これらの印は水面のきらめきのように見えます。上からだんだんと青の水彩で薄く色を塗り、下からは、暖色系の茶色で、細めにだんだんと色を薄く塗っていきます。水中の物体は、乾燥しているときよりも、濃い色で、より暗く見えることが多いです。

2　海岸近くの岩の影に色をつけます（岩の輪郭を丸い円で描かないでください。見えるのは影です）。上に向かって進むにつれて、影は互いに近づいて、水平になります。水筆を使ったので、画面の上部（奥）に向かって塗ると、自動的に薄くなっていきます。普通の筆を使用している場合は、絵具を混ぜるときに水を加えます。

3　上部には、間隔の狭い水平な横線で青色を塗ります。下に向かっていくにつれ、その描き込みを大きくして、間隔も広くしてください。プッシュ・アンド・プル〔画面内の要素が「面」として浮かび上がり、押したり引いたりするように見える視覚効果のこと〕の筆使いを利用して、だんだんと薄くなる波の痕跡を描きます。繰り返しになりますが、水筆を使用すると、ページの下のほうに向かって作業すれば筆跡が薄くなっていきます。

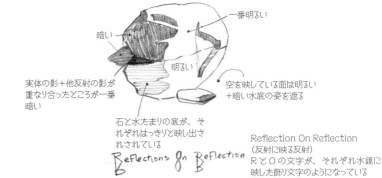

暗い

一番明るい

明るい

実体の影＋他反射の影が重なり合ったところが一番暗い

空を映している面は明るい＋暗い水底の姿を遮る

石と水たまりの底が、それぞれはっきりと映し出されている

Reflections On Reflection

Reflection On Reflection
（反射に映る反射）
RとOの文字が、それぞれ水鏡に映した飾り文字のようになっている

水彩で海の波の広がりを描く

陸地から離れた外海の波には、長く隆起したうねりと、そこに絶え間なく変化する小波が連なっています。大きな波から始めて、小さい波へと進みます。光を捉えることから始め、暗い部分へと進みます。

平筆は、説得力のある波の様子を簡単に生み出すことができます。筆先を立てて細く使い、紙を撫でるように、左右にささっと筆を払ってみましょう。この手法を使ってみる前に、「透かし」に関して少し学んで、これから生み出される効果を検証しましょう。

平筆の平たい筆先で軽く叩いた跡。

平行な筆跡がいくつかあるのは、同じ突風で巻き起こった細波を表している。

筆を少し傾けて描いた跡。

最初に塗った部分が乾いた後で、大きな波の表面に小さな波の跡を描いた。この筆の筆先がすり減って広がり割れていたので、ちょうど平行な線がいくつかできた。

　海面からのまぶしさは、強烈なときがあります。横線を上から下に並べて波模様を描いていく場合でも、太陽の反射を表すために、白いまま残しておく部分を作ってください。仮に白い絵具を塗ったとしても、元の紙ほど明るくなることはありません。

1 平筆を使用して薄曇りの空を下
塗りし、青灰色で波打つ様子を
描きます。筆を傾けながら描きまし
ょう。水面に泡や光の効果を出すた
めに、一部を白いままにします。

2 海の泡を示すために、大まかに、水平
方向の空白を残します。

3 幅が広いほうの筆
先を左右に踊らせ
ながら、波の暗い表面
を描きます。遠い波の
ほうが密集していて、
より水平な線になりま
す。近い波は、四方八
方どの向きにもなりま
す。

4 濡らした筆を水
平方向に走ら
せ、空と遠くの水面
をなじませます。海
の部分が乾いてか
ら、鉛筆とガッシュ
でアホウドリを加え
ました。

砂浜の波

海の泡がリボン状に広がっているのを活かして、波の平面を表現します。砕ける波が丸まって飛び散る方向に注意し、その形は不規則なままにして描きます。

波打ち際に浮かぶ泡

　海の泡〔sea foam のこと。日本では、波の花とも呼ばれる。海水中の藻などが波で攪拌されて発生する泡。波打ち際などによく見られる〕は隙間を空けながら海面に広がり、その丸い隙間の形は、海面に対する視線の角度によって変化します。海面を見下ろすと、海の泡は不規則にまだら状に広がり、隙間が見えます。視線を上げてもっと遠くの海面を見ると、その隙間の形は、平たい楕円につぶれて見えます。手前に近い海の泡がより広がって見えるでしょうし、描く部分が水平線に近づくにつれ、そうした隙間が、より平らになることでしょう。

　例外もあって、水平線に向かって平たくならない場合があります。それは、こちらに打ち寄せる波の根元の部分が迫り出して、あなたの視線に対して垂直になっている場合です。

湾曲

　波の立ち上がった部分に浮いている海の泡の曲線は、見る角度によって変化します。波があなたにまっすぐに向かってくる場合、その波の表面は垂直ですが、海水面の左右の部分は、うねっています。

波面　　海水面

見る角度を変えると、波面のうねりの角度が変わる。

　波と砂浜のほんの一部分だけでも、多くのことが同時に起こっています。砂浜に寄せて砕ける波の雄大な眺めに見とれないで、まずは小さなスケッチに取り組んでみましょう。

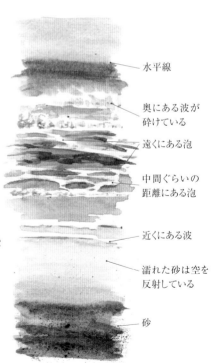

水平線

奥にある波が砕けている

遠くにある泡

中間ぐらいの距離にある泡

近くにある波

濡れた砂は空を反射している

砂

261

対称

　波を対称にしすぎないように気をつけましょう。自然界で発生することもありますが、絵としてみると、偽物っぽく見えます。代わりに、不規則な波の頂を描きましょう。

対称的すぎる

打ち寄せる波を水彩で描く

波は刻々と変化します。波とは一般的にどんなものかを観察することで、波の動きを素早く捉えられるようになります。

　打ち寄せては砕け散る波の姿、それは複雑で捉えにくいものです。波の動きの一瞬を捉えるために、私は次のようにしています。波が押し寄せ、盛り上がり、砕ける様子をじっと見つめ、目を閉じて集中して、またぱっと目を見開いて、もう一度閉じます。そうすると、しばらくの間、波の打ち寄せる様子が脳裏に焼きつくのです。その瞬間は、二度とは起こりません（待っても無駄です）。次に、観察した波が砕けるときの形状を素早くスケッチします。似たような波の形を見直すことで細部がわかりますが、元の形は、あくまでその瞬間に私の目が捉えたものに基づいています。

1 大まかで不規則な筆使いで、紫がかったグレーの泡の影を塗ります。乾いたら、白いクレヨンを泡の部分の輪郭部分に塗って、ワックスの覆いとして、他の色が紙に残るのを防ぎます。クレヨンを行ったり来たり躍らせて、泡をイメージさせるラフな輪郭を描きます。別の紙などでこのテクニックを試して、どんな仕上がりになるか確認してください。

2 フェイスと呼ばれる波の表面〔こちらに向かってくる波頭の下、腹の部分〕を描くには、明るい緑から青までを混ぜながらグラデーションにして、水をたっぷり含んだ筆で塗ります。まだ湿っている間に、波のベース部分〔波の根元、隆起した部分と海面のつなぎ目〕を暗くします。ここが暗いほど、緑の部分はより明るく輝きます。同様に、波の後ろにある海を暗くします。波の前の平らな水は空をより多く反射するため、波のてっぺん部分よりも青くなります（ただし、空が晴れて青い場合）。

3 2で描いた波が完全に乾いたら、パーマネント・ホワイトのガッシュで、表面の泡を描きます。泡を表す線は、波をまっすぐ見たときは垂直に近くなりますが、砂浜を見上げたり見下ろしたりしていると、線は斜めになります。波のベース部分では、泡が間隔の狭い水平方向に漂うため、見えている部分の青い海面は、細い水平線になります。

波と岩を水彩で描く

岩の固さは、波の泡が生み出す流動性とは対照的です。このコントラストを色の濃淡で強調します。

　波のどの部分を描くにせよ、描く前に、じっくり時間をかけて、波をあらゆる角度から見つめてください。波のベースは何色？　波の頂上の細いところは何色？　泡によってどのような形や角度が生まれている？　波に決まった形はありません。日光の差し方が、朝から正午、夕方へと変化するにつれて、波の色も変化します。その一瞬に、波に何が起こっているかを改めて観察し、新しく捉え直しましょう。

1 波の泡に影を描くことから始めます。波が対称にならないように、描き込むときは、徹底的にばらばらにします。白いクレヨンで泡の部分の上端を塗ります。

2 緑または青緑の絵具で、波頭付近のくるっと丸まった部分を描きます。丸まった部分の上に黄色を少し乗せて、色合いに温かみを加えます。波のベース部分に、濃い緑色の不規則な模様を描きます。垂直の波面では丸い形のまだら模様になり、平らな海面では、横に広がったまだら模様になります。

3 波の前後に青を追加して、波を仕上げていきます。ざらざらした輪郭線は、クレヨンを使っています。左の絵では、下部分にある泡の隙間が、横に広がっていることに注目してください。

4 大きな水しぶきの付け根に岩を追加します。すべてを塗りつぶさないでください。岩肌に白い線の流れを残して、岩面から水が流れ落ちている様子を表現します。

打ち寄せる波を水彩で描く

1

2

3

波と岩を水彩で描く

1

2

3

4

雲を見る

空は平らな壁ではなく、奥行きのある空間です。陸地の距離を表すのと同じ方法を使って、空の距離を表すことができます。

雲の形

　雲のスケッチを改善する最良の方法は、雲を科学的に観察することです。実際に目にするときや、写真や芸術作品に出てくる雲は、どの種類の雲なのかを特定する方法を学びます。雲をよく知れば知るほど、より多くのことを見て、味わい、本質に気づけるようになります。雲についての知識と好奇心は、あなたの作品づくりに活きるでしょう。

　私たちは誰でも、もこもことした漫画のような雲のイメージが頭の中にあります。この対称的な凹凸をもつ雲は、記号にすぎません。実際の雲は、このようには見えません。雲を描き始めると、この漫画の要素があなたのスケッチに滑り込み、描こうとするリアルな現象を台無しにしてしまいがちです。こうした記号を描きたくなる誘惑と戦ってください。

　よりリアルな輪郭で雲をスケッチしようとしていても、気を抜くとすぐに、象徴的な漫画の雲がスケッチの中に忍び寄ります。一定のサイズの弧をフリーハンドですぐに描けるようなら、あなたがこの落とし穴に目を光らせて注意していないと、手は何度でも繰り返します。右の雲に対称的な隆起があることに注目してください。このスケッチに、雲のシンボルの影響がありますか？

　より自然な形への秘訣は、一貫して一貫性を欠くことです。雲の形や隆起をあえて不規則にするのです。あるサイズの隆起を描いたら、次は別のサイズの隆起を描くのです。

　屋内に座って雲を描く代わりに、外に出て実際の雲がどうなっているのかを見てください。雲の形のジャーナルをつけ始めましょう。こうした観察調査は、一回数分で行うことができます。雲の種類を判別することから始め、雲に関する経験知を向上させましょう。

雲底

　雲の下の部分が同じくらいの高さに位置する、積雲のグループをよく観察します。この現象は、露点と呼ばれる空気の温度の変わり目のところで発生します。この点より温度が下がると、水蒸気（目に見えないガス）が凝結して水の小さな液滴になり、私たちが目にする雲を形成します。この結果生じるのが、底の平らな雲です。

　空に浮かぶ円盤を想像してみてください。まっすぐに見上げると、円状のものが見える

でしょう。地平線に近いところにある円盤を
見ると、つぶれた楕円に見えます。頭上の対
象なら本来の形状を維持しますが、遠くの形
状はゆがんで薄くなります。これと同じこと
が、雲の底にも起こっています。積雲が頭上
を通過すると、その不規則な輪郭が見えるで
しょう。いかにもという形の、あの波線ででき
きた雲は、実際の空には姿を現しません。そ

れは、雲の底を見ているからです。同様に、頭上の雲の層に穴がある場合、穴の不規則な
形が見えます。遠くの積雲を見ると、その暗い底は水平の楕円につぶれています。そこで
見える雲は、ほとんどが横から見たところです。遠くの雲の穴は、地平線近くの直線的な
青い部分に比べると、ゆがんでいます。両極の中間地点では、雲は底が見えるものもあれ
ば、側面が見えるものもあります。

空の色

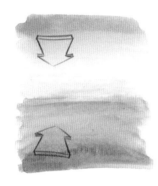

　陸上で遠方の対象は、遠ざかる（地平線に近づく）につ
れて、寒色系の色（青）になります。対照的に、天頂（頭
の真上）の空は最も濃くて深い色になりますが、地平線に
向かって、明るい暖色系の色になります。

1 ブルーペンシル
で、積雲の形を大
まかに描きます。地平
線に向かって間隔を狭
くして、雲を何層か重
ねます。

2 積雲は、底部分が平たい状態で、空を横切るように一定
の高さで並んでいることがよくあります。露点によるも
のです。この現象を表現するには、雲の底に陰影をつけます。
陰影をつける線は、地平線の下にあるはずの消失点に向かっ
て重なり合っていきます。これは一点透視法であり、空の平
面が、遠くに奥行きが増したことを表現してします。

3 雲は、隣接する濃い青があることで生じる対比によって、明るく見えます。空の色に濃淡を加え、消失点に向かって引かれた線で、空の平面と奥行きの印象を補強します。

4 雲に少し黄土色を加えて、暖かさを与えます。アースカラー（土の色に類する様々な色）を空に取り入れることで、画に統一感が出ます。

様々な空を水彩で描く

水彩画家は、空を描くための多くのコツを知っています。でも、自然界で実際に観察することに代わるコツはありません。ここに紹介する方法は、リアルな空と雲の観察と組み合わせると威力を発揮します。

　水彩画は、はっきりとした形のない空を描写するための、手早く効果的な媒体です。水彩を使うことで、アーティストは、色彩と色味のグラデーションや、輪郭を明確にしたりぼやかしたりして表現することができます。水彩画は、非常に心地よい印象の雲を生み出すこともできます。ここで紹介する工夫は、役に立ちますが、罠でもあります。ウェット・イン・ウェット技法（P.272 参照）で作成できる雲で満足するなら、そこで止まり、雲が実際にどうなっているのかを観察することに時間を費やさないかもしれません。紋切り型の雲を描くテクニックに満足しないでください。空で何が起こっているかを実際に観察することに慣れてから、テクニックを使用して見たままを描写しましょう。

空の色はくすんでいる

　絵具のチューブから出した青を、そのまま空の色にするのはやめましょう。実際の空の色よりも鮮やかすぎます。オレンジをほんの少し加えることで、濃い青をくすませて、落ち着いた色にすることができます。少量で十分効果がありますので、抑え目にしてください。右に、絵具の顔料そのままの場合と、少量のオレンジで微妙に落ち着かせた色味に変えた場合とを示しておきます。

フタロシアニンブルー　　コバルト　　ウルトラマリン

水彩で濃淡をつける

　空は頭上では、濃い青です。それが地平線に近づくにつれて、明るく、暖色系の色に見えます。これは、筆に含ませる水の量を調整して、グラデーションにすると表現できます。作業している領域をカバーするのに十分な量の絵具を、水で薄めて混合することから始めます。これを見積もるには練習が必要なので、最初は、量を作りすぎても気にしないでく

ださい。塗っている途中で作業を中止して、もう一度作りたくはないですから。私の場合、空を描くときはたいてい「ミニ風景画」にするので、絵具はそれほど多くは必要ありません。絵具に水をまぜるとき、ペースト状では濃すぎます。液体にしてください。

　次に、紙または製図板を約 30° の角度に傾けます。これにより、それぞれの筆跡の下部に、水滴となって水が少し溜まります。準備した色を筆にたっぷり含ませて、空の上部を、水平方向に筆を走

らせて、塗り始めます。塗った絵具が流れて、筆跡の下部に沿って少し水滴ができる程度の絵具を使用します。すぐに準備した色を筆に補充して、もう一度筆を走らせ、塗った絵具を筆跡に重ねて広げていきます。手を止めないでください。手を止めると、塗料が乾き始め、線が残ってしまいます。準備した色をそのまま混色せず使い続けると、平塗り（ベタ塗り）になります。準備した色にさらに澄んだ水を加えると、暗い色味から明るい色味へのグラデーションが作成されます。

　私が野外で作業をするときには、水筆を使用し、空の一部分を描く程度ですが、そもそも、私の描く風景画自体が初めから小さなものです。水筆を使用すると、毛細管現象によって、筆内の水がポンプ部分に引き上げられ、絵具が置き換えられるため、自動的にグラデーション効果が得られます。グラデーションで色を塗るときは、筆先を絞らないでください。そうすると、一度に大量の水を筆に含ませることができます。

リフトアウト技法と雲

　フタロブルーなどの絵具の中には、紙の繊維まで染み込んでしまうものがあります。それらが紙の上に落ちると、広がらずに、その部分にとどまります。他の色の場合、例えばマンガンブルー系の色相など、小さな顆粒として表面に付着するだけで、もう一度筆を当てれば、紙面から色を取り除くことができます。青の絵具のうち、特定の染色特性をもつものを選べば、青い空の上に、雲を追加できることがあります。

　ここでは、マンガンブルーの色相を使い、グラデーション状に空を塗りました。手早く作業をすると、紙面の一番下に達したとき、紙はまだ濡れています。雲を作るために、ペーパータオルをくしゃくしゃにし、軽く叩いて絵具の一部を吸い取ります。青が残っていたので、この部分を筆でもう一度湿らせて、少し水に浸してから、しわくちゃのペーパータオルのきれいな部分で青を吸い取ります。絵具が乾いたら、雲の底に影をつけます。

クレヨンやろうそくで雲を描く

　ワックスクレヨンや無着色のバースデー・キャンドルは、水彩キットに追加するのにもってこいのアイテムです。空を塗る前にワックスの層を塗っておくと、ワックスが絵具と紙の間に障壁を作ります。その結果、鋭く不規則な輪郭をもつ鮮やかな雲ができます。このやり方は、グラデーション塗りと組み合わせると、手軽にできて楽しいものです。

クレヨンに影をつける

クレヨンを塗る前に、影を塗っておくとよいで
しょう。紙を濡らし、雲の影の部分を薄く紫がか
ったグレーで塗ります（ここでは、ダニエル・ス
ミスのシャドウ・バイオレットを使用）。地平線付
近に、暖色系の色で2、3回、色を乗せます（同じ
く、ダニエル・スミスのキナクリドンゴールドを
使用）。

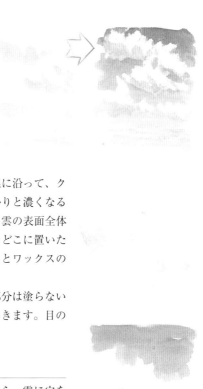

紙が完全に乾いたら、雲を描く予定の領域の境界線に沿って、ク
レヨンやろうそくの切れ端をこすりつけます。しっかりと濃くなる
ように手を動かします。雲の一部分だけを描くなら、雲の表面全体
にクレヨンを追加する必要はありません。ワックスをどこに置いた
か見分けるのは難しいかもしれませんが、紙を傾けるとワックスの
光沢が見えます。

次に、空にグラデーション塗りをして、ワックス部分は塗らない
ようにします。下にいくに従って、色は薄くなっていきます。目の
前に雲の形が現れるのを見るのは、楽しいものです。

ネガティブ・シェイプ

青い空を塗り、大きくて不規則な雲の形を残してから、雲に穴を
描き加えて雲間を作ります。穴のサイズと間隔は変化をつけてくだ
さい。下のほうにある穴は、青ではなくシアンで着色します。

1 雲の影を、紫とグレーを混ぜて塗ります。上部近くの雲の影は
大きく、不規則になります。下になるにつれ、影は小さくて水
平なものへ。

2 上から下に向かって作業し、最も手前にある雲の上部は、不規
則な輪郭にします。画面の下のほうに向かって作業するときは、
絵具を薄くして、雲の間の穴をますます狭く、水平にし、間隔も狭
くします。

3 遠くの空の色を柔らかくするために、地平線を横切るように、
黄土色の水彩絵具で塗ります。遠くに丘を描いて完成です。こ
の丘の暗い色により明るい空とのコントラストが生まれ、白がより
際立つので雲がふわっと輝いているように見えます。

ウェット・イン・ウェット技法で空を描く

空の観察を楽しんでください。水彩で空を描く方法を学ぶことは、子どもの頃、雲を見たときの喜びを呼び起こします。雲の柔らかさを描写するには、ウェット・イン・ウェット技法が、水彩画家が駆使する技の中でも最高の技法の一つです。

　まず、空にする部分の紙の表面を水で湿らします。雲のあちこちに、明確な輪郭が自然と出てくるように、あえて濡らさない部分を少し残しておくのを好む人もいます。紙面を水たまりにするのではなく、光を当てたときに、紙がしっとりとした光沢を放つ程度に濡らします。紙の吸水性が非常に高い場合は、水塗りが2回必要になる場合があります。野外では、呉竹の水筆を使っています。筆先を平らに保つプラスチック部品を一時的に取り外すと、ブラシが大きなモップ状に広がって、より広い面を濡らすのに最適です。

　濃い青とたっぷりの水を混ぜて、不規則な筆使いをして、描こうとする白い雲の周辺部分を塗っていきます。湿った紙なので、筆跡の境界がにじんで、残った白い部分が美しい

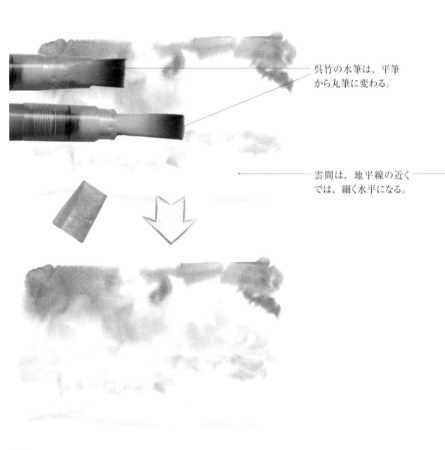

呉竹の水筆は、平筆から丸筆に変わる。

雲間は、地平線の近くでは、細く水平になる。

雲のように浮かび上がります。紙の下部へ塗り進むときは、明るい青の色合いを使用し、最後に暖色系のシアンを使用します。地平線の近くには、横向きに筆を走らせ、空の部分が見えている雲間として、青を一塗りします。上から始めて下に向かって進むと、紙の下の部分のほうが、上よりも少し早く乾くので、塗料があまり流れなくなります。それが、うまくいっている証拠です。遠くの雲は近くの雲ほど柔らかな羽毛状ではありません。

　紙面がほぼ乾いているなら、きれいな筆と水で、白い雲の表面を塗り直すことができます。雲に影（ここでは、ダニエル・スミスのシャドウ・バイオレットを使用）と暖色系の赤味（ここでは、ダニエル・スミスのキナクリドンゴールドを使用）を追加します。紙の上部に近い雲では、底の部分がより多く見えるため、より多くの表面が影で覆われます。陰影の部分の輪郭がくっきり見えすぎる場合は、塗った絵具がまだ湿っているなら、湿らせたきれいな筆で撫でると、ぼかすことができます。画家の中には、手に2本の筆を持って描く人もいます。一方は色を塗るため、もう一方は、輪郭をぼかすために水を含ませておくのです。

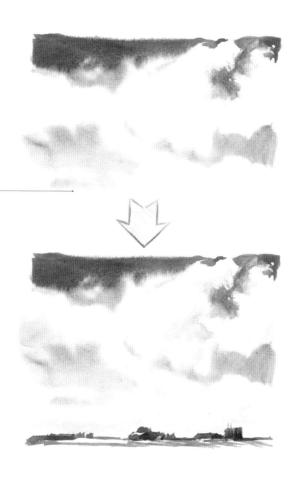

鉛筆で雲を描く

擦筆などのブレンディング・ツールと練り消しゴムで、雲の姿を素早く正確に描きます。
雲の端の周りの固い線を避けるようにしてください。

1 鉛筆を横に滑らせながら塗り、練り消しゴムで塗った部分の一部を取り除いて、雲の領域を白のままにして、周囲に陰影をつけることで、雲の姿を表現します。

水平雲の形は
白のまま線

練り消しゴムで浮き上
がった雲の形

2 擦筆を使用して、雲の周りの空をぼかして、暗くします。

ぼかすと、空が暗くなることに注目

3 擦筆に鉛筆の芯をこすりつけたら、それを使って、雲に穴や微妙な影を追加できます。

ある領域をより暗く濃い色にぼかしたい場合は、紙の端に柔らかい鉛筆で落書きし、絵具のように、擦筆の先端に黒鉛をまとわせるとよいでしょう。

夕暮れ

夕日をスケッチすることは、一日を終えるための美しい方法です。光で溢れた空を描き、思い出と同じくらい美しいスケッチを携えて家に帰るための秘訣を、いくつか紹介します。

コントラストを誇張する

　夕日をあなたが見ている通りに正確に描くことは不可能です。夕方の空とあなたの目が生み出すものは、どんな絵具やフィルムを使っても表せません。その理由は、光は明るく輝くと同時に、様々な色を帯びるからです。一方、夕方の空の鮮やかな色を捉えるために多様な絵具を加えるごとに、画面は暗くなってしまいます。空は太陽と同じくらい明るく輝くことがあります。あなたのスケッチを明るく輝かせようとしても、紙面の中では白い紙の色が限界です。地平線上で赤く輝く太陽は、豊かな色をもち、最も白い紙よりも明るいのです。夕方の空の鮮やかな色を捉えるために追加する絵具が多いほど、紙面が暗くなります。残念ながら、色と明るさの両方を一致させることはできません。

　空の明るさを表現する一つの方法は、空と地面のコントラストを誇張することです。山を暗くすることで、空を輝かせるのです。これは、実際に見ているよりも地面を暗くする必要があることを意味します。日没時に目を細めると、相対的な明暗の兼ね合いをより簡単に確認できるようになります。

日没直後の瞬間

　夕日を見つめてしまうと、目に緑色の残像が残り〔陰性残像のこと。強い光を見た後に、そのときの色とは逆の色、つまり補色の残像が目に映る視覚的現象。赤の補色は緑〕、スケッチが続けられません。太陽から少し離れた部分の空を描いて、目を保護しましょう。太陽が沈むと、空を描くのがずっと楽になります。

　太陽が沈んだ直後に、目を東に向けてビーナスベルト〔日没直後、太陽とは反対側の地平線近くの空には地球の影が青く映るため、その上空から反対側の夕陽に向かって、薄紫からピンクのグラデーションが続く現象〕を見てください。ピンクの帯が空に昇る地球の青灰色の影の上からアーチ状に広がっています。見たことがありますか？　見たことがあるにしても、それが何なのか知っていましたか？

くすんだ泥のような空はダメ

　青い空に、オレンジや赤の雲を透明水彩で描くと、その部分の色がくすんだ泥のような色になってしまいます。

　オレンジ色の絵具が、青に触れないようにしてください。地平線近くの空がオレンジ色に変わった場合は、水を含ませた筆で色を薄くしてから、青い部分とつなげます。

　青い空にオレンジ色の雲が必要な場合は、明るいオレンジ色のガッシュを使用してみてください。持っていない場合は、最初に白いガッシュで塗りつぶして、乾いたらオレンジ色の透明水彩で色を乗せます。

　透明な水彩で、青の上にマゼンタを直接塗ってもよいでしょう。青が薄い場所では、ピンクの雲ができます。青が濃いところでは、マゼンタがラベンダー色に変わります。

夕焼けの直後

夕方の空は刻々と変化します。雲をオレンジ色に塗ろうとしたときには、ピンクまたはグレーに変わっています。同じスケッチを変更し続けて、目の前の瞬間と一致させたくなるものですが、そうやっても不満足な、茶色にぼやけた混乱をもたらすだけです。よりよい方法は、目の前の景色が変化したら、別のスケッチを開始することです。辺りが暗くなり紙が見えなくなるまで、日没の瞬間をひとしきり次々に描きます。

空が変わり始めると、時間は貴重です。次のスケッチに取りかかったとき、色を塗り始める前に大まかな構図を決めるのは、少し時間がかかります。この時間は、色を塗るのに使いたいのに、です。そこで、日没の約1時間前に描き始めます。5、6枚ほど、小さいスケッチで丘や前景要素の輪郭を描きます。必ず東側の眺めを少なくとも一つ描いてください。空が変化し始めたら、一つに色を追加し、次に、別の小さいスケッチに色を追加します。一つに手間をかけすぎないでください。空が変わったら、別のスケッチにすぐに取りかかります。空の変化が速すぎる場合は、作業を最小限にして、スケッチの横に色見本をいくつか追加しておき、後で色を塗り足せるようにします。

色付きのガッシュを使用して、青い空の上にオレンジと赤の雲を直接塗る。少量の水で溶いた濃厚な絵具を使用しよう。青が透けて見える場合は、まずチタンホワイトで雲を下塗りする。

1 パレットに白いガッシュしかない場合は、この方法を試してください。ダークブルーの透明水彩を塗ります。ガッシュは、暗い背景が最も映えます。

2 背景が乾いたら、チタンホワイトのガッシュを濃厚なペースト状のまま使って、雲を作ります。淡いラベンダー色で影を描きます。白い雲が欲しい場合は、ここで止めます。

3 ガッシュを乾かし、透明水彩で素早く色をつけて、ガッシュが目立ちすぎないようにします。

山際の夕暮れの描き方

透明な水彩絵具で背景に色を置き、紙面が乾いたらガッシュで雲を追加します。透明水彩では、明るい部分から暗い部分へ、次にガッシュでは、暗い部分から明るい部分へと作業します。夕日を描く上で最も難しいのは、いつ止めるかを知ることです。

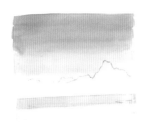

1 夕方の空を支える地形の線を描くことから始めます。太陽が沈み始める前に、スケッチを何枚か描いておきます。空が変わり始めたら、素早く作業しましょう。
透明な水彩絵具と幅広の筆を使用して、空を横切るように水彩の筆を動かし、グラデーションを作ります。

2 紙面の上下をひっくり返し、地平線から下に向けて、2回目のグラデーション塗りを行います。次のステップの前に、紙を乾かす必要があります。別のスケッチに移って、絵具が乾く間に作業します。こうすれば、短い日没を最大限に活用できます。

3 山と近くの海岸のシルエットを、暗い色の絵具を混ぜて（ここでは、インダスロン・ブルー、ブラッドストーン・ジェニュイン、およびジオキサジン・バイオレット）塗りつぶします。筆跡の一部は残るので、ただスペースを埋めるだけにならないように。山の斜面に沿うようにして筆を走らせ、輪郭を描き、個々の木を浮かび上がらせます。

4 桃色のガッシュは濃厚なペースト状にします。ガッシュを不透明に保つために、できるだけ水は少量にしてください。空の高い位置にある雲をより大きく不規則にし、低いほうの雲をより直線的で間隔も狭くします。夢中になってピンクの雲で空を埋めてしまいがちなので、やりすぎる前に止めましょう。

5 実際の雲は、絵では再現できない姿をしています。雲は鮮やかな色を帯びたまま、明るく輝くのです。あなたには選択肢があります。色味か、色の濃淡のどちらか一つで、スケッチと実際の雲を一致させることができます。しかし、両方はできません。

雲の色の濃淡を実物に合わせるには、チタンホワイトを雲の色に混ぜたものを、雲全体の上に、不規則に撫でつけます。

このスケッチは、平筆の一本のみを使って描かれています。

あとがき

　ジャーナリングは、世界に飛び込み、美しさと畏敬の念を再発見するための招待です。そして、ありふれて見える日常の瞬間に、持続的で思いやりのある眼差しを向け、その瞬間を喜び、感謝する理由を見つける方法でもあります。

　自然界のあらゆる場面には、無限に興味をそそるもの、不思議さ、そして謎が隠されています。ジャーナルのページをイラストやメモ、そして観察記録で満たすと、あなたの人生は美しさと好奇心で確実に満たされることでしょう。

　この本で紹介したスキルは、誰でも習得できるものであり、予想より早く上手になります。あなたがしなければならないことは、ジャーナリングをあなたの人生の一部として、自然の女神にあなたの本気を示すことです。陽が沈むたびに、ジャーナルは、時間をかけてゆっくりと、思慮深い存在と世界とのつながりによって、豊かなものになっていきます。それは、まさに人生そのものです。ジャーナリングで、あなたはどんなことがしたいですか？

John Muir Laws

> 日々をどう過ごすかということは、いうまでもなく、人生をどう過ごすかということだ。
> —— アニー・ディラード（『本を書く』柳沢由実子訳、パピルス、1996年）

謝辞

　私が愛することを行うにあたり、支援し、そして、ひらめきをくださり、導いてくださったメンターや先生方、後援者の皆さん、そして仲間たちに、心からの感謝を捧げます。

　この本は、何年にもわたって私に刺激を与え、指導してくれた先生たち、協力的な友人、メンター、両親、パートナーとの豊かなつながりのおかげで完成しました。誰の肩が私を最も支えてくれたのか、誰がいなければこの本を書けなかったのか、一人ひとりを挙げることはできませんが、間違いなく、皆さんが私に与えてくれたもののおかげで、私は感謝し、謙虚になり、最善を尽くそうという気持ちになれました。

　私の両親は、二人ともアマチュアのナチュラリストです。自然の中での好奇心旺盛な遊びは、家族で出かける際の定番の楽しみでした。私たちは野生の花や鳥を見て、数え切れないほどの日々を過ごし、夏はシエラネバダ山脈とポイントレイズ国立海浜公園で過ごしました。父がチムニーロックに咲く野草の緻密なリストを作成して、ある年を別の年と比較し、いまでいう生物季節学を学んでいるのを見てきました。そんな言葉があると知るずっと前からです。弟のジェームズは、こうした子ども時代の冒険のパートナーであり、共謀者であり、今日まで、私の芸術、好奇心、そしてバックカントリーでの放浪に、よい刺激を与えてくれています。

　妻のシベール・ルノーと私は、子どもを持ち、家庭を築いています。私たちは、子どもたち、アメリアとキャロリンにも、自然への愛情を育んでほしいと思っています。シベールの愛情、サポート、ユーモア、そして忍耐に、深く感謝します。彼女は、この仕事が私にとって非常に重要である理由を理解し、私ができる限り最善を尽くせるように手助けしてくれています。

　私は失読症です。この原稿の初期の草稿、スペルミスで埋め尽くされた文章をご覧になって頂きたいものです。子どもの頃、綴りができないから自分は愚かなのだと思っていました。私は学校で苦労していましたが、自然の中では、添削の赤ペンから逃れ、生きていると実感することができました。私は博物学に魅了され、自然との出会いや発見についてのジャーナルをつけ始めました。スケッチなら大丈夫と感じたので、メモのほとんどは絵でした。練習することで何事も上手になります。ですから、私は練習、忍耐、そして観察という方法で、ジャーナルを描き続けました。初期の頃は、キング・サムズ、パトリシア・スタール、バーバラ・カイザーなど、学校の先生や家庭教師の小さなグループが、私が勉強で落ちこぼれないように手伝ってくれました。高校生になって初めて、二人の先生、アラン・リドリーとリロイ・ボットが、私が綴り方の問題を乗り越えるのを手伝ってくれ、私の考えを全面的に認めてくれました。この出来事によって、私の心はやる気に燃えて、自分と自分の知性に対するイメージが変わりました。

　障がいのある学生プログラムの支援を受けて、私はカリフォルニア大学バークレー校に入学しました。ここでは、エバート・シュリンガー博士（博物学者およびクモ生物学者）、

カート・ラーデ・マッハー（博物学者）、スコット・ステイン博士（地理学者）、およびアーノルド・シュルツ博士（生態学者およびシステム思考者）というメンターと出会いました。彼らは、科学、自然、そして創造的によりよいものを選び出す力への愛につながる扉を開いて、今日に至るまで、私に示唆とひらめきを与えて続けてくれます。

　私の祖母ベアトリス・ウォード・チャリスは、私の最初の美術教師でした。「ジャック、さあ、ルールはありません。これらの絵具で遊んで、どうなるかを見てごらんなさい。楽しんでね。自分のやり方を見つけてね」。彼女の声はいつも私と共にあります。イラストレーターのチャック・スタセックと鳥類画家のキース・ハンセンによる美術クラスも受講し、とても役に立ちました。今でも、チャックの教えてくれたブラックグレープの色鉛筆でシェーディングし、鳥の形態の分析には、キースのやり方を使っています。ウィリアム・D・ベリー、ジョン・バスビー、ジェイムズ・ガーニー、グレッグ・アルバート、マリージョ・コッホ、ティム・ウートゥン、バリー・ヴァン・デュセン、ブルース・ピアソン、デビー・キャスパリ、エドワード・タフトゥ、オースティン・クレオン、マイク・ロウドゥの作品と執筆にも影響を受けてきました。

　　大学在学中、私はグランドティトン国立公園のティトン・サイエンススクールで働いていました。ここで私はクレア・ウォーカー・レスリーとハンナ・ヒンチマンに出会い、勉強する機会を得ました。私はすでに熱心にジャーナリングに勤しんでおり、彼女たちの教えをとても渇望していたので、それをスポンジのように吸収しました。何年も経った今でも、彼女たちのアドバイスと哲学は、私の心の中で新鮮な輝きを保ち、私の仕事を形づくり続けています。2001 年、私はカリフォルニア大学サンタクルーズ校の科学イラストレーションの大学院プログラムに入学しました。イラストレーションの中心的な教員であるアン・コードルとジェニー・ケラーは、9 か月にわたって私のイラストレーションのテクニックを育成し、訓練して下さいました。このプログラムには集中的かつ深い学びがあり、彼女たちは、私たち学生に技術をクリティカルに探究し、主題を理解するように促しました。私がこの本で共有する秘訣の多くは、彼女たちから学んだものです。彼女たちのおかげで、私は、*The Laws Field Guide to the Sierra Nevada*（2007 年）の文章とイラストを制作し、自然の中で新しいキャリアを始めることができるレベルまで、自分のスキルを磨くことができました。アンとジェニーは二人とも、この本に対するアドバイスと改稿を手伝ってくれました。また、ネイチャー・ジャーナリングのメンターであるクレア・ウォーカー・レスリーとキャシー・ジョンソンにも相談しました。二人とも、この本を改善するための、広範囲で貴重なフィードバックをくれました。さらに、グレン・ブランチ（米国国立科学教育センター）、アショーク・コズラー、ケヴィン・パディアン（カリフォルニア大学バークレー校）、および私の父であるロバート・ロウズが、この本の編集にあたりました。失読症の人間との作業に、苦労がなかったとは決して言えないでしょう。ネイチャ

ー・ジャーナル・クラブのメンバーは、この本のアイディアを展開させ、検証する作業を手伝ってくれました。私は彼らから、無数の提案やアイディアをもらいました。カリフォルニア州バークレーにあるローレンス科学センターの環境教育プロジェクト（BEETLES)のケヴィン・ビールス、クレイグ・ストゥラング、ジェダ・フォーマン、リン・バラコスからは、調査手順、観察、問いの立て方についての助言を受けました。

写真家のアショーク・コズラー（seeingbirds.com）、ギャリー・ナフィー（californiaherps.com）、ヴィヴェーク・カーンゾーデ（birdpixel.com）が、この本の参考資料として、写真の使用許可をくれたことに感謝します。ロバート・リーヴス（robertreeves.com）は、彼ならではの精緻な手法で月を捉えた写真作品を使用することを許可してくれました。ヴィヴェーク・カーンゾーデは、オオホシハジロの写真を含めることも許可してくれました。

非営利系出版社ヘイデイ・ブックスとの仕事は望外の喜びでした。ヘイデイの代表であり精神的支柱でもある、マルコム・マーゴリンと彼のチームは、この本を世界に広めることに多大な愛情と配慮を注いでくれました。主任編集者のジーニー・ジェンダーは、こうしてできあがった原稿を、今あなたが手にお持ちの、洗練された本の形へと仕上げてくれました。ヘイデイの家族のような仲間たちと一緒に仕事ができることを光栄に思います。

制作協力

この本は、エミリー・ライグレンとの、楽しいインスピレーションに溢れたコラボレーションを通じて、できあがりました。私がエミリーに出会ったのは、2009 年、サンフランシスコ州立大学のシエラネバダ・フィールド・キャンパスでした。私たちは、二人ともジャーナルを通じて自然との関係を深めていることに気がつき、意気投合しました。私は絵を描くことによって、そして、エミリーは文章を書くことによって、自然と対話していたのです。二人の他愛ない会話として始まったものは、その後、豊かで生産的なコラボレーションへと成長し、いくつかの企画へと広がり、ネイチャー・ジャーナリングを通じて、人々に有意義な体験を生み出しました。この本に登場するネイチャー・ジャーナリングの定義は、私たちの協働作業によって、より豊かなものになりました。エミリーが私と共有してくれた知識、そして、ナチュラリスト、ライター、教育者としての彼女の経験は、かけがえのない大きな助けとなりました。

エミリーは、私がネイチャー・ジャーナルの作成手順を豊かで魅力的な方法で共有できるようにしっかりと支援をしてくれました。彼女は、私が自分のメッセージを明確にできるように助言をし、そして彼女の気づきは、私の思考をより高いレベルに引き上げてくれたのです。私たちは、意識を集中させる方法としてのジャーナリングの枠組みについて、広く会話を交わしました。彼女のおかげで、観察と探究についての考えを明確にすることができました。さらには、その部分のいくつもの草稿について、彼女は構成や修正の手直しを助けてくれましたし、入門的なスケッチレッスンの流れも再編成してくれました。彼女の友情、貢献、そして支援に深く感謝します。

訳者あとがき

　19世紀前半のアメリカで、鮮やかな色を放つ鳥たちを精緻に描いたオーデュボンの絵を
ご存知でしょうか。ミシシッピ河流域の鳥たちを描くことから始め、20年の時をかけ完成
させた全435点からなる彩色銅版画『アメリカの鳥類』はあまりにも有名です。彼の言葉
の中に、「私の描く絵の出来がよくないときほど、実物は美しい」というものがあります。
眼前に広がる荘厳な自然世界に目を奪われながらも懸命にそれを記録しようとする熱気が
伝わってきます。北米大陸には、大自然の美しさへの驚嘆と敬意に満ちた人々の活気が溢
れています。

　本書『見て・考えて・描く自然探究ノート──ネイチャー・ジャーナリング』も、オー
デュボンのように、自然に魅了され、その素晴らしさを伝える試みの最良の例の一つです。
著者のジョン・ミューア・ロウズは、カリフォルニア州を拠点として活動するナチュラリ
ストで、本書のテーマである「ネイチャー・ジャーナリング」を著作やワークショップを
通して発信しています。「ネイチャー・ジャーナリング」の説明には、ナチュラリストの意
味合いを知ることが鍵となります。

　ナチュラリストという呼称には、自然を愛する人という意味合い以上に、アメリカが大事
に育ててきた自然に対する知的態度の系譜が関係しています。それは、ナチュラル・ヒス
トリー（日本ではかつては博物学と訳され、現在では、自然史や自然誌と呼ばれる）とい
う考え方で、理念や概念から世界を説明するのではなく、目の前に存在している証拠（現
象、生物、物体すべて）を収集し、観察し、分類することで真理にたどり着こうとする考
え方です。北米大陸にヨーロッパからの入植が始まったとき、人々の眼前には、多種多様
な生物や原野（ワイルダネス）が広がっていましたから、こうした思考方法はうってつけでした。

　そして、重要なポイントとして、私たちが現在一般に科学と読んでいる領域では、手法
の違いなどにより分野を細分化させていきますが、ナチュラル・ヒストリーは、そうした
区分を行わず、歴史や詩など一般に文系と呼ばれる分野さえも包み込んで、自然の有り様
に関する知的営みの総体として存在しています。その結果、学問ではあっても、大学や研
究所に囲い込まれるのではなく、日常生活の中で一般の人々によっても共有され、発展し
てきました。

　こうした世界の捉え方を実践する人が、ナチュラリストなのです。大人も子どもも区別
なく、見て、考えて、描く（記録する）ことで、ナチュラリストとして、自然の中で新し
い学びを体験できます。ナチュラル・ヒストリーの殿堂とされる自然史博物館（ニューヨ
ーク）では、自然環境の迫力や豊かさを単に展示するだけでなく、人が自然をどのように
観察するかを伝え、来館者がナチュラリストになるための工夫を至るところで見つけるこ
とができます。

　ネイチャー・ジャーナリングとは、こうしたナチュラリストたちが、絵や文章を通じて、
世界に向かい合うための方法の総称です。小さな発見を理論的に深める思考方法であり、
かつ、思考を記録するための実践的な活動そのものでもあります。クレア・ウォーカー・

レスリーの著書 *Keeping a Nature Journal* がこのジャンルの代表的な著作とされ、アメリカでは初等・中等教育の科学教育・環境教育とも接続されています。

　著者のロウズには、イラストレーターとしての才能と、それを磨くために美術教育を受けた経験を活かして、初心者がいかにして描くかを詳細に解説しているのが、本書の優れた点です。どんなことも言葉で説明し説得するというアメリカ社会の美徳が本書にも存分に発揮されています。著者のミドルネームから、環境保護の先駆者ジョン・ミューアとの関連を連想される方もいるかもしれません。著者はミューアと親類関係にはなく、著者の母がナチュラリストとしての尊敬の念から、息子のミドルネームに「アメリカ国立公園の父」とも呼ばれるミューアの名を与えたそうです。

　最近では解説動画のほうが簡単だと思われるかもしれませんが、「こんな感じで……」と見本を見ることはできても、いざやってみると、どこがポイントなのかわからず、同じようにできないこともあります。そんなときは、本書の解説が威力を発揮します。美術の技法を落とし込んだ文章になっており、描き続けるためのヒントが詰まっています。ぜひ鉛筆を手にとって読みながら、描き始めてください。

　日本でも様々な方法で、自然観察が行われてきました。日本野鳥の会をはじめ、全国には、自然との付き合い方を堪能する窓口がたくさんあります。また、日本でも、「日本ネイチャー・ジャーナル・クラブ」が 2018 年から活動を始めています。主宰者の小林絵里子さんは、ロウズの助言を受けながら、またアメリカでのジャーナリングのネットワークも活かして、学習ツールとしてのジャーナリングの可能性を探求しておられます。ジャーナリングは、作成することで終わりにせずに、語り合い、共有することが大事とされていますので、ぜひみなさんもジャーナリングの仲間を探してみてください。

　邦訳にあたり、画材については基本的に原書の情報を中心に残しましたが、日本では画材や文房具は国外・国内製品を問わず豊富に入手できます。100 円ショップの活用など多様なアイディアで、オリジナルのキットを楽しんでください。なお、原書はアメリカのレターサイズ（ほぼ日本の A4 サイズ）で 300 ページを超える大部な本なので、日本語版を刊行するにあたり、動植物の純粋な描き方など技術書的な部分は割愛しました。また、著者が描いた現地の雰囲気を楽しめるよう、本書に出てきた地域の一覧を次ページに掲載した。

　本書を訳すにあたって、訳者も多くの学びがありました。訳文を丁寧に読み、コメントしてくださった小林絵里子さん、坂本博子さん、志垣陽さん、そして手書き部分まで含めてフィードバックしてくださった鈴木律子さんに心からの感謝を捧げます。また、最後になりましたが、本書の企画を快く受け入れてくれ、最善の形で日本の読者に読んでもらえるようにしてくださった土井二郎さん、黒田智美さんはじめとして築地書館の関係者の皆様にも感謝します。

訳者を代表して　杉本裕代

ジャーナルに描かれた場所を見てみよう

この本に登場したジャーナルに記載されている地域について、近いと思われる地点の Google Map の URL と二次元バーコードを掲載します。 著者が見た風景を想像してみましょう。それによって、日本の自然風景の個性や豊かさにも気づくはずです。

ロック・スプリング
https://goo.gl/maps/
MT3st4vrJe912U6R7
→ P.8

シェディー・クリーク
https://goo.gl/maps/
yEejLUBJmU5KxzGs7
→ P.9

リンチ・キャニオン
https://goo.gl/maps/
apKV5UEYDARV4nkBA
→ P.11

ペッパーウッド・ランチ
https://goo.gl/maps/
3hmvzpy6GvADdsgJ8
→ P.13

コヨーテ・ポイント
https://goo.gl/maps/
7BWrZrJqoqMMqzWi8
→ P.14, 15, 39,
50, 74, 77,
79, 166

クリア・レイク州立公園
https://goo.gl/maps/
1peoXXykxPsBgQqT8
→ P.22

シエラ・バレー
https://goo.gl/maps/
6M1aWqcvVdzXKoQh8
→ P.35, 42

ラジオ・ロード
https://goo.gl/maps/
R8cv9pGoxY4E1QDV9
→ P.37, 40, 41, 57

シエラネバダ・フィールド・
キャンパス
https://goo.gl/maps/
o9ui7aJYjxid4dxU6
→ P.43

ジャスパー・リッジ
https://goo.gl/maps/
ftU3HbE1rZU1Nkz77
→ P.46

クリスタル・スプリング通り
https://goo.gl/maps/
iCcwpy3m3E9UJ7Lq5
→ P.48

レイズ岬
https://goo.gl/maps/
6byBpZttkxnZ3yH39
→ P.51

サン・ブルーノ山
https://goo.gl/maps/
N3bq1RACHR25c1DVA
→ P.54, 63

ボリナス潟
https://goo.gl/maps/
6zd2atAXQBPGoabR6
→ P.56

ロシアン・リバー
https://goo.gl/maps/
dfzZFLwWZT5ZJ5s59
→ P.58

マクドナルド湖（モンタナ州）
https://goo.gl/maps/
MGihZHmkETYW9SWf7
→ P.59

グリーンメドウズ野外学校
https://goo.gl/maps/
7GKAj34ybVGKm1NV9
→ P.60, 61

ソレンソンのホープ・バレー
https://goo.gl/maps/
443tJifUkUQ6ZzdJ6
→ P.61

メリット湖（オークランド）
https://goo.gl/maps/
f5q7yzcr4cuksGM77
→ P.66

サンドミニコ・スクール
https://goo.gl/maps/
J5fkZjNecYxjFPMe7
→ P.67

オロンパリ
https://goo.gl/maps/
zDed6biYfd5dN6PMA
→ P.69

カリフォルニア大学
バークレー校　森のキャンプ
https://goo.gl/maps/
vU88GWoTbUb6TbZF6
→ P.72

エル・コルテ・デ・マデラ
保護区
https://goo.gl/maps/
qy4eKudjAFR2YTkM6
→ P.81

コヨーテヒルズ・
リージョナルパーク
https://goo.gl/maps/
A5DR19QPkbEj5Xon7
→ P.94, 95

パークバレー・
アクアテパーク（バークレー）
https://goo.gl/maps/
gZtt8758cCvXTdAC9
→ P.95

ウェイブクレスト
https://goo.gl/maps/
Vr6P42UxW3xFHoa16
→ P.108

ワイルドキャットキャニオン
https://goo.gl/maps/
MHtgwQi2bCDNa59q8
→ P.200

ハーツ・デザイア・ビーチ
https://goo.gl/maps/
123Z7wVzjRn3rz4F8
→ P.203

---

eBird：アメリカのコーネル大学鳥類学研究室による運営
世界的な野鳥観察情報データベースで、市民参加型で鳥類のデータが蓄積・共有されています。世界中の鳥
の写真や生態、その鳥の鳴き声まで収録され、鮮やかな鳥の世界に目を奪われることでしょう。
2021年11月には日本野鳥の会が、日本語版「eBird JAPAN」を開設しました。
無料で利用できます。ぜひ閲覧して、また、情報収集をしてあなたもデータベースに貢献してください。ス
マートフォンアプリもあるようです。詳しくは以下のサイト、もしくは「ebird Japan」で検索を。
https://ebird.org/japan/home

注釈

なぜネイチャー・ジャーナリングなのか？

1. D. Steindl-Rast, "Want to Be Happy? Be Grateful."

観察することと、意識的に好奇心を保つこと

1. Kerry Ruef, *The Private Eye*.

2. Marianne Schnall, "Exclusive Interview with Zen Master Thich Nhat Hanh."

3. Matthias J. Gruber, Bernard D. Gelman, and Charan Ranganath, "States of Curiosity Modulate Hippocampus-Dependent Learning via the Dopaminergic Circuit."

4. ダニエル・カーネマン　村井章子訳『ファスト＆スロー：あなたの意思はどのように決まるか？　上・下』

5. ロバート・A・バートン　岩坂彰訳『確信する脳：「知っている」とはどういうことか』

6. ダニエル・ギルバート　熊谷淳子訳『幸せはいつもちょっと先にある：期待と妄想の心理学』

7. Julia Galef, "Surprise! The Most Important Skill in Science or Self-Improvement Is Noticing the Unexpected."

8. Guy Deutscher, "Does Your Language Shape How You Think?"

探究を深めるための方法

1. Shawn M. Glynn and K. Denise Muth, "Reading and Writing to Learn Science."

2. Barry Lopez, *Crossing Open Ground*.

ジャーナリング・キットと画材

1. Sheena S. Iyengar and Mark R. Lepper, "When Choice Is Demotivating."

自然画

1. K. Anders Ericsson, Roy W. Roring, and Kiruthiga Nandagopal, "Giftedness and Evidence for Reproducibly Superior Performance."

2. オースティン・クレオン　千葉敏生訳『クリエイティブの授業："君がつくるべきもの"をつくれるようになるために』

3. Susie Cranston and Scott Keller, "Increasing the 'Meaning Quotient' of Work."

4. C. J. Limb and A. R. Braun. "Neural Substrates of Spontaneous Musical Performance."

参考文献

この本で紹介した内容は、私ひとりによるものではありません。最新の（それに加えて、よく知られた）知見を、しっかり学び、取捨選択し、自分なりに解釈した結果です。

Albert, Greg. *The Simple Secret to Better Painting*. Fairfield, OH: North Light Books, 2003.

Andrade, Jackie. "What Does Doodling Do?" *Applied Cognitive Psychology* 24, No. 1 (Jan. 2010): 100–106. doi:10.1002/acp.1561.

Baird, Benjamin, Jonathan Smallwood, Michael D. Mrazek, Julia W. Y. Kam, Michael S. Franklin, and Jonathan W. Schooler. "Inspired by Distraction: Mind Wandering Facilitates Creative Incubation." *Psychological Science* Oct, 1, 2012: 1117–1122.

Barrouillet, Pierre, Sophie Bernardin, and Valérie Camos. "Time Constraints and Resource Sharing in Adults' Working Memory Spans." *Journal of Experimental Psychology*: General 133, No. 1 (Mar. 2004): 83–100.

バートン，ロバート・A　岩坂彰訳『確信する脳：「知っている」とはどういうことか』河出書房新社　2010年

Canfield, Michael R. *Field Notes on Science and Nature*. Cambridge, MA: Harvard Univ. Press, 2011.

Card, S. K., T. P. Moran, and A. Newell. "The Model Human Processor: An Engineering Model of Human Performance." In *Handbook of Perception and Human Performance*, Vol. 2: *Cognitive Processes and Performance*, edited by Kenneth R. Boff, Lloyd Kaufman, and James P. Thomas, 1–35. New York: John Wiley and Sons, 1986.

Chun, Marvin M., and Nicholas B. Turk-Browne. "Interactions between Attention and Memory." *Current Opinion in Neurobiology* 17, No. 2 (Apr. 2007):177–184.

Craik, Fergus I., Moshe Naveh-Benjamin, Galit Ishaik, and Nicole D. Anderson. "Divided Attention During Encoding and Retrieval: Differential Control Effects?" *Journal of Experimental Psychology: Learning, Memory, and Cognition* 26, No. 6 (2000): 1744–1749.

Cranston, Susie, and Scott Keller. "Increasing the 'Meaning Quotient' of Work." *McKinsey Quarterly*, Jan. 2013.

Csikszentmihalyi, Mihaly. "Flow, the Secret to Happiness." TED video, filmed February 2004, 18:55, posted Oct. 2008. http://www.ted.com/talks/mihaly_csikszentmihalyi_on_flow?language=en.

Deutscher, Guy. "Does Your Language Shape How You Think?" *New York Times Sunday Magazine*, August 29, 2010.

Ericsson, K. Anders. "Training History, Deliberate Practice and Elite Sports Performance: An Analysis in Response to Tucker and Collins Review—What Makes Champions?" *British Journal of Sports Medicine* 47 (2013): 533–535. doi:10.1136/bjsports-2012-091767.

Ericsson, K. Anders, Ralf Th . Krampe, and Clemens Tesch-Römer. "The Role of Deliberate Practice in the Acquisition of Expert Performance." *Psychological Review* 100, No. 2 (1993): 363–406.

Ericsson, K. Anders, Roy W. Roring, and Kiruthiga Nandagopal. "Giftedness and Evidence for Reproducibly Superior Performance." *High Ability Studies* 18, No. 1 (2007): 3–56.

Farnsworth, John S., Lyn Baldwin, and Michelle Bezanson. "An Invitation for Engagement: Assigning and Assessing Field Notes to Promote Deeper Levels of Observation." *Journal of Natural History Education and Experience* 8 (2014): 12–20.

Galef, Julia. "Surprise! The Most Important Skill in Science or Self-Improvement Is Noticing the Unexpected." Slate, Jan. 2, 2015. www.slate.com/articles/health_and_science/science/2015/01/surprise_journal_notice_the_unexpected_to_fight_confirmation_bias_for_science.html.

ギルバート，ダニエル　熊谷淳子訳『幸せはいつもちょっと先にある：期待と妄想の心理学』早川書房　2007年

Glynn, Shawn M., and K. Denise Muth. "Reading and Writing to Learn Science: Achieving Scientific Literacy." *Journal of Research in Science Teaching* 31, No. 9 (Nov. 1994): 1057–1073. doi:10.1002/tea.3660310915.

Gruber, Matthias J., Bernard D. Gelman, and Charan Ranganath. "States of Curiosity Modulate Hippocampus-Dependent Learning via the Dopaminergic Circuit." *Neuron* 84, No. 2 (Oct. 02, 2014): 486–496. doi:10.1016/j.neuron.2014.08.060.

Ioannidis, John P. A. "Why Most Published Research Findings Are False." *PLoS Medicine* 2, No. 8 (2005): e124. doi:10.1371/journal.pmed.0020124.

Iyengar, Sheena S., and Mark R. Lepper. "When Choice Is Demotivating: Can One Desire Too Much of a Good Thing?" *Journal of Personality and Social Psychology* 79, No. 6 (2000): 995–1006.

Kahan, Dan M. "Ideology, Motivated Reasoning, and Cognitive Reflection." *Judgment and Decision Making*, No. 8 (July 2013): 407–424.

カーネマン，ダニエル　村井章子訳『ファスト＆スロー：あなたの意思はどのように決まるか？　上・下』早川書房　2012年

Kaufman, Scott Barry. "A Proposed Integration of the Expert Performance and Individual Differences Approaches to the Study of Elite Performance." *Frontiers in Psychology*, Jul. 09, 2014. doi:10.3389/ fpsyg.2014.00707.

——. *Ungifted: Intelligence Redefined*. New York: Basic Books, 2013.

Killingsworth, Matthew A., and Daniel T. Gilbert. "A Wandering Mind Is an Unhappy Mind." *Science* 330 (Nov. 2010): 932.

クレオン，オースティン　千葉敏生訳『クリエイティブの授業："君がつくるべきもの"をつくれるようになるために』実務教育出版　2012年

Klingberg, Torkel, Hans Forssberg, and Helena Westerberg. "Training of Working Memory in Children with ADHD." *Journal of Clinical and Experimental Neuropsychology* 24, No. 6 (Sept. 2002): 781–791.

コトラー，スティーヴン　熊谷玲美訳『超人の秘密：エクストリームスポーツとフロー体験』早川書房　2015年

Kruger, Justin, and David Dunning. "Unskilled and Unaware of It: How Difficulties in Recognizing One's Own Incompetence Lead to

Inflated Self-Assessments." *Journal of Personality and Social Psychology* 77, No. 6 (1999): 1121–1134.

Limb, C. J., and A. R. Braun. "Neural Substrates of Spontaneous Musical Performance: An FMRI Study of Jazz Improvisation." *PLoS One* 3, No. 2 (Feb. 27, 2008): e1679. doi:10.1371/journal .pone.0001679.

Lopez, Barry. *Crossing Open Ground*. New York: Vintage, 1989.

MacLeod, Colin M., Nigel Gopie, Kathleen Hourihan, Karen R. Neary, and Jason D. Ozubko. "The Production Effect: Delineation of a Phenomenon." *Journal of Experimental Psychology: Learning, Memory, and Cognition* 36, No. 3 (May 2010): 671–685.

Macnamara, Brooke N., David Z. Hambrick, and Frederick L. Oswald. "Deliberate Practice and Performance in Music, Games, Sports, Education, and Professions: A Meta-Analysis. *Psychological Science* 25, No. 8 (Aug. 2014): 1608–1618. doi:10.1177/09567 97614535810.

目には不思議なもの、びっくりするような
ものを詰めこめ。十秒後には死んでしまう
つもりで生きろ。世界を見ろ。世界は、工
場でつくった夢、金を出して買う夢よりも
ずっと幻想的だぞ。

―――レイ・ブラッドベリ(『華氏451度』レイ・ブラ
ッドベリ著、伊藤典夫訳、早川書房、2014年)

McMillan, Rebecca L., Scott Barry Kaufman, and Jerome L. Singer. "Ode to Positive Constructive Daydreaming." *Frontiers in Psychology*, Sept. 23, 2013.

McNab, Fiona, Andrea Varrone, Lars Farde, Aurelija Jucaite, Paulina Bystritsky, Hans Forssberg, and Torkel Klingberg. "Changes in Cortical Dopamine D1 Receptor Binding Associated with Cognitive Training." *Science* 323, No. 5915 (Feb. 6, 2009): 800–802.

McVay, Jennifer, Michael J. Kane, and Thomas R. Kwapil. "Tracking the Train of Thought from the Laboratory into Everyday Life: An Experience-Sampling Study of Mind Wandering across Controlled and Ecological Contexts." *Psychonomic Bulletin & Review* 16, No. 5 (Oct. 2009): 857–863. doi:10.3758/PBR.16.5.857.

Miller, George A. "The Magical Number Seven, Plus or Minus Two: Some Limits on Our Capacity for Processing Information." *Psychological Review* 63, No. 2 (Mar. 1956): 81–97.

Neisser, Ulric, and Nicole Harsch. "Phantom Flashbulbs: False Recollections of Hearing the News about *Challenger*. " In *Affect and Accuracy in Recall: Studies of "Flashbulb" Memories*, edited by Eugene Winograd and Ulric Neisser, 9–31. New York: Cambridge Univ. Press, 1992.

Nyhan, Brendan, and Jason Reifler. "When Corrections Fail: The Persistence of Political Misperceptions." *Political Behavior* 32, No. 2 (June 2010): 303–330.

Ostrofsky, Justin, Aaron Kozbelt, and Angelika Seidel. "Perceptual Constancies and Visual Selection as Predictors of Realistic Drawing Skill." *Psychology of Aesthetics, Creativity, and the Arts* 6, No. 2 (2012): 124–136.

ピンク, ダニエル 大前研一訳『モチベーション3.0：持続する「やる気！（ドライブ！）」をいかに引き出すか』講談社 2010年

Ruef, Kerry. *The Private Eye: "5X" Looking/Thinking by Analogy-A Guide to Developing the Interdisciplinary Mind*. Seattle: Private Eye Project, 2003.

Schnall, Marianne. "Exclusive Interview with Zen Master Thich Nhat Hanh." *Huffington Post*, updated Nov. 17, 2011. http://www.huffingtonpost.com/marianne-schnall/beliefs-buddhism-exclusiv_b_577541.html.

Scholz, Jan, Miriam C. Klein, Timothy E. J. Behrens, and Heidi Johansen-Berg. "Training Induces Changes in White-Matter Architecture." *Nature Neuroscience* 12 (2009): 1370–1371.

Schooler, J. W., J. Smallwood, K. Christoff, T. C. Handy, E. D. Reichle, and M. A. Sayette. "Meta-Awareness, Perceptual Decoupling, and the Wandering Mind." *Trends in Cognitive Sciences* 15, No. 7 (July 2011): 319–326.

Smallwood, Jonathan, Daniel. J. Fishman, and Jonathan W. Schooler. "Counting the Cost of an Absent Mind: Mind Wandering As an Underrecognized Influence on Educational Performance." *Psychonomic Bulletin & Review* 14, No. 2 (2007): 203–236.

Steindl-Rast, David. "Want to Be Happy? Be Grateful." TED video, filmed June 2013, 14:30, posted Nov. 2014. http://www.ted.com/talks/david_steindl_rast_want_to_be_happy_be_grateful/transcript?language=en#t-6853.

Talarico, Jennifer M., and David C. Rubin. "Confi dence, Not Consistency, Characterizes Flashbulb Memories." *Psychological Science* 14, No. 5 (Sept. 2003): 455–461.

Watkins, Philip C., Kathrane Woodward, Tamara Stone, and Russell L. Kolts. "Gratitude and Happiness: Development of a Measure of Gratitude, and Relationships with Subjective Well-Being." *Social Behavior and Personality* 31, No. 5 (2003): 431–452.

やる気を起こさせてくれる先生やアーティストを探しましょう。彼らの作品や文章から学びを得るのです。できることなら、彼らが主催する教室やワークショップに参加するか、それが無理なら、動画などを探して、その人たちが芸術作品をどのように生み出すのか、実際の時間経過も含め観察しましょう。

ネイチャージャーナリングをする人は必携の書が何冊かあります。これらの本は、私の仕事にも多分に影響を与えています。本書は、これらの必携書とは別個のものですが、補い合う関係にあります。手始めに、次のような本を揃えると、十分な情報を参照できるでしょう〔いずれの書籍も、Amazon.co.jp経由で入手可能〕。

Keeping a Nature Journal, by Clare Walker Leslie and Charles E. Roth (Storey Publishing, 2003); Artist's Journal Workshop, by Cathy Johnson (North Light, 2011); Drawing on the Right Side of the Brain (The Definitive 4th Edition), by Betty Edwards (Tarcher, 2012)（ベティ・エドワーズ、野中邦子訳『脳の右側で描け：決定版』河出書房新社、2013年）; The Sketchnote Handbook, by Mike Rohde (Peachpit, 2012); A Life in Hand, by Hannah Hinchman (Gibbs Smith, 1999); The Simple Secret to Better Painting, by Greg Albert (North Light Books, 2003); and William D. Berry: 1954–1956 Alaskan Field Sketches, by Elizabeth Berry (University of Alaska Press, 1989).

著者紹介

ジョン・ミューア・ロウズ（John Muir Laws）

ナチュラリスト、教育者、芸術家であるジョン・ミューア・ロウズ（愛称ジャック）は、情熱的に自然を愛し、好奇心、創造性、ユーモアで人生を享受している。彼のスケッチは、注意深い観察、広範なフィールド経験、多くの練習で有名。

ジャックの自然とのつながりは、彼が子どもの頃、家族旅行の定期的な一部である探索から始まった。彼のアウトドアへの愛情と野生への自信は、スカウト活動に参加することで成長した。彼の母親は彼の発見を記録するためのスケッチブックを彼に与え、ネイチャー・ジャーナリングの世界が開かれた。彼は祖母の励ましで絶えず絵を描き、観察と絵を描く能力が一緒に成長した。

ジャックは 1983 年以来、自然と科学教育を教えてきた。彼は、教えたり、周囲の人とインスピレーションを共有したりするのが大好きで、数々の授業や、講演、野外教室を担当し、個人や組織へのコンサルタントを行っている。サンフランシスコのベイエリアの自宅近くで、ネイチャー・ジャーナル・クラブを主宰し、無料の月例ワークショップとフィールド・トリップで、アーティスト、探検家、ナチュラリスト、詩人たちの活気に満ちたコミュニティーとの出会いを提供している。彼はカリフォルニア科学アカデミーの研究教育アソシエイトであり、全米オーデュボン協会が推進する TogetherGreen 環境保全プログラム〔トヨタがスポンサーをしていたときもある〕のリーダーシップ・フェローである。2011 年には、「世界渡り鳥の日」のための記念アーティストとして選ばれた。

カリフォルニアと芸術の自然史に関する著作や解説書に、*Sierra Birds: A Hiker's Guide*（2004）、*The Laws Guide to the Sierra Nevada*（2007）、*The Laws Pocket Guide to the San Francisco Bay Area*（2009）などがある。邦訳があるものとしては、*The Laws Guide to Drawing Birds*（2012）（『鳥の描き方マスターブック』森屋利夫訳、マール社、2016 年）。Bay Nature 誌の「Naturalists Notebook」コラムに定期的に寄稿している。

訳者紹介

杉本裕代（すぎもと　ひろよ）

東京都市大学　外国語共通教育センター　講師。

専門はアメリカ文学・文化。19 世紀のアメリカ作家ヘンリー・デイヴィッド・ソローを通じてナチュラル・ヒストリーに出会う。東京都市大学では英語科目以外に、理系科目の教員たちと共同で「科学体験教材開発」の授業を担当し科学ワークショップと物語の力を結びつけた取り組みをしている。

吉田新一郎（よしだ　しんいちろう）

元々の専門は都市計画。国際協力にかかわったことから教育に関心をもち、1989 年に国際理解教育センターを設立。

参加型のワークショップで教員研修をすることで、教え方を含めて学校が多くの問題を抱えていることを知る。それらの問題を改善するために、仕事／遊びとして、「ＰＬＣ便り」「ＷＷ／ＲＷ便り」「ギヴァーの会」の 3 つのブログを通して本や情報を提供している。趣味／遊びは、嫌がられない程度のおせっかいと日曜日の農作業（なんと、山歩きよりも重労働！）。

質問・問い合わせは、pro.workshop@gmail.com へお願いします。

見て・考えて・描く自然探究ノート
ネイチャー・ジャーナリング

2022年5月10日　初版発行

著者　ジョン・ミューア・ロウズ
訳者　杉本裕代＋吉田新一郎
発行者　土井二郎
発行所　築地書館株式会社
〒104-0045 東京都中央区築地7-4-4-201
TEL.03-3542-3731　FAX.03-3541-5799
http://www.tsukiji-shokan.co.jp/
振替 00110-5-19057
印刷・製本　シナノ印刷株式会社
本文デザイン&装丁　秋山香代子

　ISBN978-4-8067-1634-1

● 築地書館の本 ●

遊びが学びに欠かせないわけ
自立した学び手を育てる

ピーター・グレイ［著］　吉田新一郎［訳］
2,400 円＋税

異年齢の子どもたちの集団での遊びが、飛躍的に
学習能力を高めるのはなぜか。
著者自らの子どもの、教室外での学びから、学び
の場としての学校のあり方までを高名な心理学者
が明快に解き明かした。生涯にわたって、良き学
び手であるための知恵が詰まった本。

野の花さんぽ図鑑

長谷川哲雄［著］
2,400 円＋税

植物画の第一人者が、花、葉、タネ、根、季節ご
との姿、名前の由来から花に訪れる昆虫の世界ま
で、野の花 370 余種を、花に訪れる昆虫 88 種と
ともに二十四節気で解説。
写真図鑑では表現できない野の花の表情を、美し
い植物画で紹介する。

● 築地書館の本 ●

野の花さんぽ図鑑
木の実と紅葉

長谷川哲雄［著］
2,000 円＋税

秋から初春までの植物の姿を、繊細で美しい植物画
で紹介。
かわいらしいミズナラやカシワのドングリ、あざや
かに色づいたヤマブキやカエデの葉、観察が楽しい
ハナミズキやクヌギの冬芽──
250 種以上の植物に加え、野鳥も収録！

森のさんぽ図鑑

長谷川哲雄［著］
2,400 円＋税

ページをめくれば、この本を片手に散歩に出かけたく
なる！
231 種に及ぶ新芽、花、実、昆虫、葉の様子から食
べられる木の芽の解説まで、身近な木々の意外な魅
力、新たな発見が満載で、植物への造詣も深まる、
大人のための図鑑。

植物と叡智の守り人

ネイティブアメリカンの植物学者が語る
科学・癒し・伝承

ロビン・ウォール・キマラー［著］　三木直子［訳］

3,200 円＋税

ニューヨーク州の山岳地帯。
美しい森の中で暮らす植物学者であり、北アメリカ
先住民である著者が、自然と人間の関係のありか
たを、ユニークな視点と深い洞察でつづる。
ジョン・バロウズ賞受賞後、待望の第2作。

ミクロの森

1 ㎡の原生林が語る生命・進化・地球

D.G. ハスケル［著］　三木直子［訳］

2,800 円＋税

テネシー州の原生林で1㎡の地面を決めて、1年間
通いつめた生物学者が描く、森の生き物たちのめ
くるめく世界。
さまざまな生き物たちが織り成す小さな自然から見
えてくる遺伝、進化、生態系、地球、そして森の真実。
1㎡の地面から、深遠なる自然へと誘なう。